SÜLEYMAN HAN

بِسۡمِ ٱللَّهِ ٱلرَّحۡمَٰنِ ٱلرَّحِيمِ

الطبعة الأولى
1435 هـ - 2014 م

ردمك 978-614-01-1123-3

تم إصدار هذا الكتاب بدعم من برنامج «أضواء على حقوق النشر» في أبوظبي.

SPOTLIGHT ON RIGHTS ©

This edition has been produced with a subsidy by the Spotlight on Rights programme in Abu Dhabi

يتضمن هذا الكتاب ترجمة النسخة التركية

SÜLEYMAN HAN

نشر هذا الكتاب بدعم من وزارة الثقافة والسياحة في الجمهورية التركية ضمن مشروع

Republic of Turkey Ministry of Culture and Tourism teda Translation Subvention Project

Translation is sponsered by TEDA
T.C. Kultur ve Turizm Bakanligi
Kutuphaneler ve Yayimlar Genel Mudurlugu
Fevzi Paşa Mahallesi Cumhuriyet Bulvarı No:4 (Eski Sayıştay Binası)
06030 Ulus/ANKARA/TURKEY
e-mail: teda@kulturturizm.gov.tr - Web: www.tedaproject.com

SÜLEYMAN HAN

رواية

أوقاي ترياقي أوغلو
OKAY TIRYAKIOĞLU

ترجمة

ترجمة عبد القادر عبد اللي

مراجعة وتحرير

مركز التعريب والبرمجة

عين التينة، شارع المفتي توفيق خالد، بناية الريم
هاتف: 786233 – 785108 – 785107 (1-961+)
ص.ب: 5574-13 شوران – بيروت 2050-1102 – لبنان
فاكس: 786230 (1-961+) – البريد الإلكتروني: asp@asp.com.lb
الموقع على شبكة الإنترنت: http://www.asp.com.lb

ثقافة THAQAFA
للنشر والتوزيع ذ.م.م.
Publishing & Distribution L.L.C.
الإمارات U.A.E.

أبوظبي هاتف: 6345404 (2–971+) فاكس: 6345407 (2–971+)
دبي هاتف: 2651623 (4–971+) فاكس: 2653661 (4–971+)
بيروت هاتف: 786233 (1–961+) فاكس: 786230 (1–961+)

التنضيد وفرز الألوان: **أبجد غرافيكس**، بيروت – هاتف 785107 (1–961+)
الطباعة: **مطابع الدار العربية للعلوم**، بيروت – هاتف 786233 (1–961+)

مُقـدِّمـة

أعزائـي القـراء، أتوقـع أن الكثيريـن ممـن اقتنـوا هـذا الكتـاب يتابعون سلسـلة القانوني منذ سـنين. لهـذا السـبب، إن مقدمتي موجهة للقـراء الجـدد أولاً. إنهـم الآن يعيشـون حـالاً مـن التـردد - وإن كان خفيفاً - حـول ما إذا كانـوا سيسـتمتعون بقراءة هـذا النـص دون قراءة كتابي السلسلة السـابقين أم لا. الجواب عن هذا السـؤال دون أي تردد هو «نعـم!»؛ أي يمكنهـم أن يسـتمتعوا بقراءة هـذا الكتـاب الأخير من الثلاثيـة دون قـراءة الكتابيـن السـابقين. ولكنهـم يجـب أن يضعوا في أذهانهم بضعة تفاصيل.

لقد استفدتُ من التقنيات الأدبية كافة لنقل حياة السلطان سليمان خان القانوني، وتجسـيد المرحلة التي عاشـها بكل تفاصيلها أمام عيني القارئ. أحد تلك الأسـاليب التي طرقها عبدكم الفقيـر لله هو تصوري الذي كونته عبر سنين طويلة.

مسـاعدي الأساسـي في هذا الأمر هو مؤسـس تنظيم المخابرات في تلك الفترة المسـمى الهلال الفولاذي، الجاسـوس الشـهير المدعو وهيمي أورهون جلبي الـذي أحببتموه كثيراً، ولكنني لم أشـعر بالدفء ناحيتـه قـط، وحاولتُ مـا اسـتطعت أن أكـون بعيـداً عنه في السـنوات الماضية.

يُعتبـر هـذا الرجل الغريـب قبضة سـليمان خـان الحديديـة داخل قفازه المخملـي، وكان قد أسـس الهلال الفـولاذي في عهـد المرحوم السلطان سـليم خان الجبار، وكسب شـهرته الحقيقية في عهد السلطان

سـليمان القانوني بدعمـه لمارتـن لوثر مؤسـس البروتسـتانتية، ووقوفه خلف الكفـاح الذي خيض فـي مآوي الغرب (الاسـم الـذي كان يُطلق على ولايـات الجزائـر وطرابلس الغـرب وتونـس وهي تحـت الحكم العثماني).

رافقناه في كثير من الحروب العلنية والسـرية بـدءاً من فتح بلغراد وحـروب رودوس وموهاتـش وحصـار أسـترغون، ووصولاً إلـى أزقة تبريز وقزويـن الخلفيـة، ومـروراً بدخوله حياة آل هابسـبورغ والأسـرة الصفوية المالكة.

كان هـذا الفدائـي المخلـص لدولته وأمتـه في كل الظـروف على دراية ببعض تقنيات الحرب التي اسـتخدمتها الحضارة الإسـلامية على مدى سـنين طويلة وتبناها الغـرب بقوة بعد أن نسـيها المسـلمون. كان يسـتطيع اختراق أسـوارٍ كان يُعتقد أن اختراقها مسـتحيلٌ، والتسلل عبر المجارير كالأفعـى، وتذويب القضبـان الحديدية والجدران السـميكة. وبسبب ظهوره المفاجئ بجانب رأس عدوه دون أن يشعره بشيء جعل ملوك أوروبا يتحسرون على نوم مريح طوال سنين.

كان وهيمي أورهون جلبي في الوقت نفسـه مراقباً جيداً لسـليمان خان. لا يمكن إلا لرجل مثلـه أن يكون بارد الأعصـاب ويُطلقَ أحكاماً صائبة إلى درجـة تمكّنه مـن التحكم بقلمـي دون تردد. ولا بـد لي من الاعتـراف بأنـه كان يزعجني بكلامـه في كثير مـن الأحيـان. إنه يحظى بإعجابي كما يحظى بإعجابكم عندما يصل إلى قناعـات قوية جداً أثناء توجيهه الماهر للتكتلات التي تخوض حرباً سريةً للتأثير على السلطان، ولكنني أخاف من هذا التوجيه كثيراً.

ولكننـا سـنرتاح لأن أحدنـا سـيتخلص مـن الآخـر. لا بـد مـن

التذكير بـأن أحدَ الأسـاليب التي يسـتخدمها وهيمـي هو تغييـره معايير بعـض خلطات المتفجرات، وتسـلله مـن تحت الجدران فـي الأراضي الصخرية. من المؤكـد أن أحداً لا يريـد أن يؤذي أحداً في هـذه الرواية التي تهدف قبل كل شيء إلى إمتاع الجميع؛ شباباً وشيباً.

تمـلأ شـخصية سـليمان خـان بحضورهـا الفريـد خلفيـة الرواية الحقيقيـة ممتـدة علـى زمانهـا. علـى سـبيل المثـال، حمـرة الصباح الأرجوانيـة انعكاس لـدم عينيه مـن الأرق؛ الريـح العاصفة هي نَفَسُـه؛ والغيوم المهدِّدَة هي أفـكاره؛ أما الليالي المظلمة فهـي قفطانه المرصع الـذي يرتديـه. مـاذا؟ الحفيـف الـذي تسـمعونه؟... آه، هـذا وهيمـي أورهون جلبي ينخر مهدداً لكي نبدأ الرواية، هذا كل شـيء. إنه ينتصب فوق رأسـي في هذه الأمسـية الشـتوية الباردة بحضوره المخيف كهدير الريح في مزاريب المطر. اسـكت أيها الشـيخ المشـاكس! لـن أُغْضبك أكثر من هذا، لا تشغل بالك...

الدفتر الأول

مقتطف من إفادة وهيمي أورهون جلبي التي قدمها في الديوان السلطاني المؤرخة في 14 جمادي الثاني عام 975 بأمر من ركيزة العالم السلطان سليم خان الثاني العظيم. وبأمر من قائد جيش روملي قَدم الدفتر النائب الأول مصطفى فهمي أفندي لسلطان السلاطين في الليلة السابعة من شوال.

I

أنا واع للحقوق التي تمنحني إياها القوانين الشرعية والعرفية أيها السادة. لقد حضرت الديوان السلطاني بصفة مراقب في كثير من الجلسات السرية. ويشهد على هذه الحقيقة نخبة رجال الدولة وعلى رأسهم حضرتكم الصدر الأعظم محمد باشا صوقولو وشيخ الإسلام حضرة أبو السعود أفندي.

أنا أعي أن هذه الجلسة لن تؤدي إلى حكم محكمة نهائي. ولكنني يجب أن أبيّن منذ البداية أن وفاة السلطان سليمان خان في الليلة الفاصلة بين 20 و21 صفر من عام 974 كانت وفاةً طبيعية. لا سند لإشاعات الاغتيال كلها. لا، لا، أنا لا أصدر حكماً جزافاً. أقول هذا بضمير مرتاح بصفتي حارسه الأقرب، ومؤسس تنظيم الهلال الفولاذي، ومعتمداً على معلوماتي وتجاربي كلها.

أنا أيضاً كفرد من هذه الأمة بغاية القلق من الافتراءات التي وُجهت لأولاده. مع الأسف، إن اللعبة التي تستهدف حاكم العالم سليم خان الثاني وهو ما زال في الأشهر الأولى من حكمه شكلٌ آخر من أشكال اللعبة القذرة التي استهدفت ولي العهد الأمير مصطفى خان. نحن في عصر كذبٍ وتشويهِ سمعةٍ لم تشهده الدولة العلية في تاريخها يا أصحاب المعالي.

نعم يا سيدي، أنا أيضاً تعرضتُ لافتراءات كثيرة خلال حياتي الطويلة. لكنها لم تقلقني بالشكل الذي كان يأمله أعدائي في أي وقت. لأنني شهدت بعيني السليمة الباقية مراتٍ عديدة أن البريء لا

يلفظ نفسه الأخير بسهولة حتى لو طوق الحبل المدهون بالزيت رقبته، وتوسل من أجل أن يعيش. نعم، أنا لم أصادف أحداً يرضخ للموت بسهولة؛ بريئاً كان أم مذنباً.

أقول هذا من كل قلبي، وأصرخ به بأعلى صوتي الأجش أيها السادة، دم البريء يكون أخف من التراب عادة. وإذا تمكّن من الاختباء فترة فلا بد أن يأتي يوم ويجري طافياً على سطح الأرض. وفي الحقيقة، أنا لست دون أخطاء، ولكن براءتي مؤكدة في هذه القضية.

إن محاولة تلطيخ سمعة صاحب الحشمة سليم خان الثاني السامية التي تُعدّ بمثابة اغتيال تشعرني شخصياً بالضيق أكثر من كونها تستهدف تحميل المسؤولية للهلال الفولاذي. ولكنكم محقون بضرورة إزالة الشكوك من الأذهان. وأرجو أن تتقبلوا هذا مني باعتباره توصيةَ فانٍ مثلي عاش طويلاً، وشهد كثيراً، ووهب نفسه لخدمة دولته وأمته: إذا بحثتم كثيراً بالشبهات التي لا أصل لها، فستقعون في فتنة متأصلة دون سبب.

نعم يا سادتي، ما زالت آلاف التفاصيل عما قبل المرحلة التي تسألون عنها وبعدها جلية في ذهني. أستطيع رؤية أعماق عشرات السنين بوضوح تام مثل ماء راكدة تسقط الشمس على وسطها. لم يُذْوِ الزمن أي تفصيل من تفاصيل تلك الأيام الحزينة. يا ليت الزمن نجح بهذا، ولكنه لم ينجح. ما زالت بعض الليالي التي أقف فيها على فوهة بئر النسيان الضحلة مركِّزاً عيني على الماء المسموم تنتهي بالكوابيس. أرتجفُ، ولا أجد لهذه الحال تفسيراً، ولكنني عندما أستيقظُ صباحاً أستغرب من نفسي، وأنتبه متألماً أن ما حدث طبيعي للغاية.

كنت أحب ولي العهد الأمير مصطفى خان كابني. كان بمثابة ابني الذي لم أرزق به قط. ومعلوم لهيئتكم العلية أيضاً أننا لسنا - نحن العسكر - فقط من كان يحبه، بل الأهالي والعلماء والوزراء والنخبة من أمثالكم أيضاً كانوا يحبونه. الجميع يعرف من حفر له، ومن حرّض عليه.

لا يا سادتي، أنا لا ألمّح لأي شيء، ولا أفتري على أحد. وليست لدي نية لإساءة الأدب، ولكنكم تعرفونني جميعكم. أنا أحببت دائماً الصراحة والتصرف بشهامة. لا أحب اللف والدوران، وعندما تصلون إلى العقد الثامن من أعماركم يمكنكم أن تتصرفوا دون مواربة إزاء الأحداث والناس.

أنا آسف، لم أفهم... لم تعد أذناي كما كانتا قديماً، اعذروني. لا أسمع إلا بإذن واحدة مثل حال عينيّ اللتين فقدتُ يسراهما أثناء تنفيذ حكم الإعدام بإبراهيم باشا البرغالي، وأضع مكانها كرة زجاجية حيناً، وأغطّيها غالباً بشريط. أنا أرى أن فقداني سمعي بإحدى أذنيّ صادف أسوأ أيام التاريخ العثماني يا أصحاب المعالي.

أبداً يا سيدي، أنتم حضرة كمال باشا قائد جيش روملي تعرفونني بقدر ما تعرفون وجهكم المنور ولحيتكم البيضاء التي ترونها في المرآة يوماً. أنا لم أحقد على أحد في حياتي! ولم يحوِ قلبي بشكل خاص سوى حب ولي نعمتنا المرحوم حضرة السلطان سليمان خان وامتناني العميق له. هل ذكرتم الانزعاج؟ حباً بالله، كل شخص يمكن أن ينزعج أحياناً. أما الانزعاج من سلطاننا فليس من مقام تركماني ولد في خيمة سوداء. لا أشعر سوى بالاعتزاز لأنني خدمت في عهده الذي وصل إلى ذروة السعادة.

اسمعوا أيها السادة، أنا مؤمن بشكل مطلق أن سليمان خان الشهم

عندما خرج في حملته الثالثة عشرة والأخيرة كان واثقاً من أن جسمه المتعب والمريض والهرم لن يستطيع حمله. كما أنه لم يضغط مرة واحدة على الديوان لكي يخوض حرباً لتحقيق طموحات شخصية كملوك أوروبا. ونحن جميعاً نشهد أن عمله كان دائماً في سبيل إعلاء كلمة الله. لهذا، يجب ألا يكون فهمُ رغبته بلفظِ أنفاسه الأخيرة على صهوة جواده في ميدان الوغى وليس على فراشه عصياً على الفهم. ولأشرح لكم هذا بمثال:

لقد وجدنا كثيراً من الفرص لزيارة مضيف حضرة النبي أبي أيوب الأنصاري، وتنكرنا في بعضها. كان سليمان خان يتحدث بصوت يرتجف أحياناً عن مشاركة الصحابي الجليل بحصار إسطنبول، وجرأته بأن أوصى بدفنه في أقرب نقطة من السور، ويعيد القصة كثيراً على الرغم من أنه كان شيخاً في العقد الثامن من عمره.

كانت روحه تفقد توازنها في تلك الأوقات، كصياد سمك جرفته أمواج تيارات البوسفور المتخبطة. على الرغم من أنه لا يحب الثرثرة، فقد كان في تلك الأوقات لا يتكلم بشفتيه ولسانه فقط، بل بروحه أيضاً. كان يركز عينيه على عيني لكي لا أفوّت أية نقطة، ويهمس قائلاً: «كان بعيداً آلاف الكيلومترات عن وطنه، ودُفن وحيداً في ديار لا يعرفها نهائياً. انظر إلى درجة التوكل التي وصل إليها يا وهيمي؛ مما جعل الخوف لا يقترب منه... لأن الله المتوكَّل عليه يكفيه!».

بعد ذلك، كان يقرأ ببطء شديد سورَ يس وتبارك والفتح والسجدة. ويُغلق المصحف الذي بيده أحياناً، ويبقى جامداً لساعات دون أن ينطق بكلمة واحدة وهو ينظر إلى بريق اللحد اللامع. كان يظهر على وجهه تعبير حديدي في تلك الأوقات. يرفّ أجفانه، ويتدفق

الدم تحت بشـرته الشاحبة، ويبتسم ابتسـامة غير واضحة تماماً. ولكنني كنت أرى بريقاً مقشْـعِراً خفيفاً مائلاً إلى الزرقة في بؤبـؤي عينيه. كنتُ أخشـى حتى من أخذ النفس في ذلك الوقت. وكانت قشـعريرة تسـري في جسدي حينئذ.

هل كان حاكم العالم العظيم يركِّز عينيه علـى ذلك النور الأخضر الذي شـهده حضرة آق شـمس الدين قبيل الفتح؟ لماذا يرتجف؟ لماذا كانت جبهته تتصبب عرقـاً كحبات الخـرز؟ هل كانت ملائكـة الرحمة التـي تنـدس بيننا فـي تلـك الأوقات هـي التـي تُؤثر عليـه؟ أم إنـه كان يتشـرّف بـروح حضرته شـخصياً؟ لعـل الإشـاعات التـي أججتها تلك الزيارات بين الناس صحيحة. لعل الصحابي المبارك نفسه هو من دعاه لزيارته في الحلم الذي رآه في الليلة السابقة.

لا يا سـادتي، كانت تلك بعض حالاته السـرية، ولم أسـتطع طرح سـؤال واحد عليه من أجل أن تفرج ستارة السـر التي يسدلها. إنه وضعٌ له حرمته، وليس بيد هذا العبد الضعيف سـوى الشهادة على هذا الأمر، وهذا كل شـيء. كنتُ أشعر أنه سـيبتعد عني بقلبه إذا سـألته سؤالاً غير مناسب. ولم أكن أستطيع المغامرة بهذا.

II

أنـا مـدرك لمـا تريـدون أن تسـألوا عنـه يا سـادتي! أنتـم تريدون التوصل إلى قناعة حول مـا إذا كنت قد حقدتُ على سـليمان خان بعد قتل الأمير مصطفى خان. وصدقوني، إنني أحترم مسـعاكم المحق هذا. نعم، محبتي لمصطفى خان معروفـة للجميع، ولكنني أريـد أن أذكركم بأن لكل ولد من أولاد سـيدنا محبةً خاصةً في نفسـي، وأننـي أعتبر كلاً

منهم أغلى من روحي.

ولماذا سيكون هناك حرجٌ من تعيين الأمير المرحوم مصطفى خان ولياً للعهد؟ أنا أستطيع رؤية الغضب الظاهر في أعينكم من صدرنا الأعظم الفاضل مصطفى باشا قائد الجيش. ستتحركون قريباً بجيش كبير من أجل إخماد التمرد الذي يقوده الإمام الزيدي مظهر الأعرج. بارك الله غزوتكم، وجعل سيوفكم قاطعة، وأتمنى من الله أن يجعلكم تتذكرون ما يقال هنا طوال حياتكم. يا أصحاب المعالي، ها هو أمامكم أحمقٌ مثلي يخاطب ظلمات أعماق قلوبكم... يجب أن تكونوا مسرورين من هذا!

نعم، اعلموا أنني كنت أرى مصطفى خان وريثاً وحيداً للعرش، ولم أخفِ هذا في أي وقت. ولا يمكنكم أن تجدوا من يخالفني رأيي المتواضع هذا في مُلك آل عثمان. أعرف أنكم ستقدمون محضرَ كلامي هذا لسليم خان عاجلاً أو آجلاً. ومنكم من يؤمن بأنه سيوجه غضبه نحوي، ويتخلص من بدني العاجز بهذه الطريقة. نعم، أدركُ أن هذا ما سيحدث في نهاية التحقيق. ولكن، هل تعتقدون أنني أهتم لهذا؟ يعتقد سلطاني أنه يعرفني جيداً؛ كما تعتقدون بالضبط. رقبتي هذه أرفع من حبل فداء حكمه العليّ، ولكن لدي أسراراً ثقيلة إلى درجة... إنها ثقيلة جداً...

رأيي بالمرحوم مصطفى خان لا يقلل من قيمة سليم خان نهائياً، ولا يمكن اعتباره سوى دليل على عظمة المهمة التي تسلمها. أنا مؤمن من كل قلبي بأنه سيعيش حياته مشهراً سيفه في سبيل مصالح الدولة العلية على امتداد الحدود؛ كجده الداهية العظيم. لأن آل عثمان لم يتذوقوا بعد طعم الخجل من إهدار سلطان سلاطينهم أيامه في الحرم

والحمد لله. إذا حل يوم كهذا لا قدّر الله، فهو يعني أن الآفاق قد اسودت أيها السادة. يبذل سليم خان منذ الآن ما يستطيع فعله لمساعدة مسلمي الهند ضد البرتغاليين. أنا مؤمن بأنني سأراه على رأس جيشه على الحدود إذا أمد الله بعمري.

لن أتراجع عن رأيي بمصطفى خان حتى لو سلّمتم جسمي الهزيل هذا للجلاد اليوم. وهل يُعقل ألا أعرف أنه لا يوجد قانون وراثة في العائلات المالكة التركية؟ تُمنح السيادة والسلطنة لأحد الأبناء الذي يخصه الله بهذه الميزة. لهذا السبب، لا يمكن مناقشة مشروعية من اختاره الله لرحمته. ولكن، ألا تُعد لعب الغدر الرخيصة بمصير الأمراء، والتعرض لشهامتهم اعتراضاً على أمر الله؟

من المؤكد أن هناك أخطاءً شخصية أدت بمصطفى خان إلى تلك النهاية المؤلمة. ولكن ثمة شكوكاً عميقة بالأدلة التي أدت إلى إعدامه. وإذا تفضلتم بالاستماع، فسيأتي دورها. سأكتفي حالياً بالقول إنه حُرِم من التسامح الذي عومل به الأمير بيازيد خان على مدى سنين طويلة. أريدكم أن تعرفوا وضعاً حقيقياً؛ هناك فرق مؤلم بين أن يكون الولد ابن السلطانة ماهي دوران أو السلطانة حُرّم.

سادتي أصحاب المعالي، إذا أردنا أن نعود إلى الوراء قليلاً، يمكنني القول إن أعمق أحاديثنا جرت في الأيام الأخيرة من رمضان عام 954 مع شقيق الشاه طهماسب الفار إلكاس ميرزا ووزيره العالم السني سيد عزيز الله في دار السعادة. كان الشاه طهماسب قد احتل تبريز ووان بهجوم مفاجئ. بسبب الهدوء النسبي المتحقق في الغرب بفضل فرض هدنة على شاركان بعد فتح إسترغون توفر لي وقت طويل في تلك الفترة، ووجدت فرصة لقضاء العيد في دار السعادة؛ لأول مرة بعد انقطاع سنين طويلة.

لا يا سادتي، أمثالي لا يجدون وقتاً للزواج وتأسيس عائلة. كما أن حياتَنا أكثر خطورة من حياة الإنكشاريين، وتتطلب انضباطاً أكبر بكثير. كيف يمكننا الحصول على حق كهذا هم لا يمتلكونه؟

كان إلكاس ميرزا في أواسط العقد الثالث من عمره، أي إنه من أقران مصطفى خان تقريباً. كان شاباً حيوياً وطويلَ القامة وقوياً. وكانت عيناه براقتين طافحتين بالمعنى مثله تماماً. ولكن ميرزا بعينيه الكحيلتين ولحيته الملمعة بزيت القرفة وثيابه المذهّبة يثير الانطباع بأنه رجل قصير بجانب هيبة مصطفى خان المحاربة التي ورثها عن جده السلطان سليم الجبار. ولكننا نعلم أنه محارب شجاع. وأدركنا قبل مدة طويلة أنه رجل دولة مهم؛ ولهذا كسب إعجاب سليمان خان.

أنتم تعلمون أن حاكمنا العظيم أراد أن يجلس إلكاس ميرزا السني على عرش طهماسب، وبهذا يربط الدولة الصفوية بالدولة العثمانية. ونتيجة فعالية هذا العبد العاجز الذي أمامكم ونخبة رجاله في تلك الفترة تم تأمين لجوئه مع ألف من حراسه النخبويين إلى سنجق أرضروم.

كنا على علم بوجود ارتباط وثيق بين الشاه طهماسب من جهة والإمبراطور شارلكان والبابا بولس الثالث من جهة أخرى. كانت هذه الأمور سبب القلق المستمر في الديوان. لم تبق علاقة الشاه معهما تلك العلاقة الخجولة الطفولية التي كانت في البداية. بات يستقبل الهيئاتِ بشكل علني، ويرسل التوصياتِ إلى رعاة الفتنة الشيعية الهدامة في الأناضول، ويلعب ألعاباً لا تنتهي مع محور فينا - الفاتيكان. مع الأسف، إن طهماسب لم يكن عدواً محترماً كوالده في أي وقت.

III

ذلك العام... نعم، كان ذلك العام جميلاً على الرغم من أنه العام الذي أعقب وفاة ملاك البحرية خير الدين بربروس. جاء مصطفى خان إلى بيت العرش مثل إخوته الآخرين بمناسبة عيد الفطر، ووجدنا – مصطفى خان وإلكاس ميرزا وأنا – فرصة مناسبة للخوض بأحاديث طويلة. من المستحيل تدبير فرصة كهذه بشكل مسبق حتى لو أردتم تدبيرها. كان رئيس الهلال الفولاذي كمال الغرناطي الذي أعتبره بمثابة ابني يشارك في الحديث أحياناً.

كان مصطفى خان يحب «كمال» الذي بلغ حينئذ التاسعة والثلاثين من عمره، ولم يفقد شيئاً من طفولية نظرته الجذابة والذكية بعينيه الزرقاوين بلون الجليد. كما كان يستمتع بسماع قصص إسبانيا الغريبة؛ بلد كمال الذي جاء منه. وكما توقعت فقد أحب إلكاس ميرزا أيضاً «كمال» خلال فترة قصيرة.

حل البرد باكراً في ذلك العام. ولكنني أستطيع أن أذكر أن قطرة مطر واحدة لم تسقط لفترة طويلة. تنكرنا، ومشينا من بعد صلاة العصر حتى الإفطار؛ كأننا نقتفي أثراً، وتحدثنا دون توقف. كنا غالباً نتكلم بمواضيعَ تتعلق بالمستقبل.

استنتجت يومئذ أن إلكاس ميرزا شابٌ لا يمعن التفكير في ما يخطط له ويفعله. شعرت أنه يعتبر أن الصواب هو إعطاء القرار فوراً بما يؤمن أنه صحيح مثل مصطفى خان، ولكن القرارات التي كان يقررها أميري تتضمن حدساً عميقاً بنتائجها. كان يحمل بريق شهامة وشجاعة حقيقية مثل جده الجبار. ولكنه يستطيع أن يَثْبُتَ عندما يبدأ العمل مثل والده. غير هذا، فهو لا يتردد أبداً بعد أن يبدأ جامعاً بين

صبر السلطان محمد خان الفاتح، وحكمة مراد الثاني، ومتجاوزاً العوائق التي تعترضه بثقة.

معكم الحق يا سيدي. أنا أرى أميري المرحوم أكبر من السماء والأرض، ولكنني لا أستطيع أن أفسر لنفسي كيف عميت بصيرته عن النهاية التي حُضرت له. برأيي، إن اندفاعه الذي يضاف إلى خصوصيته العصامية هما اللذان أعميا بصيرته. وهذا هو التفسير الوحيد الذي يخفف التعقيد الذي أشعر به في هذه القضية. أنا لم أشهد أي مرحلة من المراحل تجرأ فيها مصطفى خان على أبيه. مع الأسف، إن لقاءاتنا بعد تعيينه سنجقَ صاروخان لم تكن بالكثافة التي تمكنني من رؤية تعقيد ذهنه. ولكنني سأطلعكم على رؤوس الخيوط التي جعلته يمهر فرمان خطئه الفظيع بنفسه في ما بعد.

كان وضع الأمير الصفوي مختلفاً جداً. بدا لي أن هناك مبالغات في ما يقوله. كانت خيبة أملي به تنمو في قلبي مع الأيام، مقابل تعاظم آمالي المتعلقة بنضج مصطفى خان ومرحلة حكمه. إذا تمكن من تشكيل فريق جيد فلن يستطيع أحد تحديد المدى الذي يمكن أن يصل إليه. ومن جهة أخرى، مهما بلغت مواهب الإنسان وملكاته فهي محكومة بالزوال إذا وُجد بين أناس تافهين.

كان مصطفى خان – مثله مثل أبيه – يعلق آمالاً أكبر من الواقع على ميرزا. وهناك بعض النقط الناقصة في أحلامهما القيادية تظهر عندما يجتمعان. كنت أرى أن العالم لم يعد كما كان، وأن هذين الشابين لا يختلفان كثيراً عن أولئك الذين تسليهم العجائز بقصص البطولة بجانب المواقد في ليالي الشتاء الباردة. التوازنات تتغير، وأوروبا التي كنا نستخف بها تتقدم على صعيد تقنية التسلح بشكل لا يمكن تصوره.

يا أصحاب المعالي، نحن مضطرون لرؤية ترنّح النظامين الإقطاعي والديني القمعي الواضح في أوروبا، لأننا على الطرف الآخر من هذا الأمر. تمردت أوروبا ضد قمع الكنيسة الكاثوليكية القديمة، وكنا أول من دعم السلطة البروتستانتية ورعاها. تُشجع الممالك الكبيرة والصغيرة كلها على مبادرات اقتصادية وإدارية علمية الآن؛ لأنها مضطرة لعمل هذا من أجل الاستمرار بوجودها. ثمة أمور تحدث في أوروبا أيها السادة. إنها أمور خطيرة تشبه اليقظة من نوم عميق، والهدير القادم من الأعماق.

تشتد الضربة التي نزلت على بنيتنا الاقتصادية بعد نجاح أوروبا الهابسبورغيين بالوصول إلى مصادر الثروة في القارات البعيدة، وتغيير طرق التجارة. من المؤكد أن الدولة العثمانية ما زالت منتصبة بكل بهائها. ولكن حاجتنا تتزايد لسلاطين كالصاعقة والقانوني، سلاطين يرتدون دروعهم ويمتطون صهوات جيادهم دائماً من أجل الاستمرار بروح الفتح، وتلبية حاجات السكان المتزايدة، والحدود المتوسعة، والمحافظة على اندفاع جنودنا. لا أشك بأن سليم خان بحدسه ودهائه سيسمح لهم بتحقيق ما يريدونه. ولكنني أجد ضرورة للقول إن أحوال المرحوم مصطفى خان مختلفة عن أحوال إخوانه. كان مقداماً وشهماً وشجاعاً على الرغم من عدم تعمقه بالتفكير. ما كانت جيوشنا لتتردّد بالسير وراءه، وكان سيتمكن من تأخير يقظة الأوروبيين هذه قرناً.

كنت أستطيع رؤية عدم تمكن سليمان خان - مثله مثل الأمير مصطفى - من رؤية حقيقة إلكاس ميرزا المستورة. ولكن يمكن ألا أكون محقاً. يستطيع ميرزا أن يكون كما يظهر وليس كما يُعتقد. وبدأت أشعر بالقلق من الحزن الذي سيحزنه سليمان خان في ما لو كانت

شكوكي بمحلها. على الرغم من هذا، لم أقل شيئاً لمصطفى خان. لم تكن ثمة فائدة من تشويش خيالاته العظيمة التي يستمتع بها أثناء حديثه معه.

ولكن «كمال» أشار قبلي بكثير إلى أن ميرزا يكذب في كثير من النقط. سألته ذات يوم وقد أعمى الغضب بصيرتي عما يتحدث فيه.

قال مؤججاً شكوكي التي لم أبح بها: «لا أؤمن بأن كل شيء في الدولة الصفوية ملخبط كما يدعي. إذا حلّلنا الأمر بدقة نجد أنه ليس هناك من يصور طهماسب بهذا الضعف الكبير غير إلكاس ميرزا. إنه هنا منذ خمسة أشهر، ولم يتوقف طهماسب عند أخذ تبريز ووان مستغلاً غيابه، بل زاد من عدوانه على شعب شيروان السني. جاء سفراء الأوزبك إثر حملة خراسان، واشتكوا بصراحة يا وهيمي آغا. من الواضح أن الأوزبك أيضاً وليس إلكاس وسنّة المنطقة فقط يعلقون الأمل على حملة ضد إيران».

«هذا هو إذا سبب قلق ميرزا المتزايد يوماً بعد يوم، أليس كذلك؟».

أحنى كمال رأسه الذي يلمع شعره الأشقر تحت أشعة الشمس، وقال: «بلى. يبالغ ميرزا بأخبار الفوضى التي في بلده. ويتحدث بحرارة عن دعم الشعب المبهم له؛ مما يجعل جسمي يقشعر من احتمال عدم صحة هذه الأمور كلها».

فكرتُ للحظة: «لا يمكن أن يبقى سليمان خان صامتاً إزاء هذا الاستنجاد باعتباره حامياً للعالم الإسلامي يا كمال. ما زال يذكر حملة العراق التي لم يصل فيها إلى نتيجة نهائية للقضية الصفوية خارج فتح بغداد البصرة. ولن يرغب بتفويت فرصة معركة تشالدران (جالدرين) أخرى بما أن الحدود الغربية هادئة».

«لعلنا نقنعه بتعيين قائد جيش وعدم ذهابه».

ضحكت: «وهل سيقبل حاكمنا برأيك؟».

«نهائياً!».

«في هذه الحالة، لا تتوقع مني أن أفتح هذا الموضوع!».

* * *

نعم، أذكر... كانت ثمة غيوم منتفخة بالضوء تظهر بعد الظهر فوق بحر مرمرة. تثور الأمواج بالتواءاتها البيضاء، وتخفّض الريح الشمالية درجة الحرارة باستمرار. كانت تلك الساعات هي الأحب إلى نفس الأمير مصطفى خان، ولكنني شعرت بالضيق من اقتراب الليل وأنا أراقب النوافذ المغلقة بقوة على شاطئ الأناضول وقد حوّلها الضوء إلى جمرات ملتهبة. لم أكن على هذا النحو سابقاً. ولكنكم إذا وضعتم بحسبانكم أن هذا الشيخ تجاوز الستين من عمره فستدركون ما يقصده بسهولة.

كنا - مصطفى خان وإلكاس ميرزا وأنا - نازلين متنكرين نحو الخليج؛ وحتى نازلين نحو مرسى يمش إذا لم تخني الذاكرة. وكنا متشوقين للحديث مع كمال الذي ينتظرنا في المرسى. كان ثمة يومان للعيد. لهذا السبب، لم يكن التخفي صعباً وسط الزحام المنهمك بشراء الخضراوات والفواكه. على الرغم من هذا، لم نكن ننفصل عن بعضنا بعضاً، وكنا نسير بخطوات بطيئة قدر الإمكان لكي لا نُربك الحراس.

نعم، وصلت إلى الحادثة التي وقعت في تلك الأيام، وغطّي عليها بسرعة مدهشة وسألتموني عنها قبل قليل؛ حادثة حضرة الدفتردار خليل باشا.

إذا أردتم الحقيقة، فأنا طالما وثقت بحدسي الذي شَحَذَتْهُ

تجارب السنين. وسأذكر في ما بعد أنني ميّزت وقع خطاه الناعمة القلقة على بلاط الشارع وسط ذلك الزحام في ذلك اليوم.

ولكنكم على دراية بأهمية الضيف المؤمّن عليه. لهذا السبب، غططت بالحديث إلى درجة أنها كانت المرة الأولى التي يعصى على مجساتي استشعار الخطر المحتمل. كانت تلك غفلة كبرى بالنسبة إليّ. كنا نسير مطرقين بوجوهنا باتجاه رياح الشمال الباردة، ونحن نتحدث ونستمع لحفيف بقايا الخضار الطازجة المنزلقة من تحت أقدامنا بشكل خطير.

أثناء حديث ميرزا عن الطمأنينة النهائية التي سيصل إليها شعبه وجيرانه أوحى بما لا يقبل الشك إلى أنه يسند ظهره بالكامل إلى العثمانيين. ولأول مرة، لم يكن أمامي بُدٌّ من الشعور بالقلق. ولكن، إذا حظيت الحدود الشرقية بالطمأنينة على المدى الطويل، فهذا يعني تمكّن العثمانيين من الحركة على صعيد الجهاد بسهولة أكبر على الحدود الغربية. كما أن فقدان إمبراطورية روما الجرمانية المقدسة حليفاً كبيراً كطهماسب يعني بالتأكيد فقدانها نفوذها في المجر بشكل نهائي. ولا ضرورة لأن يكون المرء من كهان كارلوس ذوي الياقات العالية السود من أجل توقع هذا.

استقبلنا كمال أمام مستودعات الحجارة التي رُشت مداخلها الطينية على طول الزقاق بطبقات من الحصى. كنا خلف طوافات ميناء يمش في منطقة نفوذ السلطانيين الذين شكلناهم قبل سنوات بدعم كامل من جمعية المراكب الخفيفة لمواجهة المهنيين الروم في قرة كوي. دعمنا - نحن الهلاليين - تلك المجموعة بكل معنى الكلمة. كانت تلك المجموعة تفتش السفن القادمة من مصر وجزر البحر

المتوسط بشكل غير رسمي إلى جانب أمانة الجمارك. وقد قوّت سيطرتها على المنطقة الممتدة إلى الجزء الداخلي من الخليج وسوق الحطب وسوق الخضار حيث نحن وصولاً إلى زنزانات بابا جعفر؛ إلى درجة أنني صرت أخشى من نشوب صراع بينهم وبين جمعية المراكب الخفيفة.

السلطانيون عمال بحرية من منطقة البحر الأسود، أجسامهم معتادة على أنواع العمل المجهد كلها، يرتدون قمصاناً بيضاء فوق سراويل ضيقة - من نهايتي ساقي السروال - فوقها سترات مخملية ذات جيوب نفطية اللون في بنية شبه عسكرية. وهم رجال على درجة من القوة تمكّنهم من حمل بالة أو برميل خشبي يزن ستين أوقية(*) دون مساعدة. لا يعرفون المرض أو الوهن. يطلقون شوارب كثة، ويحلقون لحاهم. شعرهم تحت طرابيشهم البنفسجية قصير. يمتحنون الشاب الذي سينضم إليهم بأساليبهم الخاصة، ولا يمكن أن يُرفع من درجة غر إلى درجة أعلى من لا يحمل خمسين أوقية ويركض بها مسافة ميل. ما زالوا فعالين؛ وإن لم يكن ذلك بالمستوى القديم. ما الذي بقي كما كان أصلاً؟! يحظى السلطانيون باحترام كبير مقارنة بحمالي الميناء الروم المتكبرين المرتدين سراويل عريضة المدعوين رؤوس الأفاعي لأنهم أكثر تحضراً بتصرفاتهم. يساعدون الفقراء، ويجمعون نقوداً في ما بينهم لمساعدة أهل الريف.

تقدمنا عبر أزقة تتسع بصعوبة لثلاثة أشخاص متجاورين؛ مغطاة ببقايا الخضار، وتنتشر فيها رائحة حموضة ووصلنا إلى مستودع صغير

(*) الأوقية: وزن آسيوي يبلغ 2564 غراماً، وتغير في بداية القرن العشرين ليغدو 1282 غراماً، ثم بدأ يتغير ليعتمد في كل منطقة بوزن معين. م.

في سوق الصابون على مسافة مئة قدم. كان ذلك المكان دافئاً ومناراً أتينا إليه عدة مرات. كان آمناً. صاحبه هو الحاج أفريم إحسان تشلبي الأرناؤوطي أحد صناع الصابون القدماء وأصحاب الرأسمال القوي في جمعية أصحاب المراكب الخفيفة. إنه صديق أول رئيس جمعية مراكب خفيفة شرف الدين الطوقاطلي الذي نعرفه جميعاً على ما أعتقد. من الصعب على الذين يقومون بأعمال مسلحة الاستمرار بالحياة دون وجود مأوى مدني لهم مهما كانت الدولة تسندهم؛ مثلهم مثل متمردي الجبال الذين يهملون الفلاحة.

قبل وصولنا إلى عتبة المستودع، انتبهت إلى وقع أقدام واثقة كان خلفنا منذ فترة. ذاك بالتأكيد تأخر بالانتباه بالنسبة إليّ، ولكنني التفتُ إلى الخلف باعتياد قديم، وألقيت نظرة خاطفة. رأيت رجلاً شاباً في العقد الثالث من عمره، حليق اللحية، ويحمل سلة مليئة بالخضار، ويرتدي قميصاً بكمين قصيرين على الرغم من البرد الشديد، وأنزل قبعته المخروطية حيث غطت جبهته. قبل أن أنعطف من زاوية المستودع انتبهت إلى أنه التفت مثلي إلى الخلف من فوق كتفه. كانت تلك لحظة نحس بالنسبة إليه. تقابلت أعيننا. لا يمكن للجاسوس الخبير أن يقابل هدفه بهذه الطريقة.

غمزت له بعيني قبل أن ينعطف. فضح نفسه تماماً عندما انقلبت ملامح وجهه. أطرق بوجهه، وسار دون أن يرفع نظراته عن بلاط الزقاق الذي يتدفق الطين من بينه، وابتعد. في الحقيقة، كنت أستطيع ملاحقته، والقبض عليه، وانتزاع اعتراف منه. ولكنني فضلت ألا أُشعر من معي بشيء؛ لأنني أدركت أن ذلك الفاشل يمكن أن يكون من رجال الصدر الأعظم المرحوم رستم باشا. كان من الممكن ألا

أنتبه إليه نهائياً لو أنه أحد جواسيس الصليب الحديدي أو طهماسب. بالتأكيد، إن هدف الباشا كان معرفة كل خطوة يخطوها مصطفى خان. ولم أفكر للحظة بإمكانية أن يكون حاكم العالم على علم بهذه المبادرة. وما زالت على هذا الاعتقاد.

لا أيها السادة. لا، أرجوكم، لم يعد لي عمل بالتقية والمداراة أو الكذب. نعم، أنا أقبل أن مهنتي تفرض عليّ تحريف الحقيقة، والتصرف على عكسها. ولكن هذا كله في سبيل مصلحة الدولة العلية. لو عدت إلى تلك الأيام ثانية لفعلت هذا أيضاً...

عندما أتصور الوضع بشكل عام اليوم، أدرك كم تعبت من العمل على تحييد تكتلات الضغط على سليمان خان من حوله دون أن أجرح أحداً. التحالف القوي الذي أسسته السلطانة حُرّم ورستم باشا والسلطانة مهريماه من جهة، ومجموعة إبراهيم باشا قبل إعدامه وولي العهد مصطفى خان والسلطانة ماهي دوران وأنا من جهة أخرى. نعم، لم أحب إبراهيم باشا، وحضرت إعدامه، ولكن هذا ما فرضته تلك الأيام. ولا أجد خطأ بالتعاون مع العدو إذا اقتضت المصلحة ذلك.

من الواضح أن نقصنا الأكبر هو عدم إقامة رابط قلبي مع إبراهيم باشا. لو أن شراكتنا بنيت على أسس أسلم لما بلغت السلطانة حُرّم وفريقها هذه القوة في أي زمن. وبالتوازي مع هذا، يجب ألا يكون من الصعب فهم الزلزال الذي تعرض إليه نظام سليمان خان الداخلي. أنا أسألكم أيها السادة، من يستطيع تحمل ضغطٍ كهذا؟ من يستطيع أن يُصدر قراراً تحت ثِقلٍ كهذا؟

أذكر أن ندماً عميقاً سيطر عليّ بعد انتباهي لجاسوس رستم. قُرْبُ مصطفى خان مني، ومشاويرنا خارج القصر يمكن أن تجلب إلى

رأسه مشاكل كبرى. ثم إن وجود إلكاس ميرزا شـاه الصفويين العظماء المستقبلي في المدينـة، وقربـه المفاجئ من الأمير، يمكـن أن تحمّله بعض مراكز القـوة دلالات معينة. أذكـر أنني نظرت إلـى مصطفى خان بحالته المهيبة تلك، وقلت لنفسي: «ليته لم يأتِ إلى إسطنبول».

أما الحقيقة فهي أنني كنت أشـيخ يا أصحـاب المعالي. لقد بدأتُ أفقد ملكتـي بالتفكير المعمق والمتشـعب بالأمور. لأنني قويت بشـكل لم أكـن آملـه. نجحت بهذا علـى الرغم مـن عدم تقبّـل السـلطانة خُرّم لي في أي وقت. تسـألون كيـف؟ لعلي لم أتعقـل كثيـراً، ولكنني ماكر منذ القِدم. شـعرتُ أن أقدم أسـاليب البقاء على قيد الحياة وأسهلها هو تأسيس توازن بين القـوى المتصارعـة. كنت أعمـل لصالـح الطرفين، ولكنني أقدّم مصلحة حاكم العالم ومصطفى خان على مصالحي.

IV

وصلنا إلى غرفة واسعة فيها موقد ذو قوس تهدر فيه النار؛ بعد أن تجاوزنا هلع زحـام العيد الذي يملأ كل الأماكن؛ حتـى الأزقة الفرعية، وتجاوزنـا جدرانـاً سـميكة. كانـت رائحـة الصابـون المعطـر بالأزهار تسـكرني، على الرغـم من أن قسـم المسـتودع كان فارغـاً تقريبـاً. كأن عشرات فصول الربيع قد حلت على المدينة في اللحظة نفسها.

جلس كمال علـى أحد المقاعـد بعد أن قبّل يـد الأمير، وبدأ يشـرح. حسـب الأخبار التي وصلته، إنّ وباءً كبيراً اجتاح تبريز، وبدأ ينتشـر بسرعة في أجزاء أخرى من البلد. والناس مضطربون من حلول الشتاء المبكر أيضاً. تغادر وحدات الجيش المدن تاركة خلفها مخافر صغيرة، وتتمركز خارجها بما يشبه توضع قوات الاحتلال، وتمنع مغادرة المدن على نطاق واسع. كان

الوضع مناسباً لحملة، ولكن طهماسب نظّم شعبه بنجاح كبير إلى درجة أن بريق السعادة غير المتناهي المتوقع لمعانه في عيني إلكاس ميرزا لم يظهر.

بعد برهة، بدأ ميرزا ينظر إلى جمر النار بتعبير قلق. انتبهتُ إلى أن حيوية الأمل التي غابت عن عيني ميرزا تواً قد عادت أثناء حديث كمال المندفع حول حصد الوباء أرواح ثلاثمائة رجل في اليوم. ضربت الحمرة وجهه الشاحب بسبب الصيام بداية، ثم قال: «لا يمكن أن يجد حاكمنا ركيزة العالم فرصة أفضل من هذه للحركة».

قلت: «لو اتُخذ قرار الحملة اليوم، فإن الانطلاق بها يستغرق شهوراً. وهناك أيضاً مسافة طويلة يجب أن تُقطع». ولكنه قال وكأنه لم يسمعني: «إذا أوقف تصدير الحرير، واستيراد الصوف الإنكليزي والإسباني فإن اقتصاد البلد سيدخل مأزقاً لا يمكن الخروج منه. أعرف أن ورشات النسيج الإيطالي الرقيق قد درت على بعض المقربين من طهماسب ثروات طائلة. فُتحت شركات صفوية كثيرة في موانئ أنكونا وتريستة أسسها أقرباؤنا. وهم سيسحبون دعمهم لطهماسب في حال إفلاسهم. لنتحدث مع سلطان السلاطين الوالد، ولنقنعه بأن يُسرع بالأمر».

وافق مصطفى خان على رأي صديقه: «إذا كان الوباء بالمستوى الذي شرحه كمال، فهذا يعني أن الصفويين بحاجة لزمن أطول مما يتوقعون من أجل لملمة شملهم».

قال ميرزا: «أنا أفعل ما بوسعي لإقناع والدنا السلطان يا حضرة الأمير». وقد برقت عيناه بالثقة وهو يقول كلمة والدنا عن سليمان خان مثل شقيقه الأكبر طهماسب.

لم أكن موافقاً على حملة إيران؛ لا سيما بعد أن عرفت ميرزا

شخصياً بشكل أفضل، ولكن لم يكن لي الحق بإبداء الرأي أمام الكبار.
بعد ارتفاع حرارة سليمان خان التي استمرت فترة طويلة، وارتياحه مدة في أدرنة خلال الأشهر الأخيرة، عادت إليه صحته والحمد لله. كان هو أيضاً منتبهاً إلى أن جسمه لم يعد مقاوماً كما كان عليه خلال السنوات الأربع الأخيرة بعد وفاة الأمير محمد خان بمرض الجدري عام 950.

ولكنني أعرف أن ما يقهره أصلاً هو شكه الذي أججه لديه رستم باشا بدهاء حول ما إذا كانت لمصطفى خان إصبع بموت محمد أم لا. في الحقيقة، إن سليمان خان كان على علم بأن تلك القضية لم تكن سوى شائعات قبيحة، وليس ثمة دليل عليها، ولكنه وقع بحيرة من أمره نتيجة الاختلاف في الأخبار التي تلقاها من جناحي التحقيق الذي فُتح بعد مجيء رستم باشا إلى السلطة. نعم، أنا أتحدث عن أدلة ملفقة... كنتُ أعيش فترة شعرت فيها لأول مرة باليأس. لم يكن رستم باشا يستحق أكثر من حبلٍ مزيّتٍ، ولكن دعم السلطانتين حُرم وميهريماه للباشا حال دون مساسي به.

نعم أيها السادة، ستكون رحلة الصيد في أصطرانجة الوضع الأنسب لفتح قضية حملة إيران. وبدأ الشابان ينتظران ذلك الموعد على أحرّ من الجمر من أجل فتح الموضوع للمرة الأخيرة. أعتقد أنني لو تمكنت من مفاتحة حاكم العالم حول تحليلي لشخصية إلكاس لكان لهذا الأمر تأثير.

* * *

كان موعد أذان العصر قد اقترب عندما ودعنا «كمال»، وخرجنا من المستودع. قررنا إقامة صلاتنا في جامع علي العجمي العائد إلى مرحلة ما قبل سنان، وبناه باسمه عندما كان كبير المعماريين. بدأ البرد

الشديد واقتراب موعد الإفطار يُفرغان الأزقة.

عبرنا الشوارع الرئيسة المحاطة بالمناظر المعمارية الجميلة اللائقة بأيام الإمبراطورية العظيمة أمام بيوت خشبية مطلية بلون قرميدي، وأخرى مبنية بحجارة وطوب. انخرطنا بأزقة السوق الفرعية التي تفوح منها رائحة الجلد والبهارات حيث يتبادل الباعة الأحاديث أمام دكاكينهم. مع ابتعادنا عن البحر، تهدأ المدينة التي طالما قال سليمان إنه يجد فيها راحة النفس، ويخيم عليها ظلام خفيف. توقفت لحظة، ونظرت إلى الغيوم الكحلية المطرزة أطرافها بالضوء. أحب تلك القسوة الخفيفة التي تحمل أسرار الجو المشمس، ولكن دخول الحالة الروحانية إلى عصر اليوم أضافت إلى تلك الألوان الداكنة طمأنينة قوية جداً. من جهة أخرى، ما زلتُ أرى ما إذا كان هناك من يلاحقنا.

ذكّرتني تلك السماء وتراكم الغيوم بمنظر صادفناه أنا والسلطان أيام الشباب. كنا عائدين من حملة، وكنا ننظر إلى وحداتنا التي تستجمع نفسها في سهل أمامنا ونحن على قمة تعكس صخورها الصوانية آخر أشعة للشمس. وفيما كانت أعمدة الدخان الفائحة برائحة الدم والفولاذ ترتفع من بين بقايا الحرب المؤلمة، كانت خيمة السلطان تُنصب، والجنود يطلقون صيحات النصر. نظرت إلى وجه سيدنا ذات لحظة.

النقط الشهلاء الموزعة على عينيه الخضراوين كانت تنطبع متكررة على بياض بشرته. تقلصت جبهته بوقار ماريشال لا يُهزم، ولكن بحزن درويش مهيب أيضاً يستشعر من مواقفه. مع كل تنهد ينتصب ظهره المحني قليلاً، ولكنه يعود إلى الانحناء ثانية بحقيقة

استحالة التغلب على الموت. يداه... كان يعقد يديه، يدي الفنان الدقيقتين بأصابعهما الطويلة على صدره. كان اللاعبَ الرئيس لمرحلة عظيمة؛ لاعباً رئيساً يُشعرك أن هذا العصر العظيم سينتهي معه أيضاً.

شرح لنا إلكاس ميرزا عن علي العجمي خليفة المعماري يعقوب شاه الشهير بأعماله أكثر من شهرة نسبه في إيران، وأنه كان سينجز أعمالاً أهم بكثير من كلية بيازيد الثاني وخان الرز في بورصة لو ساعده عمره. في الحقيقة، إن ثقافة ذاك الشاب وسرعة حفظه للمعلومات جذبتا اهتمامي مرة أخرى على الرغم من أنه حالم.

عندما يتناول ميرزا قضايا لا تتعلق بحياته مباشرة يعطي انطباعاً بأنه إنسان ناضج ولديه قدرة كبيرة على التحليل، ولكنه في القضايا الشخصية يتأرجح بين فرح طفولي وانهيار نفسي يظهر بسرعة، ويبتعد عن موهبة التحليل، ويدخل حالاً من السذاجة. لا بد من وجود هيئة تفتيش كبرى تتابع شؤونه مركزها إسطنبول في حال أصبح شاهاً. ولا يمكن معرفة إلى أي مدى يمكن أن يتقبل رجال الدولة الصفوية الشغوفون باستقلاليتهم إدارة كهذه!

أثناء حديث إلكاس عن تلاميذ علي العجمي؛ المعلمين الكبار الذين ذابت أرواحهم في الحجر من أمثال خضر بالي وهدى وردي ويوسف باباس والدرويش علي وصلنا إلى أمام جامع الأمير الذي لم يكتمل بناؤه بعد. أنهى ميرزا كلامه بالحديث معتبراً المعماري سنان أكبر وارث لعلي العجمي. تسلّم الحديث الأمير مصطفى في هذه النقطة. نظر إلى تزيينات الجامع التي لم تنته بعد بإعجاب كبير من خلف عينين مغمومتين، وأدهشني بتلخيصه نظام سنان الداخلي كله في عدة جمل.

«حين جلس والدي على العرش، كانت هذه المدينة تشهد المرحلة الأخيرة من عملية إلباسها هوية إسلامية تركية بدأها جدي السلطان محمد خان الفاتح. بعد الفتح مباشرة، جمع محمد خان الثاني الباشاوات المشهورين أمثال محمود باشا وخوجا باشا ومحمد باشا الغديك ومراد باشا وداود باشا، وأمر بإنشاء كليات في النقط المركزية المحددة من المدينة، وطبع إسطنبول بطابعها الجديد الذي أراده خلال فترة قصيرة.

في الحقيقة، إن تلك كانت محاولة لإبراز العناصر الإسلامية في بنية المدينة غير المسلمة لجعلها عالمية وشاملة. المبادرة الأخيرة التي قام بها المعماري سنان وحده بعد عام 945 تساوي كل المبادرات التي سبقتها. بفضل سنان غدت المدينة كماسة مرتفعة العيار بين يدي صائغ ماهر، لها بريقها العميق الخاص؛ ليس عندما يُنظر إليها من مركزها فقط، بل من خارجها أيضاً».

لم أستطع تجاوز هذه النقطة دون أن أبيّن النتيجة التي توصلت إليها. قلت: «يا سيدي، لقد حل سنان المشكلة الأكثر أهمية التي تحظى بالإعجاب عندما دمج أشكال إسطنبول المتعاقبة عبر عصور عديدة للوصول إلى تركيب جديد. وبرأيي، إن هذه الخصوصية يمكن ألا يتم تجاوزها لعصور طويلة، وستبقى تنافس نفسها».

نظرا إلى وجهي باهتمام. الريح الباردة فتّحت ورداً برياً على خدودهما.

قلت: «انظرا من جديد إلى تلك الأشكال المتداخلة الباقية من حضارات مختلفة. يداه العجيبتان لا تبنيان فقط، بل تنقشان على الحجر ذروة جديدة للحضارة التركية الإسلامية لم تصل إليها حتى

اليوم. جامع الأمير هذا هو قصة ذروة حضارية كهذه. من ناحية أخرى، إن هذا الجامع خلّص أهل المدينة من الحديث التقليدي الذي يتبادلونه بمقارنة العمارة التركية بأيا صوفيا».

قال مصطفى خان: «صحيح ما قلته أيها الذئب العجوز وهيمي أورهون». وتطاول إلى كتفي، وأمسكها بمحبة. لم يناديني أحد الذئب العجوز غيره. ثم التفتَ إلى إلكاس ميرزا، وأضاف: «نجح المعماري سنان بهذا بطريقتين أيها المحترم ميرزا. الأولى أنه رفع القبة على القمة وكأنها ثريا رصاصية فوق بروزات مخفية، وزينها من الخارج بأنصاف قباب مانحاً إياها شكلاً طبيعياً مفعماً بالأسرار. أما الثانية فهي الجبهات الخارجية. لقد أنقذها من شكل جدران القلاع المرتفعة على نسق واحد، وطرزها بالأقواس والبروزات الحجرية الظريفة، والأروقة ذات القباب. وبهذا غيّر النظام المعروف بشكل كامل. كلما نظرتُ إلى هذا الجامع خطر ببالي جبل يتدفق من قمته شلال عظيم حُفرت على أطرافه أشكالٌ ظريفة عبر العصور».

V

نعم أيها السادة، أروي لكم كل شيء بالتفاصيل كلها. لو قلتم مسبقاً إن هذا أمر سليم خان، ولو عرفت أنه يستمع إلي من خلف قصر العدل لانتبهت أكثر.

أبدى الشابان رغبتهما بالمسير، وسرنا فترة. ولكن، ما إن وصلنا إلى مكان قريب من كلية بيازيد حتى أدركت أن رجالاً أكثر احترافاً وخبرة يلاحقوننا. هذا لا يُفعل مع واحد مثلي. لقد كنت أتعرض للسخرية بشكل سافر؛ وهو احتقار لمصطفى خان وضيفه. لم أستبعد

تماماً الصليب الحديدي والعملاء الصفويين أيضاً.

أشرت بعيني السليمة إلى فريق الحراسة المؤلف من خمسة أشخاص بأن يقترب. في هذه الأثناء، توجه مصطفى خان إلى ميرزا، وقدم له بعض المعلومات حول جامع بيازيد: «... كان جدي السلطان بيازيد خان أول من أقام صلاة الجمعة؛ لأنه الوحيد الذي يؤدي سنة العصر والمغرب من بين ذلك الزحام... يقال إن المعماري سنان سيقوم ببعض الإصلاحات للجامع الذي عتق...».

قلت: «سيدنا!». واندسست بجانب مصطفى خان بهدوء مفتعل تماماً، وأضفت: «أنتم أكملوا المسير إلى القصر رجاء. أستميحكم عذراً!».

نظر مصطفى خان إلى وجهي نظرة تساؤل بداية، ثم تشنجت خطوط وجهه المغمورة بالبريق، وأضاف: «هناك مشكلة أليس كذلك؟ مهما كان، فأنا إلى جانبك أيها الذئب العجوز! ولا أريد أن أتعرض لهجوم وأنت لست بجانبنا!».

قلت: «بعودتكم إلى القصر فأنتم تُسدون إليّ أكبر معروفٍ يا أميري. أنا سأبطئ السير خلفكم إلى أن تصلوا إلى باب القصر الرئيس. لا تقلقوا من هذا الأمر. ستكون عيني عليكم في كل لحظة دون أن تروني إذا التفتم إلى الخلف. أقول لكم هذا لكي لا تقلقوا».

ضحك، وقال: «نحن ملاحقون، أعرف». وكان على وجهه تعبير هادئ وكأنه يقول: أنت لست منتبهاً إلى أنني منتبه إلى كل شيء! كنت أحب تلك الأقواس التي تمزج بين الابتسامة والغضب على طرفي شفتيه، فهي تذكرني بطفولته. سقط ظل حاجبيه المقطبين على عينيه ثانية. لم أعرف ما سأقوله للحظة. كان الصمت لا معنى له، ولكن من الصعب قول شيء أيضاً.

حينئذ رأيتُ ميرزا يتلفت حوله، ورأيتُ قلقاً يتدفق من عينيه الكحيلتين. سحب أطراف جبة الدرويش ذات الفراء التي يرتديها إلى الخلف، وامتدت يده إلى الخنجر اليماني الذي ظهر مقبضه من زناره. قال: «أخي!». وعندما لمستُ كتفه المتشنجة كالنوابض، قال: «الجواسيس الصفويون ليسوا أقل منك ومن رجالك يا وهيمي جلبي. إنهم يسحبون الصيد من فم الأسد قبل أن ينتبه أحد إليهم».

قلت: «أرجوك، أرجوك يا سيدي أن تتصرف بشكل طبيعي. ليخرج من لديه الجرأة، ولنرَ من الأشجع. إما أن يمدهم الله أو يمدنا. لا تتضايقوا نهائياً، وتابعوا المسير؛ وهذا يكفي بالنسبة إليّ!».

زأر مصطفى خان قائلاً: «هل تعتقد أنني جبان يا وهيمي؟».

«أرجوكم يا سيدي، تفضلوا عليّ بالرحمة...».

ظهرت على وجه أميرنا ابتسامة قلبية تبدد الغيوم التي فوقنا والبرد المشتد تدريجياً ولحظة التوتر تلك وقال: «أقبل هذا لوجود ضيف قدير معنا فقط يا وهيمي. وإلا، فأنت تعرف أنني لا أشيح بوجهي عن عدوي!».

سحب يده حين أردت تقبيلها، وقال: «اذهب، وأنجز عملك، ثم بلّغني بالأمر».

لحظة ابتعادي، سمعته ينادي: «انتبه!». انفجر الحب في قلبي مثل برميل مليء بالبارود. لهذا السبب كنتُ مدركاً أنني يمكن أن أموت هناك في مكاني. للحظة، شعرت وكأنني أراه جالساً على عرش المراسم وهو يحيي الجيش المار من أمامه بانضباط. التفت ثانية، وانحنيت: «أمركم يا سيدنا!».

* * *

أثناء تقدمهما وسط الرخام الأبيض المشكل أفق إسطنبول، ونوازلها الطبيعية، وأروقتها الكلسية المنسابة كمياه شلال، وجدرانها الحجرية الخضراء الداكنة أو الحمراء، وقبابها المتكئة إلى السماء المائلة إلى البياض كعقد يتكئ إلى صدر، بدأت أنسحب إلى وسط الظلال التي تتحول إلى لون داكن.

كنت ماهراً بهذا العمل إلى درجة أنني لم أسمع وقع قدمي. كنت أتقدم على أرصفة إسطنبول التي أدهشت الرحالة الأوروبيين بنظافتها منذ الفتح الحق وكأنني أطير. بدأ وجودي الذائب في ظلال أسوار المساجد والمدارس الدينية والمقابر والحدائق المعتقة يبدو لي وكأنه خيال غير مرئي.

وصلنا إلى القصر عندما بدأ الجو يظلم جيداً. حافظ الذين خلفنا على مسافة أمان، ولكنهم غيروا طريقهم نحو ميناء السفن التجارية عند اقترابنا من القصر. أشرت إلى اثنين من الحرس حين اختفى الأميران خلف مصراع باب القصر السلطاني الثقيل. وقبل مرور وقت طويل، بدأنا التقدم باتجاه ساحة الخيل على الرغم من ملاحقتهم لنا.

من الممكن مصادفة عسس وعناصر أمن يحملون عصياً ومشاعلَ في كل ركن من أركان المكان بسبب وجود بيوت كبار رجال الدولة في الجوار. ولكنني أعتقد أنه من الصعب عليهم التخفي بسبب خواء الأزقة إلى هذه الدرجة مع اقتراب موعد الإفطار. إما أن يكونوا قد انتبهوا إلى أننا نلاحقهم فانكمشوا في إحدى الزوايا منتظرين الإفلات منا، أو إنهم سينخرطون وسط الذين ينتظرون موعد الإفطار في مطاعم الأوقاف حول أيا صوفيا.

حدث ما توقعته. رأيتُ ثلاثةً من الملاحقين قد اجتمعوا، وهم

يسـيرون بخطى هادئة باتجـاه أيا صوفيـا. انعطفنـا قرب دكاكيـن بائعي الحبوب والقمـاش الذيـن يلملمون بضاعتهـم من أجل اللحـاق بوقت المغرب باتجـاه التكية الصغيرة التـي يجتمع فيهـا رواد الجامع الأبيض بعد صـلاة التراويح. انكمشـنا أسـفل جدار مغطـى بالطحالب ومسـودّ بفعل مشاعل، نورُ لهبها الذي تعبث به الريح ضعيف، وتقدمنا.

صار بإمكاننا رؤية المطاعـم الأخرى. تنعكس أضـواء القناديل على بلاط الطريق الرطب، وتحوّل بضعة أشـخاص مارين مـن هناك إلى هيولا مبهمة المعالم. انتبهت إلى أن حبـال قناديل رمضان بين المـآذن قد بدأت تُنار. الأنوار الضعيفة خلف القناديل الملونـة والمتلألئة والمرتجفة ملأت قلبي بالفرح على الرغم من هلعي كله. مر من أمامنا ذات لحظة فريق عسس ذو عصيٍّ يسير بخطى منتظمة نحو مكان مناوبته وفق قانون قديم.

لم ننتظر - جواسيسـي بـزي البحـارة، بأردية ذات قبعات سـوداء تغطي رؤوسـهم، وتصرّ أحذيتهـم ذات النعال القاسـية وأنـا - أكثر من ذلـك. خرجنا أمـام الرجال فجـأة. توقفـوا بهـدوء وخبرة حين شـعروا بشـفرات الخناجر على صدورهم. انسـحبنا باتجاه الغـرب؛ إلى الظلام الدامس والرطب داخل خزان الماء الأرضي في بازيليكا (يرابطان).

لم يكن أحد منهم ينوي أن يقاوم طويـلاً. إذ كانوا يعرفون من أنا، ويخشـونني، ويبدون احتراماً على هذا الأسـاس. على الرغـم من هذا، كانت ثقتهم بأنفسـهم تلفت الانتباه. عندما ضغطتُ عليهم قليلاً عرفت أنهم رجال السائس قرة شـاهين الذي أعرف جيداً أنه من رجال الصدر الأعظم رستم باشا. لم يصدر الباشا الأمر بنفسـه، بل أصدره عن طريق سائس استخدمه كستارة.

في ضوء مشـعل أناره أحـد رجالـي، أخرجوا مـن زنانيرهم وثائق

تثبت أنهم من العسس. لا يمكننا أن نقسو أكثر من ذلك بعد هذه النقطة، لأنني أتوقع بأن التوازن الحساس جداً سيخرب نتيجة خوض صراع علني. لم يكن أمامي سوى السماح لهم بالذهاب. انتظرتُ فترة وأنا أراقب خطوط انعكاس الضوء ببطء على سطح ماء الخزان الأرضي، ثم قلت: «احذروا أن تقعوا بغفلة ملاحقتي مرة أخرى، لأنكم تعرفون جيداً من أكون، وما يمكن أن أفعله!».

قال البدين المتنكر بلباس مؤذن جامع قرية: «لا تضغط علينا يا وهيمي جلبي، نحن إنكشاريون عبيد ومأمورون!». وكانت البلاهة وتعبير الانتفاخ بشعور لا يمكن تمييز ما إن كان غضباً أو قلقاً يبدوان عليه. أستطيع إدراك أنه من النوع الذي لا يمكن أن يُقدم على تحمل مسؤولية.

نخرت من بين أسناني قائلاً: «الرجال الذين تتلقى منهم الأمر موجودون اليوم، ولكن ليس لهم وجود غداً. حرف واحد من اسم سلطاني يفرض أمره على العالم. أنا رجله الخاص، وأحذرك للمرة الأخيرة. ستعارضون الكلب الذي أصدر لكم الأمر في المرة القادمة. وإلا فلستُ مسؤولاً عما سيحدث لكم!».

تبادل الثلاثة النظر في ما بينهم، وأبدوا اعتراضهم، ثم قال البدين صاحب الصوت الرفيع الحاد المرتخية لفته: «الأمر من الأعلى يا وهيمي آغا!».

ثم قال العسس الأخير الذي سأعرف في ما بعد أن اسمه حسن: «سيسلخون جلودنا يا آغا!». وهذا كان بزي طالب مدرسة دينية.

كنت أعرف عدم جدوى كلامي: «إذا لم تسمعوا كلمتي فسأفعل الأسوأ. أنتم لا تردوا على أولئك الجبناء. السفيه المدعو قرة شاهين

يحاول دفعكم، ويستند على الأغلب إلى رُستم باشا، وهذا سيجدني في مواجهته. أنتم لا تحملوا هذا الهم. اعتمدوا علي، ولن يستطيع أحد محاسبتكم!». وكنت أعرف أنهم سيذهبون فوراً ليوصلوا ما قلته للباشا، ولكنني آمنت دائماً بسحر الكلمة.

بعدئذ، توجهتُ إلى القصر على أمل أن أجد فرصة بعد الإفطار لأفتح هذا الموضوع أمام سليمان خان إضافة إلى موضوع إلكاس ميرزا.

الدفتر الثاني

ما رواه كبير الجواسيس المدعو وهيمي أورهون جلبي للديوان السلطاني بعد أسبوع شاق بتاريخ 21 جمادي الأول عام 975.

I

... لا أيها السادة... هل يمكن أن يبكي واحد مثلي؟ أرجوكم... البخور الذي في الجو أحرق عيني، وهذا كل شيء. سليمان خان اسم عصر كامل، ولا أدري كيف... نعم، لا أدري كيف بدأت خطوط وجهه تُمحى من أمام عيني اعتباراً من اليوم التالي لوفاته؛ وهذا ما لم أستطع تفسيره لنفسي في أي وقت، ولن أستطيع الآن أن أفسره لكم. نعم، أنا أنظر أحياناً إلى رسمه الزيتي الذي أنجزه الفنان الإفرنجي ملشيور لورك، وإلى رسمه في بعض المنمنمات، ولكنني سرعان ما أنسى تلك الخطوط ثانية خلال بضع دقائق. إما أنني رأيت حلماً عظيماً أو فقدت عقلي بعد وفاته مباشرة. ليتها تكون الحالة الثانية...

الحق معكم سيدي حضرة المفتي، وحضرة الصدر الأعظم محمد باشا صوقولو الذي أُعجب به دائماً وأعتبره أعز صدر أعظم بعد المرحوم إبراهيم باشا البرغالي - أرجوكم لا داعي للتواضع - بعد التراويح مباشرة في تلك الليلة ذهبت إلى السلطان.

جلسنا معاً فترة طويلة دون أن ننبس بكلمة واحدة. كان تعب نهاية شهر رمضان يخيم على القصر. لم يكن يُسمع صوتٌ سوى حفيف حركة الخصيان البكم وحسيس نيران القناديل والمشاعل غير الواضحة تماماً. لم أكن أشعرُ بالضيق نهائياً وأنا معه. ركزنا نظرنا على لهيب النار ونحن نستمع لطقطقة الحطب في الموقد الخزفي. لا أدري بعد متى قال سيدنا ركيزة العالم: «هذا يعني أنك يائس من ناحية إلكاس ميرزا».

بدا عليه التعب على الرغم من أن التراويح قد أُدّيت ببطء. رفع

كأس الشراب نحو القناديل وراقب درجات اللون المختلفة من بين حفر زجاجه الدقيقة. «يمكن أن تكون محقاً يا وهيمي! إلكاس ميرزا ولد طيب، ولكن عقله يطير في الهواء. ومع هذا، لا أشك بحسن نواياه. وحسب الأخبار التي جلبها كمالُكَ الغرناطي فإن هناك وباءً منتشراً على نطاق واسع في إيران. أخبر عناصر الهلال في المنطقة بأن يستعدوا. لا أريد أن أخسر ولو رجلاً واحداً».

بعد أن انحنيتُ، وأمرني بالجلوس في حضرته، قلت: «بلى يا حاكم العالم». لم أكن أستطيع أن أتحرك تقريباً. تكلمت بهدوء: «سيصعب على الصفويين النهوض من جديد لأن الوباء هذه المرة بدأ من مراكز المدن وليس من الريف. اللهم لا تُذِقْ كارثة كهذه حتى لأعدائنا!».

قال حاكم العالم: «آمين!». وتمتم بعدئذ بدعاءٍ لم أسمعه. ثم جال ببصره على المقاعد المغطاة بأقمشة حريرية ومخملية مطرزة ومذهبة، وعلى السجاد الحريري الغالي وظلال المفروشات ذات الحفر التي استهلكت نور عيون حفّاريه وكأنه يخشى سماع أحد ما، ثم قال وكأنه نسي أنه طلب غم ضوء القناديل البرونزية لأنها تزعجه: «كم تبدو الغرفة مظلمة. لا أحد في الغرفة، أليس كذلك؟».

اقشعر بدني للحظة. هل لُخبط عقله، أم إن هذا من آثار نومه فاقدَ الوعي أياماً مريضاً بارتفاع الحرارة؟

«لا أحد غيرنا يا سيدي. حراسكم أمام الباب مباشرة، وخدمكم أيضاً».

«وماذا بالنسبة إلى النوافذ؟».

التفتُ بشكل غير إرادي نحو النوافذ التي يعكس الشكل الهندسي

لزجاج قناطرها الضوء: «إنها مغلقة بقوة يا سيدي».

«الجو شديد البرودة، أليس كذلك؟».

قرعت الريح قارسة البرودة النوافذَ وكأنها تردّ على سؤاله. «بارد جداً يا حاكم العالم». خطرت ببالي بشكل غريب إمكانية أن يكون رستم يراقب حاكم العالم بشكل سري، ويتنصت على أحاديثه. شعرتُ وكأن ماءً مغلياً صُبَ عليّ من رأسي إلى قدمي. ولكنني قلت لأريح لنفسي: هذا مستحيل. ولا يمكن لأحدٍ أن يُقْدِمَ على سفالة كهذه.

هل يمكن أن يكون هناك أحد يتنصت على كلامنا من خلف لوحات الخط ضمن الإطارات القيّمة، ومن الطاقات المحفورة في الجدار فوقها مقرنصات وضعت فيها أوان زجاجية أو معدنية ثمينة؟

تمتمَ صوتٌ مزعج في داخلي: الفضول قتّال. اقشعرّ بدني من جديد. في الحقيقة، إنني نادراً ما أشهد حالات كتلك. استمعت لذلك الصمت الرنان محاولاً الضغط على غضبي الشهير بالرعب الذي أحسه.

لم أُظْهر هذا لحاكم العالم، ولكنني تحوّلت إلى آذان صاغية، وأنا أحاول الوصول إلى كل زاوية من زوايا الغرفة الخاصة الواسعة في آن واحد. وكلما ضغطتُ على نفسي من أجل سماع صوت أو نبس، تدبُّ الروح في الصمت أكثر إلى درجة أنني أستشعره برؤوس أصابع قدمي. كأن الباب خلف الستائر المخملية الثقيلة المسدلة عليه قد ألقى حملاً ثقيلاً عن كاهله، وتمطى بهدوء. صوتُ احتكاك... سحبُ مزلاج خفيف... همسٌ... ضحكةٌ ناعمة...

أنا مدرك أن تركيز انتباهي سيؤدي إلى زيادة الأصوات، وأن أغلبها موجودة أصلاً في حجرات عقلي الخلفية المظلمة. بينما كنت

أطلق نَفَسي المحبوس بهدوء لكي لا أُشعر حاكم العالم، بدأ سليمان خان بالحديث فجأة: «لا ندرك معنى الصحة إلا بعد أن نتجاوز مصائب كبرى كهذه يا وهيمي! أنا أدركت هذا أثناء نومي فاقداً الوعي في أدرنة. ويمكنني الآن أن أتوقع جيداً ما يشعر به طهماسب. الوباء ليس غريباً عنا بالتأكيد، ولكنه بعيد عن مدننا والحمد لله منذ وباء إسطنبول الكبير عام 945».

قلت وأنا أدعو ألا يرتجف صوتي أثناء حديثي: «الوباء هو أكبر العقوبات التي أرسلها الله إلى الأرض يا حاكم العالم. واسمحوا لي بأن أقول إنكم ما زلتم في ريعان شبابكم. يمكن أن تصابوا بأمراض مشابهة للمرض الذي أصبتم به، ولكنها لن تستطيع هزّكم».

ابتسم على طريقة مصطفى خان التي تُظهر التفهم، ولكنه يقول من خلالها بأنه منتبه إلى كل شيء: «لا تستطيع أن تهزني، أليس كذلك؟ عبرنا نصف قرن يا وهيمي».

«سن الثالثة والخمسين هي سن كمال الشباب يا سيدنا».

لاحظت أنه ابتسم إلى أن ظهرت أسنانه اللؤلؤية. أشعر بمتعةٍ كبرى حين أتمكن من إسعاده. «مع الأسف، إن ما عشناه بعد وفاة محمد أنهكني كثيراً... كل ذلك الكلام والشك... الشك... ليغرِ الشك...».

«أعرف يا حاكم العالم. هذا ما يشعرني بحزن عميق. ولكنكم يجب أن تصدقوني بصفتي كبير مخبريكم، وألا تشغلوا بالكم بأنباء كاذبة تأتيكم من مصادر مختلفة. هذه وصية عبدكم الضعيف. للحقيقة طريق واحد، وللشك ألف طريق...».

قلت مفضلاً الدخول بالموضوع من الأطراف: «منذ وفاة محمد

خان والقلق يسيطر على مصطفى خان كما يسيطر عليكم، حتى إنه كتب أطروحات حول التخيلات التي تجلبها درجة الحرارة أربعون. لو رأيتموها وقرأتم أسطرها لأعجبتم بموهبة أميرنا بتصوير الخيالات؛ كل خيالٍ أفظع من الآخر».

نظر إلي بواحدة من نظراته الحادة. كانت تلك نظرة أعرفها منذ سنين، وكثيراً ما أخافتني. سألني آنئذ يا أصحاب المعالي سؤالاً هزني شكله أكثر مما هزني مضمونه: «أنت أيضاً تريد أن يكون سلطانُ السلاطين واحداً مثله، أليس كذلك؟».

انقطع نَفَسي آناً. تجمدتْ ابتسامة مائلة على شفتي. هل هناك ما يضايقه إلى درجة أن يتلطف على واحد مثلي، ويجد أنه بحاجة لفتح موضوع كهذا معي؟ تُنار أضواء برتقالية الآن في عينيه من انعكاسات القناديل.

«حاشا يا حاكم العالم. أتمنى أن أراكم فوق رؤوسنا حتى آخر حياتي. لا حرمنا الله من وجودكم!».

«لن أعيش إلى الأبد يا وهيمي! أخبرني، أنت رجل تسمع خفقان الطير الذي يطير. أخبرني، هل ملّ الناس مني؟ هل مللتم مني؟ أعرف أن الجلوس لسنوات طويلة على العرش يملل الناس والجنود. الجنود ينتظرون إكرامية الجلوس على العرش، والأهالي يؤمنون بأن البلد سيأخذ نفساً جديداً، وستدب الحياة في التجارة، وستحل البركة على الأسواق. التيارات الباطنية تبحث عن القوى التي من المحتمل أن تقف معها وتدعمها، وحتى قطاع الطرق في الجبال يبحثون عن ضباطٍ جددٍ يمكن أن يصلوا إليهم بسرية. سلطان سلاطين جديد يعني روحاً جديدة في البلد».

لم أقل شيئاً بداية. انتباهه إلى كل شيء دليل على أن وضع بصيرته يُؤلم القلب بشكل فظيع. لو أن طبيعته تدفعه للتحرك بحدّة كوالده، لاختلف كل شيء.

مرة أخرى تلبّسني شعور غريب بأن أحداً ما يستمعُ إلينا. في ما بعد تمكنت من القول بصوت مكسّر: «ما السبب؟ ما سبب، هذه الأفكار؟ وصلت الدولة العلية إلى أعظم أيامها في عهدكم. لماذا تخرج هذه الأفكار - أستميحكم عذراً - غير المستندة إلى حقيقة، وكيف تسيطر عليكم؟ الشعب والتجار والجنود مسرورون منكم، وأنتم ليست لكم أية مسؤولية بالحرائق المندلعة في الأناضول. غالبية التركمان الرُحّل المقاومين لحياة الاستقرار يميلون للمذهب الشيعي، وهم دمى بيد الصفويين. إخماد هذا الحريق ليس سهلاً على أي رأس دولة.

ازداد ارتباط التركمان بالشاه بعد تصفية أبناء قرمان. حتى إن جدّكم الفاتح جابه قطاع الطرق في طوروس بفضل أحمد باشا غديك. من المفروض أن نعتاد على هذا الأمر. الجبال لهم، وهذا ما يناسب طبيعة حياتهم. وكل قرى الجبال حاضنتهم. هم يعتبرون العثمانيين ظالمين بغضّ النظر عمّن يجلس على العرش. يريدون أن يرتبطوا بسادتهم فقط، وأن يُعفوا من الضرائب، ويتهربوا من المسؤوليات المدنية كالإسكان الإجباري، والعمل بالأرض الذي يتطلب صبراً. كما يريدون أن يعيشوا بعيداً عن النصوص الدينية التي تفرض جهداً جسدياً كالصلاة خمسة أوقات... لم تكن لديهم إلى اليوم مشكلة غير الاستمرار بحالتهم الاجتماعية التي عاشوها في آسيا الوسطى الرافضة للحياة المدنية والبعيدة عن المظاهر. ليس لديهم أدنى اهتمام بأهداف

العثمانيين السامية. لا قيمة أبداً بنظرهم للقيم السامية التي يعتبرها العثمانيون سبب وجودهم مثل إعلاء كلمة الله.

بالمقابل، يفتح الفلاح الأوروبي ذراعيه للعثمانيين من أجل أن يتخلص من ظلم الإقطاع وشغل السخرة. فهو يعرف أنه سيكون حراً في أرضه ودينه طالما أنه يدفع ضريبته بشكل منتظم. في الحقيقة، إن سبب تقدم العثمانيين في أوروبا وتمسكهم بها طيلة هذه العصور هو ردة فعل الشعب المحلي ضد إداريهم السابقين. لهذا السبب، إنّ الذين اختاروا الإسلام من الجغرافية الأوروبية اعتنقوا إعلاء كلمة الله، وجعلوها قضيتهم الأساسية...». صمتُّ... وتلفَّتُ حولي.

سألني: «ما هذا يا وهيمي؟ هل أنت قلق من أن يكون هناك أحد ما يتنصت؟».

لم أعرف ما سأقوله من الدهشة. هل كانت مخاوفنا مشتركة؟ هربت بعيني السليمة، ولحظة أردت أن أشكو له ملاحقة رجال رستم لنا طوال النهار، غيّر الموضوع فجأة. «هل هناك من خاف من الموت في فراشه مثلي يا وهيمي؟ هل هناك من ارتجف قلبه، ونمت مخاوفه مع تقدمه في السن؟».

هززت رأسي إلى الجانبين، وفكّرت، ثم قلت في ما بعد: «الصحابة أيضاً خافوا من هذا الاحتمال يا حاكم العالم. كل الصحابة تقريباً استشهدوا في الجهاد وفي سبيل العلم».

جمع قفطانه السلطاني المخاط من البروكار الأخضر، ونهض عن المقعد الذي كان يجلس عليه. أبهر عيني دبوس الماس ذو الريشة المعلق على صدره وبريق أزراره اللؤلؤية. دبت الحياة بالعروق النباتية المطرزة عليه مع حركته وكأنها ستتعانق فيما بينها.

أذكر أنني قلت لنفسي: هذا لا يليق بأحد غيره. تبدو هذه الهيبة مبالغاً بها وثقيلة على غيره، ولكنها تتموضع على بنيته بطبيعية تنساب من داخله، وليس بفعل عوامل خارجية كجامع الأمير الذي رأيناه اليوم. إنه يحمل صفة الإدهاش في طبيعته...

في تلك اللحظة، انتبهت إلى أن قميصه الأبيض مبلل بالعرق. لم يعجبني هذا. ارتحتُ حين رأيت الموقد الخزفي المغطى بغطاء مخروطي في الزاوية يتأجج بشكل قوي. لا يا سيدي حضرة المفتي، لم يكن لديه سوى شحوب أصبح صفة تلازمه... كيف يجب أن تُقال، كأن خطوط وجهه تعمقت لتعطي شعوراً بأنه محاصر. إنها المرة الأولى التي أراه فيها هرماً إلى تلك الدرجة. أسترحمكم أن تعيدوا تقييمكم بنقطة تقديره للأمير محمد خان. ولكنني دائماً أقول إن ما أنهكه أساساً هو الشك. ما أنهكه هو ضغط الثلاثي حرم ورستم والسلطانة ميهريماه، السيدة السلطانة أخت السلطان الآن. لعل موتَ مصطفى خان قد أراحهم، ولكن ليس هناك من يفكر بسلطان السلاطين...

نعم أيها السادة، أنا أعرف، وأدعي هذا ومسؤول عن كلامي. هل تعتقدون أنني خائف؟ من سيستدعي الجلادين أيها السادة؟ ليس لهذه الحقيقة أي طرف يجعلني أتنفس براحة... أحياناً أراه في حلمي واقفاً أمامي بتعبير المذنب... يقول: «هل تذكر؟ عندما بكينا كنا في الحقيقة نبكي معاً... والغريب أننا لم نكن حزينين... تقبلنا الأمر... كنا صديقين، ولكن أحدنا يخشى الآخر... نفخر ببراءتنا، ولكننا نخفي أننا منتبهان إلى كل شيء... آلامنا كانت خيارنا، وكان كل شيء بسيطاً إلى هذه الدرجة...».

لا يا سادتي، أنا بخير... أذني الصماء تطنّ، وهي تطن بصخب يطغى على أصوات رأسـي كلها. الأمر مضحك جداً، أليس كذلك؟.. قلت لكم، إنه البخور... الدفتردار خليل باشـا... سـيدي... كأسُ الماء المقدمة بيدكم كرمٌ عزيزٌ جداً لن أنساه في ما تبقى من عمري؛ مهما تبقى منه. أنا ممتنٌ لكم سيدي... أرجوكم لا تقدروني إلى هذه الدرجة...

نعم يا كمال باشـا، من لا يتوق لهواء روملي المنعش؟ ولكنني لا أجد هناك مغامرة تتجاوز أحلامي. تحدثت لسـلطاننا حاكـم العالم في تلك الليلة عن حضرة خالد بن الوليد الذي دخـل تاريخ العالم باعتباره الماريشـال الوحيد الذي لم يخسـر حرباً خاضها، وكان خوفه الكبير أن يموت في فراشـه: «... خاض حضرة الصحابي حبيب سـيدنا الرسـول وقائد جيوشه سيدنا خالد بن الوليد مئة زحفٍ أو زُهاءَها في حياته، ولم يبق في جسده المبارك موضع شبر إلا وفيه ضربة أو طعنة أو رمية، وقد مات على فراشـه في بيته. لا يمكن أن يكون هناك ما هـو أفظع من هذا بالنسبة إليه...».

صحح لي قائـلاً: «ولكـن المعـروف أن رفاقـه بالسـلاح أنهضوه على قدميـه قبل وفاته، واسـتند إلى سـيفه، وأسـلم روحه منتصبـاً». ثم تابـع: «قـال المبـارك خالد: هـل سـتكون نهاية مـن أمضى عمـره على صهوة الحصان في سبيل نشر الإسـلام ميتة على فراش هكذا؟ انتظرت أن أسـقطَ شـهيداً وأنا ألوّح بسـيفي ضد أعدائي في سـبيل اللـه. وقاوم المبارك خالد حتى اللحظة الأخيرة على قدميه».

أضفت: «بلى يا حاكم العالم. لقد فَقَدَ ذلك الداهية عائلته بالوباء. أدى فريضة الحج بعـد عزله من قيادة الجيش، وعنـد عودته إلى بيته في حمص علـم أن عائلته قـد توفاها اللـه كلها. أتصـور أحيانـاً دخوله إلى

ذلـك البيت الخـاوي. أتخيل وقوفـه أمام عتبة بيتـه أياماً وهـو ينظر إلى الأفق، وتردده على ذلك البلد السـحري الذي يدعى «الماضي»، وصبّه الدموع على زوجته وأولاده».

رأيت أجفانه ترف بسـرعة، ثم قـال: «رحمه اللـه». وأضاف دون أن يتنهـد ويأخـذ نفسـاً عميقـاً: «أنا مضطـر لتجريـب حظي فـي قضية إلكاس ميـرزا يا وهيمـي. تحدثتُ بهـذا مع باشـاواتي أيضـاً، وتوصلنا إلى اتفـاق...». توقـف لحظة. «أعـرف نظرتك هذه يا صديقـي القديم. لا يحب الإنكشـاريون حمـلات الشـرق التي تدوم شـهوراً فـي أراضٍ قاحلـة وجبلية، يريـدون الغرب الـذي يسـميه أجددنا التفاحـة الحمراء منـذ القديم. ولكننا إذا اسـتطعنا إسـقاط طهماسـب، فـإن إيـران بإدارة ميرزا تعني راحة للشـعوب السـنية المجاورة لها كلهـا. نحن مضطرون لهذا. لأن الخلافـة لا تجوز لمن لا يُحقق أمن المسـلمين. وهذه فرصة لا تعـوّض لتوسـيع إمكانيـات الخزينـة التي ضاقـت بتخفيـض ضريبة جمـارك تصدير المنتجات النسـيجية واسـتيرادها، وإيجـاد طريق أقصر للبهارات...».

II

يقـدح بريق فـي ذهنـي أحيانـاً. يشـرئب الماضـي المغطى بطبقةِ غبارٍ سـميكة من ثُباته البائـس مصـدراً أنيناً وصراخـاً، ثم تـدبُ الحياة في وجه سـلطاني الباسـم المختفي، وتبرق زرقة عينيـه ببريقها الخاص بلحظات الحزم لفترات قصيـرة في ذاكرتي. هل أنتـم هكذا يا أصحاب المعالـي؟ هل تحزنون مثلي عند ذِكـره؟ هل تهب عاصفة فـي قلوبكم عندما تفكرون بسـليمان المدهش حفيد الفاتح وابن الجبار ووالد سليم

الثاني؟ هل تتعثر ذاكرتكم؟ هـل يداهمكم فجأة ما أردتم أن تقولوه ولم تستطيعوا؟ أنا صرت شمعة مشـتعلة من طرفيها منذ نسيت وجهه. أينما كنت فأنا بعيد مسـافة أميال عن المـكان الذي أنا فيه. هـذا ما حدث لي أيضاً بعـد وفاة مصطفى خـان... سـامحوني... هكذا أصبـح التركمانيُ البائس الذي تعتقدون أن له أصبعاً باستشهاد حاكم العالم.

تتسـلل ريـاح الشـمال المحملـة برائحـة الثلج مـن بيـن مصاريع النوافـذ مصـدرةً صفيـراً ناعمـاً. كنـتُ أرتجـف... وكان قلبـي يشـعر بالبرد... كنـت أرى السـتائر البورصية (التفتا) تتحرك مثل سـطح البحر المنتفخ قبيـل العاصفـة. لا أدري لمـاذا تناهت إلـى أنفـي رائحة تراب سـهول روملـي الداكن. اشـتقت لأمسـيات روملـي العابسـة التي تحل باكراً، ولظلامها، ومياهها الباردة وأصباحها المتجمدة.

ما سـبب رغبتي المفاجئـة بالهرب والذهـاب؟ عندما نظـرتُ إلى قطرات الماء التي تتقافز على الزجاج المغشـى راسـمة خطوطاً مكسّرة فهمـت فـوراً أننـي أحببـت سـلطان سـلاطيني وأولاده، ولكنني أشـعر باليأس مـن الإقامـة الدائمة فـي المدينة، ومـن مصاعب وقوفـي الدائم مع أحد الأطراف. حاكم العالم يشيخ، والتوتر حـول العرش يزداد من يوم إلى آخر بسـبب وصول أولاده إلى سـن البلوغ. أقول بخجل: أذكر أنني قلت لنفسـي ذات لحظة لو يتـرك العرش لمن يختـاره من أولاده، وينسـحب. هل كنت أسـتطيع أن أكون واقعيـاً أكثر قليلاً عندما سـألني عما إذا كان الأهالي مسرورين منه أم لا؟

لن يتأخر انفجار الشـعب إذا بدأ الدم يسـفك بين الأمراء. لم أكن أرى أن وصول الدولة إلى شـفا التقسـيم بعيداً على يد تكتلاتها الهدامة نتيجـة اتسـاع الهوة بيـن مصطفـى خان والسـلطانة حُـرّم بسـبب الأمير

محمد خان. تتوقف فعاليات الجهاد، وتقلّ حصة الإنكشاريين من الغنائم مع تراجع الفتوحات، ويتمرد الإنكشاريون المتزايد عددهم من سنة إلى أخرى، ويضحك الأعداء من وضعنا. ولكنني لم أكن قادراً على قول هذا... لا يمكنني أن أتمادى بخصوص حياة عائلته وحقه بالاختيار...

قلت بهدوء: «يا حاكم العالم!».

ارتجفت ذرّات الضوء على شكل خيوطٍ في لحيته المخضّبة للحظة، وتقطب جبينه: «قل يا وهيمي!».

«أنتم محقون بما تفكرون فيه، ولكن طهماسب سينسحب إلى الجزء الداخلي الجبلي من إيران حسب التكتيك الإيراني القديم متجنباً مواجهتنا عندما يُضغط عليه. ومن الممكن أن نكون مخطئين بتقييم أبعاد الوباء والفوضى داخل البلد. ويمكن للمرض أن يختفي فوراً مثلما ظهر. نحن نعرف أن للوباء خصوصيةً كهذه. ورأينا أمثلة كثيرة على هذا».

تمتم قائلاً: «تقدير الله». أعرف أن هذه الحقائق المزعجة لا تعجبه، ولكن أحداً ما يجب أن يقولها. كنت أتألم من إحاطة المرائين به بعد البرغالي، وعدم صراحتهم في شؤون الدولة، واقتصار دوره على تصديق قراراتهم، ومن توجيههم سلطان السلاطين والديوان وفق مصالحهم.

هاكم سرًّا يا أصحاب المعالي: جواب السؤال الذي شغل بالَ الكثيرين من أصحاب الفكر السليم! لقد تأكدتُّ من أن أكثر الداعمين لسليم خان في حملة إيران الجديدة هم الذين سال لعابهم على الدخل الكبير الذي سيتحقق من خطي التجارة تبريز - بورصة، تبريز - حلب،

وكانوا قد حرضوا سليمان خان من قبل منذ الأيام الأولى ليحتلوا موقعاً لهم على رأس النبع. حين فاتحت حاكم العالم بهذا، طلب مني أن أمسك لساني، وأن أصبر. لأنه كان قلقاً من تخريبهم الحملة في ما إذا فقدوا أملهم بالمداخيل.

كان هدف حضرة سلطان السلاطين الأساسي هو حماية الشعوب السنية باعتباره خليفة المسلمين، أما كوادر رستم باشا ذات الثقل المرجح في الديوان فقد كانت تدفعه إلى مغامرة باهظة التكاليف.

انتبهتُ في تلك الأثناء إلى أن الثنائي قبطان البحر محمد باشا صوقولو والوزير الثاني محمد باشا قرة متفقان على رؤية سليمة. كنت أدعمهما باستخباراتي. حتى إنني لاحظت قرب الوزير القبة القوي علي باشا سميز من هذا الثنائي، ولكنني لم أكن متأكداً بعد.

أعاد سليمان خان القول: «تقدير الله».

«لا شك في هذا يا سيدنا. ولكنني أسترحمكم بأن تعيدوا تقييم تأثير حملة كبيرة ضد إيران على الخزينة...».

غمّ عينيه المتحولتين إلى درجات لون المحيطات النفطي. ترسخت تلك الشرارة المائلة إلى الزرقة في عينيه من جديد مذكرة بأنه حاكم عالمي. دكنت الظلال المغطية خطوط وجهه، وتغيرت نبرة صوته. كانت تلك إحدى حالاته التي أحبُّها وأخشاها في آن واحد. تمتم: «آه منك يا غافل! هل تعتقد أنني لا أرى كل هذا؟».

قلت له دون أن أغيّر موقفي: «حاشاكم يا حاكم العالم. أنا مجرد منبّه صريح تفضّلتم عليه بالسماح له بأن يتكلم في مقامكم. خفّض الأرشيدوق فرديناند الضريبة المفروضة عليه من طرف واحد. ودعمه بهذا شقيقه الأكبر كارلو. ما أخشاه أن حملة شرقية يمكن أن

تشجّع آل هابسبورغ أكثر، وتزيد آمالهم المتعلقة بالمجر. بدأ التحالف مع الفرنسيين يتخلخل بمختلف الذرائع بعد وفاة خير الدين باشا بربروس».

أسند سليمان خان ظهره إلى مخدات تشبه الغيوم الداكنة المنتفخة، وقال: «فرنسا بحاجة إلينا من الأزل إلى الأبد يا وهيمي. الملك الجديد الشاب هنري يحاول التقرب من آل هابسبورغ كما فعل والده فرانسوا لكي لا يفقد مكانته في الاتحاد الكاثوليكي. ولكنه يبذل ما بوسعه كيلا يزعجنا، وهو يعي أنه لا يمكن أن يعتمد على كارلو بكل معنى الكلمة في أي وقت. آل فالوي سلالة تحت الشبهة. طالما أن آل هابسبورغ موجودون فسيشيرون إلى آل فالوي باعتبارهم خَرّاج المسيحية الذي يجب فَقْؤُهُ. ولكن هنري كوالده يتحرق من أجل أن يتزعم الاتحاد الكاثوليكي. لهذا السبب ليس لديه ممسك غيرنا. ما اسم ذلك المبعوث الذي أرسلوه في ذلك اليوم؟».

«غابرييل دي لوتز دي أرامونت».

فجأة، ترك تعبيره الواثق المعهود مكانه لبريق الثقة بالنفس: «نعم، لقد أيد دي أرامونت فكرة هنري بتقسيم أوروبا المتخلصة من نير آل هابسبورغ على فرنسا وهولندا وإنكلترا، وأعرب عن دعمه غير المحدود لهذه الفكرة. كما أيد فكرة دخول دول أمراء البروتستانت الصغيرة المتفرقة المنقسمة مع أوروبا الشرقية كلها تحت نفوذنا، واعتبر هذا مناسباً». انحنى إلى الأمام، وأسند مرفقيه إلى ركبتيه. بدا لي آنئذ قويًا كما كان في سنوات شبابه.

«... ما يريده منا الفرنسيون هو استمرار قواتنا البحرية والبرية بالضغط على آل هابسبورغ يا وهيمي. هنا يكن سر الأمر. يريد هنري أن يُري ملوك الكاثوليك أنهم لن يتخلصوا من تهديد العثمانيين،

ويحظوا بالأمـان إلا عندما يلجأون إلى تحت مظلتـه. إنه يعلن بصراحة أنه لا مكان لأحد غيره في حضرة السلطان العثماني».

جرى الـدم في وجه سـيدي الذي لم أشـك يومـاً بقوة استشـعاره وبصيرته. ابتسـمت: «الحق مع عليائكم يا سـيدي. الدويـلات الصغيرة المحتاجـة للدعم الاقتصادي والسياسـي والعسـكري في شـرق أوروبا تضمن اسـتمرار فعالياتنا بالجهـاد إلى الأبد. انقسـمت أوروبا الشـرقية كلها إلى ما يشبه دول المدن الإيطالية الصغيرة».

ضرب بيديه على ركبتيه، ولانت نظرته. «لهذا السـبب، سنتجاهل موقف هنـري المتصالـح مـع آل هابسـبرغ، ونغفر لـه أخطـاءه. أوروبا الجديدة محكومة بالـزوال بين فكي آل هابسـبورغ مـن دون العثمانيين يا وهيمي. ولكننا سنمنع هذا بكل ثقلنا، وسنلعب دوراً حاسماً بتشكيل أوروبا الجديدة».

«عظيم يا حاكم العالم».

«والنتيجـة يا جلبـي أن هدفنـا الأول هـو إيـران. كلانا نعـرف أننا واجهنا نتائج عكسـية في أكثر المرات التي لم آخـذ نصائحك فيها بعين الاعتبار. ولكنني لا أسـتطيع تفويت هذه الفرصة. إخراج الصفويين من المعادلة باعتبارهم رأس الفتنة وأكبر حلفاء آل هابسـبورغ في الشرق لا يقل أهمية عن جلب رأس شارلكان إلى حضرتنا».

تململت فـي مكاني قلقـاً للحظـة. فهم أننـي أريد أن أقول شـيئاً، فالتفتَ بظرافة نحوي: «احكِ يا كبير الجواسيس! قل ما يجول بخاطرك لكي نحتاط».

«حاشـاكم، ولكنني أريد الأفضل مـن أجلنا يا حاكـم العالم. لهذا السبب أستميحكم عذراً على جرأتي وكلامي غير المناسب أحياناً».

«هذا ما يميّزك أصلاً. أنت رجل جريء، تقول الحقيقة، ولا تعرف الخوف. لهذا أنا أحافظ عليك على هذا النحو».

تنهّدتُ محاولاً ألا أظهر هذا، وأخذتُ نفساً عميقاً طافحاً برائحة الغرفة اليومية المنعشة على أمل إطفاء الحريق المتجمر وسط صدري... ثم قلت بعدئذ على الرغم من أنني أنظر إلى الأرض: «يتخذ آل هابسبورغ موقفاً أكثر صلابة في موضوع إردال (شرقي المجر - ترانسيلفانيا). أخشى أن يتحولوا إلى مشكلة تقع على رأس الملكة إيزابيلا فور تحركنا نحو الشرق. ستبقى النبيلة إيزابيلا والدة جونس سيغموند الذي ما زال في السابعة من عمره وترعونه ليكون راعيَ البروتستانتية بحاجة إلى دعمكم المستمر حتى يكبر، ويجلس على العرش، ويمسك الخيوط بيده».

قطّب وجهه فجأة: «إلى متى ندخر وزيره أسود الوجه ذا القبعة العالقة بمعطفه يا وهيمي؟ نحن أخطأنا بترك النائب الأول للملك بعد وفاة المرحوم الملك جونس زابوليا، أليس كذلك؟ مارتينوزي هو الوزير الأول للملك الشاب، ولكن أوامرنا أن يخضع لأوامر إيزابيلا».

«الأخبار الواردة من إردال ملخبطة. لم يستطع مارتينوزي أن يستمر بإخفاء كونه لعيناً يلعب على الحبلين، ويسند ظهره إلى من ترجح كفته. أتمنى من الله أن تكون نهايته على يدي أنا العاجز لله».

«أنا لم أثق بذلك الراهب الكاثوليكي قط يا وهيمي. في الحقيقة، إن إيزابيلا يجب أن تفرض عليه العمل في بلدها. من المهم جدًّا للمنطقة أن يحكم جونس سيغموند باعتباره ملكاً بروتستانتياً. إنه فرماني على مجلس نبلاء إردال. ستُعطى أهمية لتنشئة سيغموند الذي

نعتبـره بمثابة ابننـا تنشـئة بروتسـتانتية جيـدة، ويُبعـد عن نصائـح ذلك الراهب الكاثوليكي! يكفي أن يدير مارتينوزي البروتوكول!».

«الفرمان فرمان سلطان سلاطيني».

«نبهوا إيزابيلا ثانية لأمـر الراهب! يجب ألا يقـوم مارتينوزي بأي عمل وحده!».

هززت رأسي إلى الطرفين بمعنى مع الأسف: «لقد بدأ مارتينوزي باسـتقبال ممثلـي الأرشـيدوق فرديناند فـي قلعة باتـور علـى الحدود الغربية يا حاكـم العالم. أعتقد أنـه يناقش انقلاباً من أجـل إلحاق إردال بآل هابسـبورغ، وشـروطَ حكمه التابع لهم. المؤلم أن إيزابيل ما زالت لا تعلم بالوضـع. وجدت فرصة لتنبيـه الملكة عن اجتمـاع قبل قدومي إلى هنا، ولكنها لم تبالِ بالأمر. لقد تمكن من لقاء ممثلي آل هابسبورغ أربع مرات أخرى خلال الأيام العشـرين التي قضيتها هنـا. وليس هناك أي تقرير مقدّم للديوان حول تلك الاجتماعات».

«قل إن مارتينـوزي في هـذه الحال أصبـح لا يخشـانا، ويعتبر أن تدابيرنا ضعيفة».

«إمـا هكـذا، أو إنه لـم يـدرك أنـه يجـب ألا يثـق كثيـراً بفرديناند وكارلو، ودعمهما».

ظهرت ابتسـامة خفيفـة علـى وجهـه المنـور. «أمثـال مارتينوزي يفضلون دائمـاً البقاء خلف سـتارة يا وهيمي. أقصى مـا يمكن أن يريده وظيفة والٍ عام بصلاحيات كاملة مرتبطٍ بفرديناند».

أضفت: «علينا ألا ننسـى أنه رجـل دين كاثوليكـي على درجة من الأهمية. لديه القوة على تحريض سـكان المنطقة ضدنا. ويستخدم قوة هويته الدينية هـذه للتأثير على إيزابيـلا. ولكن، يمكـن أن يكون تحرّكه

بهذه الجرأة نتيجة حصوله على معلومات باحتمال تحركنا نحو إيران».

شدّ سليمان خان كتفيه، ونهض. «ماذا تقول يا وهيمي؟».

«أقول إن توقيت تصرفاته الماكرة يحمل دلالة يا حاكم العالم».

«برأيك هل تتسرب معلومات؟».

«هذا احتمال وارد. يمكن أن يكون بيننا من أقام ارتباطاً مباشراً مع الصليب الحديدي أو عملاء الصفويين».

اهتز سليمان خان بقوة، وركّز عينيه على النار متردداً في ما يجدر به فعله. بعد فترة طويلة قال: «علينا أن نحذّر مارتينوزي في هذه الحال. يمكننا أن نحذّره بإبلاغنا له أننا على علمٍ بخطواته، وعليه أن ينتبه لنفسه».

هززت برأسي إلى الجانبين، ونظرتُ إلى عينيه: «يا حاكم العالم، من المناسب أن نؤجل هذا حالياً».

قطب حاجبيه، وانحنى بهيبة تذكّر بهيبة والده: «لماذا تقول هذا؟».

«لا أؤيد إقلاق مارتينوزي في هذا الوقت العصيب الذي نركّز فيه انتباهنا نحو جهة أخرى. لندعه الآن، وليعتقد أننا لا نعلم؛ لأنه من المحتمل ألا يتدخل بعمل خطير كهذا دون الاتفاق مع إيزابيلا. لن تُقدم إيزابيلا على خطوة تغيير الطرف بسهولة من أجل مستقبلها ومستقبل ابنها. ولكننا إذا أخفنا الراهب منذ الآن، فإنه من الممكن أن يتفق مع فرديناند فور تحركنا من إسطنبول، ويقرّب موعد الانقلاب في إردال. أخشى أن يستغلّ غيابنا، ويُقدِم على إيذاء إيزابيلا وسيغموند الشاب».

رفّ بأجفان عينيه الملتهبتين كالألماس الأخضر: «أنت محق

يا وهيمي». فكَّرَ فترة. «اصبر قليـلاً على هذا! لن نعكّـر مياههم. لنرَ... لنصبر علـى هذا أيضـاً!». ثم خفّـض صوتـه الخفيض أكثر وسـأل كأن السؤال خطر بباله فجأة: «ما وضع رجلنا الوصي الثاني بتروفيتش وقائد الجيش كاستالدو؟».

«سـيجد بتروفيتش صعوبة بالكفاح ضـد مارتينوزي لأنه ممسـك بالخزينة، وهناك قرابة بينـه وبين الأمير اليتيم. وكاسـتيلو انكمش تحت تهديد فرديناند. ولكن، إذا أمرتم، أسـتطيع أن أضع رأس مارتينوزي في حضرتكم خلال أسبوعين».

«لا يا وهيمي، أنت محق! لنصبر قليلاً ولنرَ ما سـيحصل. سـيأتي اليـوم الذي يقـع فيه مارتينـوزي، ولكـن قتل هذا السـافل الذي كسـب شـهرة في العالم المسـيحي باعتبـاره عالـمَ ديـنٍ كاثوليكياً سـيقوّي آل هابسـبورغ. لا أريـد تململاً جديـداً فـي أوروبا قبـل أن نغلق حسـاب طهماسب».

«لنرفع عدد حراس الملكة في هذه الحـال يا حاكم العالم. ولنبلغْ سيد سادة روملي درويش باشا وسيد سادة بودين فرحات باشا من أجل سوق قوة لدعم الثكنة الإنكشارية هناك».

قال حاكم العالم: «لا». كأن وجهه المتحجر قد شـاخت خطوطه الداكنة بالتفكير. «سنكون أكثر جرأة لكي تسير الخطة بنجاح يا وهيمي. على العكـس، لنخفض عدد الجنـود في بوديـن، ولنرسـل لمارتينوزي والملكة رسائل حسن نية وهدايا. وخلال وجودك هنا يا وهيمي، ابحث لي فـي مـا إذا كان هناك مـن له ارتباط مباشـر مـع مارتينـوزي! إذا كان حديث حملة جديدة لم يُتخذ قرارها بعد قد تسـرّب مـن الديوان، فهذه نقطة ضعف كبيرة لدينا».

III

في تلك الأثناء، طلب الصهر رستم باشا المثول في حضرته على الرغم من وجود رئيس حرس القصر العملاق بقبعته الحمراء الأنيقة. التفتُّ نحو الجدران مرتعداً. أمن الممكن أن يكون الباشا قد سمع ما قلناه؟ هل يمكن أن تكون لهذا الرجل عين وأذن في كل مكان حقيقة؟ أذكر أن سليمان خان التفت إلي ذات لحظة، وابتسم.

ما الذي كان خلف تلك الابتسامة المعمِّقة لخطوط وجهه النبيل؟ أهو الاستسلام؟ هل هو رجاءٌ يقول: عليك أن تفهمني؟ أم توسلٌ؟ أم صراخٌ؟ لا، لا يمكن أن أقبل بهذا نهائياً. لا يمكنني أن أقيّم عدم مبالاة أقوى إنسان حي ترتجف أمامه الدنيا إلا باعتبارها موقفَ داهية يحدد سياسته حسب الظروف. أما كان السلطان هكذا منذ أيامه الأولى؟ يرد على تحكّم من حوله بمقاومة ناعمة، ويخفي بمهارة أنه على علم بكل شيء، وفي النهاية يكون هو الرابح.

أخبرني مرات أن حضرة الشيخ مصلح الدين مركز أفندي نبهه عندما كان قائد سنجق مانيسا قائلاً: الناس العظماء يحاطون بكذب عظيم! ولم يكن يكتفي بقول هذا، فقد كان مركز أفندي يضيف لحاكم العالم كسلوان له: لا بد لمن يعيش في مركز الكذب العظيم أن يشعر بنفسه بعد فترة أنه كذبة عظيمة.

ما زلتُ أذكر تلك الأيام التي كرّر لي فيها هذه الأمور وبقيت في الماضي البعيد جداً أيها السادة. بعدئذ فُتح الحديث حول حضرة الشيخ سنان سنبل أفندي الذي حظي بفرصة التعرف على مُرْشِدِ مركز أفندي؛ حضرة «أبو السعود» المتصوف الشهير في عهد السلطان محمد خان

الفاتح وعهد السلطان بيازيد وكان على خلاف معه.

تفضل حضرة سنان سنبل أفندي على النحو التالي: «نحن لم نسمح بأن نهزم ويلمس ظهرنا الأرض على مدى ثمانية عشر عاماً، ولم نستند إلى مكان. ننام جلوساً مثلما نجلس لقراءة التحيات. أما الناس الآن فينتظرون الكثير من النِعم مقابل جهد قليل، وعندما لا يحصلون عليها يقاطعون القدر».

سأل وعيناه الرطبتان تقدحان شرراً: «هل فهمت يا وهيمي؟ قليل العذاب قليل الكسب. عندما كان جدي السلطان محمد خان الفاتح يتقدم في جبال طرابظون حاملاً سيفه تفضل بالقول: هذا التعب في سبيل الله. سيف الإسلام بيدنا. إذا لم نختر هذه المشقة فنحن لا نستحق لقب غازٍ. وأنا في خضّم هذا الكفاح، ولست في وضع يمكنني من التحسر على نفسي عند دهشتي من ازدواجية الناس يا وهيمي. يعتقدون أنني غافل. دعهم يعتقدون هذا».

قبل مرور وقت طويل، ألقى بيتاً لحضرة إبراهيم أدهم الذي لم تسقط سيرته عن لسانه في السنوات الأخيرة، ويتحدث عن حياته ووفاته بإعجاب وحسرة كل ليلة من أجل أخذ عبرة منها: «توجّه إلى الله وليعتقدوا أنك جاهلٌ / ما أجمل تلك الحال، كن عاقلاً وليعتقدوا أنك مجنون». إذا سمحتم لي سأروي لكم في أول فرصة لماذا حضرة إبراهيم أدهم شخص عزيز ومهم بالنسبة إلى سليمان خان. لأن الطريق الأفضل لفهم سليمان خان هو فهم حضرة إبراهيم أدهم.

نعم أيها السادة، كنت أقول لكم إن رستم باشا جاء فجأة في تلك الأمسية. أستميحكم عذراً... أنا أبث الحيوية بانتباهكم عبر ذكريات

تدعم الموضوع أيها السادة. اغفروا لي جرأتي. لأن أشخاصاً قليلين جداً يعرفون سليمان خان كما أعرفه أنا، وشهدوا على كثير من جوانب حياته كما شهدتُ أنا.

لأن سليمان خان لم يرد أن يؤخّر الباشا كثيراً، التفت نحو الخادم وتفضل بالقول: «سُمِح!».

نعم أيها السادة، في تلك الفترة كان الصدر الأعظم هو سليمان باشا المخصي. ماذا تفضلتم؟ أرجوكم بصوت أعلى قليلاً! إنكم تسألون عن انطباعي المؤكد حول رستم باشا، أليس كذلك؟ مع الأسف، ليس لدي ما هو جيد أقوله عنه غير أنه أراح الخزينة بغَلّ يده وإرهاق الناس بالضرائب. ولكن هذا لا يعني أنني أقف مع طرف. ليس لدي أي دليل، ولم أحصل على دليل في ما بعد. ولكن مع الأسف، أنا واثق بأنه هو الذي حرّض حاكم العالم على حملة إيران... وما زلت واثقاً بهذا.

آه، أرجوكم، لقد ظهر ذلك بإنشاء جوامع ونُزل قوافل وكلياتٍ تعتبر من سمات تاريخنا. لا بد من هذه الأمور لكي تحظوا بتقدير الناس، وتُذكروهم بأنكم مسلمون جيدون لتستمروا بسلطتكم. في الحقيقة، إنّ بناءه عدة جوامع ونُزل قوافل وحيداً يُعتبر تقصيراً كبيراً لغني يمتلك ثروة ضخمة بمستواه. على ما يبدو، إنه لا يعرف حتى هو نفسه حجم ثروته، ولكن المعروف أنها تضاهي ميزانية بعض الأقاليم التابعة لدولتنا.

إذا كان الهدف من محاسبتي على مرحلة مجيئه إلى السلطة هو رؤية المرحلة من زاوية مختلفة فقط، فهذا مقبول يا سيدي. ولكنني مجرد فدائي، كيف يدرك عقلي العاجز هذا ألعاب القصر العميقة عمقاً

لا قرار له؟ أرجوكم ألا تضحكوا. حسنٌ، لنفكر الآن على النحو التالي:

كان رستم باشا وزيراً ثالثاً تحت القبة، ترتيبه بعد الوزير الثاني خسرف باشا المجنون الذي كان يُنظر إليه باعتباره وزيراً أعظم خلفاً لسليمان باشا المخصي. إذا كان هنالك بعض الجهلاء الذين حاولوا إظهار أن هذا من ترتيبي وترتيب عناصر الهلال، فأنا أعرف جيداً أن الآمر بإرسال العديد من رسائل الافتراء والتحريض حول تسجيله بالترتيب بين الصدر الأعظم والوزير الثاني هو المرحوم رستم باشا نفسه.

عندما زاغت أعين الباشاوَين في نهاية تلك الفتنة الفظيعة، وسحبا خنجريهما على بعضهما في الديوان بحضور حاكم العالم السامي، عُزل الاثنان، ووجد الكرواتي الطويل المؤثر الباسم الحريص المدعو رستم نفسه بدعم ما تجلبه له صفة الصهر من تمييز في موقع الصدارة العظمى.

لا يا سيدي، لا يمكننا أن نجري مقارنة كهذه. المرحوم إبراهيم باشا البرغالي رجل شغوف وخطير ولكنه شهم، ولديه دهاء نادر في السياسة الخارجية بشكل خاص. ولكن رستم باشا رجل ظلامي يهرع إلى الغنى، وكل شيء فيه دنيوي، حيث يجعلك تفتقد لإبراهيم باشا، وتبحث عنه بالسراج.

بماذا تفضلتم يا سيدي؟ الرشوة؟ عفوكم، هذا أمر لا يُسخر منه بالتأكيد، فالمعروف منذ تلك الأيام أن كثيراً من المواقع المهمة في الدولة وزعها مقابل رشوة. ولكن، عليّ أن أقول إنه تم التغاضي عن خبثه حينئذ لأنه نجح بملء الخزينة مثلما نجح بملء كيسه. ولكنني لا أجهل أن المكان الذي تدخله الرشوة يطير منه الخير والبركة.

سليمان خان أيضـاً كان منتبهاً إلى هـذا الوضع. ولكـن، لم يكن بيدي سـوى الأمل بـأن يتخلص مـن تأثير السـلطانة خُـرّم الـذي ازداد كثيراً بعد وفاة الأمير محمد. قبيل عيد الأضحى مـن ذلك العام حدثت مشكلة في قسم الاستقبال، من المحتمل أن أياً منكم لا يجهلها.

IV

مَثَلَ فضولـي أحـد أعظـم شـعرائنا، والشـاعر الشـاب باقـي، والشـاعران خيالي ولطفي، وعدد من رجال النخبة في حضرة السـلطان في تلـك الليلة. بعد دعاء شـيخ الإسـلام حضـرة «أبو السـعود» أفندي أطرى السلطان شعراءه، ثم أمر بالاستماع لبعض ما كتبوه.

نعرف جميعـاً أن فضولي قـرأ في تلك الليلة شـكواه الشـهيرة. نعم أيها السادة، لم تتسبب تلك القصيدة بزوبعة بين النخبة فقط، بل بين أفراد الشعب أيضاً. وصف الأفندي المفتي الأمر بدقة كبيرة بقوله: سقطت بيننا كأنها قذيفة مدفع، ولم تكن قذيفة مدفع خفيف بل قذيفة مدفع سلطاني... وأذكر أن باقي قرأ هذا البيت:

«رحماك! لا تُخرج فتات السـهم من جرح صدري / حباً بالله اترك جزءاً هناك».

بعدئذ، أبدى فضولي رأيه باحترام لعبقرية باقي، وبدأ يلقي الشكوى:

«حيّيت، فما تلقوها لأنها ليسـت رشـوة / قدمت تقييماً، فما قدّروه لأنه ليس مفيداً / فـي الحقيقة، إنهم يتظاهرون بالطاعـة، ولكن حركاتهم وأحوالهم تفضح ردهم على تساؤلاتنا كلها.

قلت: أيها الأصدقاء، ما هذا الخطأ؟ وما هذه الوجوه العابسة؟

قالوا: هكذا هي عاداتنا.

قلت: قـرروا أن رعايتـي ضرورية، ومنحونـي راتباً تقاعديـاً، وكلما قبضته دعوت لسلطان السلاطين من كل قلبي.

قالـوا: يا مسـكين! ظلمـوك، وأعطـوك أجـرة طريق لكـي لا يكون كفاحك مفيداً، وتقابل وجوهَ نحس وتسمع كلمات حادة.

قلت: لماذا لا يدفع حقي بالتقاعد؟

قالوا: فائض عن الحاجة، لا ضرورة له.

قلت: وهل هناك أوقاف لا فائض لديها؟

قالوا: إذا فاض من مصاريف الأستانة فهل يفيض لدينا؟

قلت: استخدام مال الوقف كيفياً حرام.

قالوا: اشتريناه بمالنا، فهو حلال علينا.

قلت: إذا فُتحت المحاسبة لا بد من اكتشاف الفساد.

قالوا: الحساب يوم الحساب.

قلت: سمعنا أن هناك حساباً في الدنيا أيضاً.

قالوا: لا نخاف من هذا، فقد أرضينا الكتّاب.

رأيت أنهم لن يردوا على سـؤالي بغير الجواب شـيئاً غير الجواب، واعتبروا أن وثيقة التقاعد هذه لا حاجة لي بها، فلم يكن أمامي سوى ترك الكفاح، والانزواء في زاوية الحرمان يائساً».

صدرت ضحـكات بداية. فـي الحقيقـة، إن تلك الكلمـات كانت يمكن أن تضيع وتتبـدد بين الجمـع المتهامس والمتململ. من المكن أن تبقى وصفـاً لوضع مؤلـم فقط؛ وإن بـدت جدية للوهلـة الأولى. ما المشـكلة في هذا؟ تلفّ بعض الشـائعات وتدور، ثم تُنسى وتتبدد. كان هجاء جيداً، ولا يشـير إلى شـخص بعينه. مع الأسـف، إن رسـتم باشا حافَظَ بداية على صمته بدلاً من مشـاركة الآخرين الضحك. بقي مكانه

دون حركة كحجر ثقيل. حالته تلك كانت سبب عبوس وجه السلطان المبتسم.

احمر وجه رستم، ثم ازرق، وقبل مرور وقت طويل اسودّ من الغضب، ثم نخر قائلاً: «يا أفندي، إذا كنت تقصدنا، فاعلم أن لقمة حرام واحدة لم تعبر بلعومنا».

مع الأسف، إنّ حالاً غير متوقعة برزت في تلك اللحظة. كيف سأقولها، بدأنا نضحك كما يتذكر حضرة «أبو السعود» جيداً. لم نستطع ضبط أنفسنا على الرغم من معرفتنا بعظمة جريمة الضحك في حضرة حاكم العالم، واعتبارها عدم احترام؛ وخاصة الضحك مع إصدار الصوت. لم نعرف من ضحك أولاً. كانت وجوهنا مطرقة نحو الأرض وممتقعة بالحمرة وتتصبب عرقاً. كنا نضحك مع إصدار بلاعيمنا أصواتاً غريبة، ولكننا لم نجرؤ على رفع رؤوسنا والنظر إلى تعابير وجه حاكم العالم. كان حضرة «أبو السعود» محافظاً على وقاره، أما رستم باشا فقد انتفخت شفتاه، وكان يشد نهاية لحيته السوداء بغضب كعادته، ويستعرضنا بنظراته، ومن المحتمل أنه يعدّ خطط الانتقام.

شهدت على صمت حاكم العالم وعدم نبسه بكلمة واحدة بسبب المسؤولية التي حمّلها لنفسه نتيجة هذا الوضع بالغ الخطورة. السلطان الذي ركّع العالم أمامه جلس على عرشه هكذا، وهو يفكر ويغمّ عينيه الناظرتين إلى البعيد.

بعدئذ، بدأ صمتٌ فظيع ممتد راح يتعمق تدريجياً إلى أن أصبح بئراً لا قرار لها. أذكر أنني تبللت بالعرق تماماً. كانت تلك هي المرة الأولى التي شعرت فيها برغبة أن أكون في مهمة بين صفوف الأعداء بعيداً، وليس قرب سليمان خان.

V

يبدو رستم باشا مطوياً طبقتين أمام حاكم العالم لأنه طويل القامة. عبس وجهه الوسيم حين انتبه لوجودي في الحضرة أيضاً، وقد نهضتُ محيياً. اختبأ خلف ابتسامة لا تعبر عن السرور، ثم أشار سلطان سلاطين العثمانيين للصدر الأعظم الواقف أمامه بمقتضى التقليد العثماني نحو المقعد ليجلس، فجلس.

هز سليمان خان رأسه بشكل خفيف، وأَذِنَ بالكلام. ودون أن يضيّع الوقت، قال الباشا: «من المحزن أن تأخذوا عبيدكم العاجزين أمثال وهيمي على محمل الجد بوجود عبيدكم الذين يشاركونكم حمل أعباء الدولة العلية أمثالنا يا حاكم العالم!».

أنتم تعلمون أنه قبل عشر سنوات لم يكن أحد يجرؤ على التكلم عن أحد المقربين من حاكم العالم بوجوده. ولكن العصر يتغير، نعم. وهذا أكبر دليل على أن سليمان خان يشعر بالوحدة أكثر من أي وقت مضى. والوحدة في هذه الحالة ليست خياراً فقط، وليست بمعنى مسؤوليات الحياة والأحداث فقط. كان سليمان المدهش وحيداً في حال من الصمت والتوكل الشديدين.

لم يكن باستطاعته المغامرة بالصدام مع رستم باشا لأن هذا يعني صدامه مع زوجته الحبيبة وابنته في فترة مظلمة كهذه لم يتخلص فيها من حزنه على محمد خان. وكان هذا هو السبب الحقيقي وراء غضّه طرفه عن مساوئ رستم باشا التي عرفها العالم كله. كان وحيداً، ولكنه يحمل فظاعة عزلة أكبر.

قال سليمان خان دون أن يغيّر تعبيره الباسم: «وهيمي أورهون جلبي قبضتنا ويدنا الرحيمة في آن واحد».

التفت الباشا، ورمقني بنظرة كالجليد. اجتاح أطرافي برد يشبه البرد الذي في الخارج على الرغم من الموقد والمناقل المُشعلة في الزوايا. ما زلت أتعرق. لولا صفعة العاصفة الأليمة التي هزت النوافذ، وحتى القصر كله لما أزاح نظرته عني نهائياً.

التفت الباشا إلى حاكم العالم، وقال: «أنا لا أحترم زمرة الجواسيس الذين لا تُعرف رؤوسهم من أساسهم. وبقدر ما تكون عينه الماكرة ذات الرمص، ووجهه القبيح المجعد بعيدين عني، بقدر ما أكون سعيداً».

«وهيمي رجل يعرف المكان الذي يأتي إليه، ولا رغبة لديه بتسلّمِ المواقع يا رستم باشا. كان موقعه منذ اليوم الأول قربنا، ومن الآن فصاعداً أيضاً سيبقى هكذا. لو أراد لحظي حتى اليوم بمواقع سامية في الجيش والدولة، ولحصل على تقاعده وذهب ليعيش مرتاحاً في كرمه أو بستانه. ولكنه ردّ هذه الأمور كلها بقفا يده، وفضّل أن يكون فدائينا».

تحدث الباشا بصوته الأجش المؤثر دون أن يرفع رأسه: «الفرمان فرمان سيدنا. في الحقيقة، من الأفضل للإنسان أن يضع مسافة بينه وبين النعمة إذا كان لن يتنعم بها. أنا لا أنكر تقديري لهذه الخصوصية في وهيمي، فهو يعرف ما يليق به».

بالتأكيد لم يكن ممكناً أن أردّ على هذا القول، وحتى أن أتكلم دون أن أُسأل. ليس خوفاً، بل حسب ما تفرضه التقاليد العثمانية القديمة، ولمحافظتي على قواعد اللباقة. وإلا فالزنازين لا تخيفني. أنا أساساً طوبة معتقة في ظلمات تلك الزنازين. أنا نسغُ حياة شباك الزنازين وحديدها وصدئها. أنا تلك الزنازين ذاتها...

فُتح حديث التحضيرات للحملة التي ستنطلق بعد العيد نتيجة

تطرق حاكم العالم للموضوع. كان سليمان خان حازماً في موضوع تأمين الملكة إيزابيلا والملك الصغير سيغموند. التفّ حول موضوع مارتينوزي بمهارة، وأمر بتقوية الحدود الغربية بضم مجموعات الطلائع للوحدات الرئيسة.

قبيل مغادرتي حضرته، فُتح حديث الوباء في إيران فجأة. كان لدى رستم باشا بعض المعلومات عن فداحة الأمر. قال ضاحكاً وكأنه يكلّم نفسه: «إذا استمر بالانتشار بهذه السرعة، فسنفتح مدناً خاوية عندما نصل إلى هناك». ثم التفت إلي، واستمر بنبرته شبه الساخرة قائلاً: «في غيابك حدّثنا حاكم العالم عدة مرات كيف علقت في مدينة اجتاحها الوباء يا وهيمي».

أمر سليمان خان: «حدثنا يا وهيمي!». كنت سئماً ولكنني سأعمل ما بوسعي لتلبية أمر سليمان خان حتى لو كنت على فراش الموت. ما هذا؟ حبستم أنفاسكم يا أصحاب المعالي! هل اعتقدتم أنني لا أنتبه؟ أليس بعضكم من يدعي أنني اتفقت مع سليم خان لإقناع حاكم العالم بحملة سيكتوار من أجل الانتقام لمصطفى خان؟

وماذا عمّا تناهى إلى أذني خلال أسبوع استراحتنا؟ أنا الهرم المسكين الضعيف المنهك أكثر من حاكم العالم دخلت خيمته، وخنقته! أليس كذلك؟ وأمام كل هذا العدد من شهود العيان... لا يا سادة، لست غاضباً... ولكن، انظروا إلى يدي هاتين؟ نعم، خنقت هذه الأصابع الكثير من الرجال. كسرت قبضتاي أفكاك كثير من الباشاوات الذين توسلوا باكين قبل إعدامهم من أجل مسامحتهم بحياتهم. ولكنني في الثانية والثمانين من عمري، وأصابعي تمسك مقبض الإبريق بصعوبة.

ماذا؟ طبعاً ضميري مرتاح. الفدائية والجاسوسية ليستا من استطاعة الرجل الذي يخوض الحرب بضميره... نعم، بأمر من حاكم العالم بدأت أروي ما عشته في تلك المدينة الموبوءة.

الدفتر الثالث

ما رواه كبير الجواسيس المدعو وهيمي أورهون جلبي للديوان السلطاني بتاريخ 23 جمادي الأول 975، وقُدِّمَ لحضرة سليم الثاني بعد صلاة عصر آخر ثلاثاء من الشهر بسبب مرضه. مرفق بملاحظة قصيرة كتبها حضرة الصدر الأعظم محمد باشا صوقولو حول وهيمي أورهون جلبي بأمر من صاحب العظمة سلطان سلاطيننا.

ملحق

إلى صاحب المُلك والزمان حضرة سليم خان الثاني ابن السلطان، ابن السلطان، ابن السلطان، لقد بلغ كبير الجواسيس المدعو وهيمي أورهون جلبي الثانية والثمانين من عمره كما هو معلوم، ولكنه يبدو شاباً بمقياس قربه من الزمن الماضي وتطابقه السري معه. ظهره محني قليلاً، أما انحناء رأسه بين كتفيه العريضتين الناهضتين فيمنحه حالة من المكر. كثيراً ما تنزلق عيناه الدقيقتان كفرخ الغزال المستشعر للخطر. لقد فَقَدَ رهبته التي كانت لديه أيام شبابه منذ زمن بعيد، ولكن لديه جرأة كبيرة خفية. إنه لا يخاف... نعم، يبدو أن لديه تكاملاً نفسياً قوياً؛ حتى في شيخوخته التي يعيشها لأنه لا يخشى شيئاً نهائياً.

نظراته برّاقة وتبدي احتراماً، ولكن من الصعب النظر إلى عينه دون أن يشعر الناظر بأنه وقح. لهذا السبب يثير الشعور بأنه خرِف. إذا كانت العيونُ نوافذ على النفس، فأنا أعتقد أنني أستطيع رؤية براءته بوضوح وسط هذا الإطار الخالي من قفل ومزلاج.

يذكرني بشكل غريب بالثعالب السريعة التي تخرج من ظلمة الغابة في الليالي المقمرة إلى السهول. يسبر نفس مخاطبه وكأنه واثق بأذنيه لا بعينيه، وليس من أجل الهرب، بل من أجل التحبب والمكر. يبدو أحياناً غريباً يائساً بقي تحت مطر بارد كالثلج ذات ليلة شتوية. ولكن نبرة صوته وثقته بنفسه تبددان هذا الانطباع. إنه قوي جداً لحظة، وضعيف جداً في أخرى، وشاعريٌ لحظة، وغدارٌ في أخرى... ولكنني لا أعتقد أن عينيه تكذبان...

لديه طريق يسـلكه، وقد حدده قبل وقت طويل. لهـذا فهو واثق من خطواته. فُتح له هذا الطريق بإشـارة من السلطان سـليم الجبار. اشتُهر في عهد والدكم سليمان خان المدهش، وبلغ اسمه الآفاق، وفي الوقت نفسه وصل إلى مرتبة نديم حاكم العالم. لا شـك أنه مدين لدعاء الأولياء ببقائه على قيد الحياة كل هـذه المدة الطويلة. بالنتيجـة، إن اقتراحي الفردي هو متابعة التحقيق حتى التوصل إلى أدق التفاصيل...

I

«كان هذا عـام 923، والسـلطان سـليم خـان الجبـار مـا زال حياً. وكنـت فـي مطلـع العقـد الثالث مـن عمـري. التحقـت مـع مجموعتي المؤلفة من أربعة عشر رجلاً بقافلة تجارية كبيرة ذاهبة إلى الشرق، وبعد سـفر مرهق اسـتغرق شـهراً ونصف الشـهر، حططنا رحالنـا ذات صباح خريفي فـي بلدة قرب أصفهان. أذكـر أن ظلال قبـاب المدينة الإجاصية كانت تسقط على السهل أمامنا، وتهب ريحٌ جافة ذات رائحة نفوذ...

أتيحـت لنا فرصـة التعـرف إلـى مجموعة رجـال من قافلـة تنتظر دورها لدفع الرسـوم من أجل دخول المدينة مثلنـا، فحذَّرنا الرجال بأن هناك وفيات مشـتبهاً بهـا وقعت في المدينـة قبل فترة قصيـرة، وتقتضي الفطنة أن نبتعد عن المكان.

كان قائد القافلة بيروتيـاً يدعى مدحس، أصرّ علـى دخول المدينة على الرغم من خوفه من كلام أولئك الأشخاص؛ لأنه كان يثق بأن هذه إشـاعة هدفها تهريب القوافل الأخـرى من المنطقة. فـي النهاية، دعكم من الإطالة بوصف ترددنا، وصلنا إلى نقطة دفع الرسوم في وقت سحر نتيجة خروج بعض القوافل من الدور، وعودتها».

التفت رستم باشا إلى سليمان خان الذي يسمع قصص مغامراتي دائماً بمتعة وانتباه. وفتح يديه إلى الجانبين، وقال: «إنه وهيمي الذي نعرفه يا حاكم العالم، رجل المخاطر المفرطة».

حين قال حاكم العالم: «من المناسب القول: رجل المهمات»، هرب الباشا بعينيه عن حاكم العالم بسرعة، والتفت نحوي.

تابعت: «خلال بضعة الأيام التالية لم نصادف أيَ شيء غير عادي، وأسرعنا بعمل عدة مداهمات، وسيطرنا على عدة رؤساء مجموعات يزيدية متمردة في المنطقة. ولم تقلق راحتنا إلا في نهاية الأسبوع الأول بعد أن أتت الأخبار من ريف أصفهان.

لم يكن معروفاً ما يحدث بعد، ولكن أضيفت حالات موت أخرى مشكوك بها. كان علينا أن نخرج من المدينة قبل أن يُمنع الخروج منها. ولكنني كنت متعلقاً بطموح إلقاء القبض على زعيم عصابة الفساد. إنه اندفاع الشباب».

رمق سليمان خان الباشا الآن بنظرة متباهية وكأنه يقول له: أنا لا أعتمد على الرجل الخطأ.

«ولكن، لم يمضِ وقت طويل حتى أدركنا أننا وقعنا بما كنا خائفين منه. بدأ الوباء ينتشر بسرعة. الخروج من مدينة ينتشر فيها مرض سارٍ، والتسبب بنقل المرض إلى المدن الصفوية الأخرى ممنوع حسب القانون، وعقوبته حبل مشنقة مدهون بالزيت. ولكن هناك أسوأ من هذا. إذا كان المرض وباءً، فيُنظر إلى القادمين الغرباء نظرة سيئة، ويبدأ الأهالي بأول فرصة بتحميلهم مسؤولية ما حل بهم.

هذا يعني أن الأمن سيزول تماماً بسبب تفاقم المرض، والأيام التي سنُعتبر فيها هدفاً لأننا مسؤولون عن نقل المرض إلى المدينة

قريبة. علـى الرغم من هذا، كنا نحـاول المحافظة علـى معنوياتنا جيداً. يمكننا أن نستغل الصراع الذي سينشـب بين القادمين الجدد وأهل البلد من أجل الهـرب. ولكننا يجب أن نكـون جريئين، وأن نُقْـدِم على عمل ما لا يمكن عمله. أي يجـب أن نترك المركز، وننتقـل إلى الريف حيث يستمر المرض بشدة، ونضيّع أثرنا هناك.

حسـب بعض العقول التي فقـدت منطقها، هناك أمـر آخر يخصنا نحن الغربـاء؛ لجوؤنا – نحـن المنحرفين السـنة – إلى مدينـة أصفهان الشيعية المقدسة.

ولا يكفي هذا، فهناك من يثق بأن المرض سرى إلى أجساد بعض الأشـخاص نتيجة فحش ذنوبهم بواسـطة شـياطين تتلبسـهم، فظهرت مجموعـات المعاقِبيـن الذين يضربون المسـاكين ضربـاً مبرحاً لإخراج الشياطين منهم. وسـمعتُ أن تصرفاً كهذا أقدم عليه بعض رجال الدين الكاثوليك في أوروبا».

بالتأكيد يا سـيدي. ما زالـت هناك مشـافٍ فعالـة، ولكنها وصلت إلى نقطة توقف الخدمة. كان سـليمان خان أيضاً يسـأل هذا السؤال في هذه النقطة أيضاً يا حضرة المعالي حسين باشـا كبير الرماة. ولكنه خطا خطوة أبعد فـي تلك الليلـة. فقد التفت إلى رسـتم باشـا، وأمـره بزيادة راتب الأطباء اليهود من ثماني فضيات إلى اثنتي عشرة فضية.

لـم يُعجب الباشـا بهذا الإجـراء بالتأكيد. شـعرتُ أنه سـيعارض، ولكنه يبحث عن سند قوي. سـيفتح موضوع التحضير للحملة بالتأكيد، ولكنه وجد أن هذه الذريعـة غير كافية على ما أعتقد. قـال حاكم العالم بصوت ناعم ولكنـه لا يدع مجـالاً للاعتراض: أمري نهائـي. ثم التفت إلي، وهز برأسه بهدوء: «أكمل يا جلبي!».

«وحسب خطتنا الاضطرارية، غادرنا البيت المُستأجر الذي نقيم فيه أثناء تخبط أصفهان في المرض صارخة متألمة، وأضعنا أثرنا في الأحياء الجنوبية حيث ظهر المرض أول مرة. وقد لجأنا إلى بيت كبير مهجور قبل أن تحل ظهيرة ذلك اليوم. وقد آوانا البيت بعيداً عن الخرابات الملتفة بصمت الموت، والوحشية المنتشرة في مركز المدينة. غطى سماء الخريف دخانٌ مائل إلى الصفرة يبعث على الألم. وامتزجت رائحة اللحم المشوي نتيجة إحراق الموتى برائحة تلال القمامة المتراكمة. وكان الرماد يهطل علينا صباحاً ومساءً. إنه رمادُ من كانوا حتى قبل بضعة أيام أصحاء ضاحكين راكضين ملاحقين لقمة عيشهم... ولكن اثنين من رجالي مرضا بشكل متتالٍ في ثاني أيام إقامتنا في بيتنا الجديد. وضعناهما في ملحق صغير خلف البيت، وحاولنا إراحتهما بقدر ما نستطيع. مع الأسف، انتقل المرض إلينا، وأفقدنا في الأسبوع الأول ستة من رجالنا.

يبدأ المرض بحرارة مرتفعة تسبب اضطراباً شديداً يجعل المصاب لا يحتمل شيئاً؛ ليس قميصه فقط بل لا يحتمل حتى الأغطية الغربالية الخفيفة في برودة الليل. كنا نرى الذين تتدفق الحرارة من أجسادهم وهم يرمون بأنفسهم إلى أجران سقاية الحيوانات والسبل العامة، ثم تأتي الحيوانات والناس للشرب من تلك المياه. يمر الفاقدون صوابهم نتيجة الألم الذي يشعرون به وهم يهلوسون من أمام نوافذ البيت ذي الطابقين الذي لجأنا إليه. في تلك الأيام، بدأت فظاعة كلاب المدينة. توحشت الحيوانات... نعم، عندما فقرت القمامة، وفاحت رائحة الأجساد المغطاة بالتقرحات، بدأت تلك الحيوانات تعتدي على المرضى الذين يعيشون أيامهم الأخيرة في الزوايا. تقترب

منهم وهي تهز بذيولها بتودد، وتلحس أيديهم وأرجلهم، ومع ازدياد التعبير عن التودد تتدخل الأنياب والمخالب، وأخيراً تُقطّع المساكين، وتبدأ بالتهامهم. تمادت الحيوانات أكثر قبل مرور وقت طويل. عندما انسحب المصابون وانسحبت القطط الشاردة والفئران من الأزقة، بدأت الكلاب تهاجم البيوت، وتقلب الأبواب، وتدخل من النوافذ.

لم يكن باستطاعتنا الاستمرار في جهنم تلك أكثر من شهر. نجحنا بلطف من جناب الحق بالمحافظة على أنفسنا لأن أحدَ رجالنا مرض أيضاً. إذا فقدناه فإن قوتنا ستنخفض إلى النصف. أخيراً، قطعنا من أعمدة البيت وأجزاء السقف أخشاباً بطول رمح، وربطنا خناجرنا بقوة في شق مائل فتحناه برؤوسها على الطريقة الساسانية. ووجدنا بالتجربة أننا حصلنا على رماح سليمة تفي بالغرض.

خطتي بسيطة ومؤثرة. كانت المؤن تدخل في منتصف الليل مرة كل ثلاثة أيام. بسبب انهيار الخدمات الصحية بشكل كامل، وعدم وجود قوة عسكرية نظامية في المدينة، توضع أكياس المؤن التي يُنزلها عمال في باحة حجرية للعصابات، وتترك لرحمتها. وفي الحقيقة، كانت توهب لها عن قصد. هذا تعاون قذر بين حراس الرسوم والعصابات الممسكة بسوق المدينة السوداء. وتعتبر الإدارة الصفوية أن تقديم المزيد من المساعدات لنا - نحن المذنبين المساكين الذين حُكمَ عليهم بالإعدام - إسرافاً. وهذا هو سبب غض الطرف عن العلاقة القذرة للجنرالات الذين يسعون لملء جيوبهم مع العصابات.

قررنا أن نتستر بخوف الشعب اليائس بسبب المرض والفوضى، ونشن هجوماً عنيفاً على الباب الرئيس أثناء إدخال المؤن. كانت لدينا فرصة واحدة، وكنا مضطرين للنجاح. انتظرنا الليل بقلق؛ ولكنه قلق مصحوب

بالحزم. انسللنا إلى الخارج بهدوء كالمرض ذاته. كان الجو عابقاً برائحة الجثث والنار والدخان ورماد الجثث المحروقة بعيداً...

اعتقدتِ الكلاب أننا نحن الغرباء نركض هاربين منها، فهرعت خلفنا وهي تنخر وتنبح. كنا نقطع الأزقة المظلمة بكل ما أوتينا من قوة، وننجح بإبعاد الكلاب عنا بواسطة الرماح التي نحملها، ونسمع تلك الأصوات المخنوقة المنبعثة من صدورنا أثناء إطلاقنا أنفاسنا من رئاتنا كأنها لهيب.

تدخل عربات المؤن صفاً واحداً عبر مصراع باب مفتوح. قلة عدد الحراس حولها توحي بأنهم أصبحوا يلبون أمر الوالي فقط، دون الاهتمام بمن ستصل إليه المستحقات.

اعتقد الحراس وأفراد العصابات المتفقون في ما بينهم أن انفجارَ صخب نزولنا إلى الساحة كالعاصفة، ونباح الكلاب المتزايد عددها يومياً في الظلام وراءنا دليلٌ على هجوم تلك الكلاب، فبدأوا بتسديد النبال نحو نخير الحيوانات ونباحها، وبالتالي نحونا. تعرضنا جميعاً للعض أو الإصابة بالنبال من عدة أمكنة.

أحدثنا صخباً قوياً جداً أدى إلى إنهاء الاتفاق السري بين حراس الرسوم الذين يُمررون القوافل إلى الداخل والعصابات التي اعتقدت أنها تعرضت للخيانة. فجأة، أصبحت أزقة أصفهان كيوم الحشر. بدأ قتال فظيع لا أحد يعرف فيه مَنْ يضرب مَنْ. الغضبُ، وما هو أبعد منه، أي الخوف من الموت في ذلك البؤس ألبسا نفوسنا دافعاً قوياً للقتال.

كنا نحصل على سلاح العدو الذي بدأ يَقتل من صفوفه أكثر مما يَقتل منا، ونتقدم مقدمين خسائر أدهشتنا قلتها. بدوتُ كأنني أسمعُ العدو يوجه لنفسه هذا السؤال: لماذا؟ لماذا نموت من أجل أولئك

الذين من المحتمل أنهم مرضى، ولا أهمية لهم البتة؟

نجحتُ بالتسلل من جهنم تلك مع خمسة من رجالي الذين بقوا أحياء، واختفينا والحمد لله. لهذه القصة دلالة هامة حول عدم كفاءة الصفويين في مواجهة الأوبئة حتى تاريخ قريب».

حينئذ سأل رستم باشا: «هل يحالفك الحظ هكذا دائماً؟».

قلت: «أفكر بدقة يا باشا. كثيراً ما تتعقد الأمور في نقطة واحدة. حينئذ أستخدم ذكائي أولاً، وذراعي القوية ثانياً. ولا أفكر بالباقي».

التفتَ هذه المرة إلى حاكم العالم بابتسامة جذابة، وقال: «من يعش مثله لا يعش طويلاً عادة يا سلطاني». كان الصمت العميق فقط هو الرد الذي تلقاه.

II

أنا سلطان العشق ويكفيني ديوان القلب ودفتر

يكفيني عنوان أعبِّر تحته عن الهم والألم

أنيني كلحن طنبور، وصدري مثقوب كناي

غدت زاوية الهجران من مجلس الحديث إقامتي

وما قيمة الروح في سبيل قبلة

فأنا أعطي حبي ألف روحٍ مقابل شبه قبلة

الحقيقة أن غمازتك تقتل العاشق دون رحمة

ولكن شفتيك تنفخان فيّ الروح في كل لحظة

لأحترق بنورِ جمالك كالفراشات

لقد أمرني الحب بأن أحترق بنور جمالك

نعم أيها السـادة، قرأ لي صاحب العظمة والكرامة والعناية حضرة سلطان السـلاطين قصيدته هذه بتاريخ 18 جمادي الثاني عام 955، بعد صلاة المغرب، قبـل يومين من دخولنـا تبريز دون مواجهـة أية مقاومة. سبب تأكدي من التاريخ إلى هذه الدرجة هو أنه أهداني أوراق المسودة الصقيلـة، وهطـول مطر غزيـر في تلـك الليلـة عندمـا غـادرت خيمته. وتلـك الأوراق مخبأة لـدي باعتبارها كنـزي الأغلى. وآثـار الماء التي بددت الحبر في بعض الأمكنة ناجمة عن قطـرات المطر. لا أريدكم أن تعتقدوا أنني شـيخ بكّاء. من المناسـب أن تقدّموا الأوراق لسـليم خان من بعدي.

كان مـزاج حاكم العالم علـى ما يرام فـي تلك الليلـة. فقد وجدنا فرصة اسـتذكار الدقائق الجميلـة التي قضيناها في إسـطنبول قبيل العيد وفـي أثنائـه؛ الأمير بيازيد سـيد سـنجق قرمـان، والأميـر مصطفى خان سـيد سـنجق أماصيا ومركزه سـيواس، وإلكاس ميرزا وأنـا. خرجنا في نزهة داخل الغابة، وجهدنا أن نبقى قرب سـلطان السلاطين في الصيد، وحاولنا أن نستمتع بالدقائق التي لا مثيل لها.

استعاد سـليمان خان شـبابه وقوته، وأثبت أنه رامٍ ماهر من خلال النبال التي أطلقها عن صهوة جواده الذي لم يترجل عنه. ولكن المشهد الفظيع حقيقة رأيناه في نواحي القصر ذي النجوم عند اقترابنا من مشتى سيواس. نعم، ما سأرويه يبيّن مدى تخطي مُلْكُ العثمانيين كل الحدود، وكيف غـدا مصـدر مباهاة أمـام الخـارج. ولقد شـهدتم على هـذا كما شهدت أنا.

كان سـليمان خـان أكثـر مـن اصطـاد طرائـدَ بيـن رجـال الدولـة المشاركين برحلة الصيد، وكان سعيداً بشكل لم أشهده منذ فترة طويلة.

لا أذكر أن ألعاب الضوء واللون في السماء الصيفية أسعدته إلى هذه الدرجة من قبل. مد يده وبدأ يجمع أجزاءه التي سرقها الزمن من روحه ونثرها واحداً تلو الآخر محاولاً الوصول إلى الاكتمال. كان يسبح في النهر عند برودة الصباح مثلاً، ثم يتمدد على العشب المسحوق نتيجة تدربه على المصارعة، ويتابع غيوم الصيف المتكورة. كان يتناول طعامه أسفل صخرة وهو يشم رائحة الماء والشجر والعشب... وأشهد أنه صلى على الأرض، واستنشق بعمق في سجوده محاولاً شمّ رائحة الجنة من التراب.

سعادته تلك رفعت معنويات الوزراء، كما رفعت معنويات الجنود العالية أكثر، وأعطت قوة للجنود من أجل حملة الشرق. لم يكن مصطفى خان قد وصل مع معيته إلى المنطقة. كنا سنخرج لاستقباله - ميرزا وأنا - فور وصوله. يمكنكم توقع مدى سرورنا لأننا سنقابله مرة أخرى.

قبل مرور زمن طويل، وصل الخبر الباعث على النشوة كمطرِ الربيع. كان مصطفى خان على وشك تشريف موقع قيادة الجيش. تركتُ ابني كمال الغرناطي عند حاكم العالم، وانطلقنا -ميرزا وأنا- على حصانينا فوراً. وعلمت في ما بعد من المؤرخ محيي الدين أفندي وجمال والغرناطي شخصياً بذلك الأمر الجلل في الدقائق نفسها تقريباً.

كانوا يعبرون من غابة صغيرة في نهاية سفح قاحل مطلّ على سيواس تتماوج تربته الصفراء. كان سليمان خان يسير في المقدمة مخلفاً حراسه اللاهثين وراءه. كان يملأ كنانته ثم يُفرغها من أجل وليمة العشاء. وأثناء ذلك التقدم السريع، قفز من دغل كثيف دبٌ جائع وغاضب كأنه استيقظ للتوِّ من سُبات طويل وعميق. دفع حاكم العالم

الحيوان بصدر حصانه المدرع بداية، ثم استل سيفه، وقفز بحصانه على قائمتيه الخلفيتين عندما أعاد الحيوان هجومه.

تحرك سلطان السلاطين بسرعة وقوة، وغرز سيفه حتى مقبضه في صدر الدب الذي كان ينتصب على قائمتيه الخلفيتين ويُرجف الغابة بصوته قبل أن يلحق به الحرس الخاص. كان الحيوان قد أطلق صرخة ألم، وانهار قبل أن يُمطرَ بالنبال. ترجّل سليمان خان شخصياً لسحب سيفه من صدر الدب.

أذكر جيداً أن فراء الدب قد دُبغ في ذلك اليوم فوراً، لأنني تابعت مع مصطفى خان عمل معلمي الدباغة، وكنا نتحدث، ونعبّر كلما سنحت لنا الفرصة عن إعجابنا بسلطان السلاطين حاكم العالم.

لم أفهم يا سيدي... ما قاله مصطفى خان في ذلك اليوم؟ في الحقيقة، لم أكن أعلم أن هذا أيضاً موضوع تحقيق. بلى، صحيح أن مصطفى خان نظر إلى قوة والده ومهابته، وقال لي: «على هذه الحال سيبقى والدنا سنين طويلة فوق رؤوسنا إن شاء الله أيها الذئب العجوز». ثم إن مصطفى خان لم يقل هذا لي فقط، بل قال هذه العبارة أو ما شابهها يومئذ في كل حديث فُتح في الديوان داخل موقع قيادة الجيش. ولكن عقلي لا يستوعب آلية عمل الفتنة تلك. ما الذي يمكن أن يكون أكثر طبيعية من شعوره بالسعادة لحال والده تلك؟ هل كان سيحلّ به ما حل لو أنه من النوع الحذر الذي يحسب حساباً سلبياً أو سوءَ نيةٍ يمكن استنتاجها من كل قول يقوله؟ لماذا تفسر كلمات أمير حول والده بالعموم تفسيراً شريراً وليس خيّراً؟

مع الأسف إن مزاج سليمان خان قد تعكر تماماً في اليوم التالي

لإهدائه لي أوراق المسودة، أي قبل يوم من دخولنا تبريز؛ لأنه لم تكن هناك تلك الفوضى التي حكى عنها إلكاس ميرزا باندفاع، وكنت أشكك بأمرها منذ البداية، ولا يبدو أن طهماسب ينوي الخروج أمامنا. قطع الجبال منذ زمن مع جيشه، والتقط أنفاسَه في قزوين. لو ضغطنا عليه قليلاً أيضاً يمكن أن ينسحب إلى ما بعد جبل دماوند في سلسلة جبال البرز. لم يكن الصراع مع الصفويين سهلاً في أي وقت بسبب وضع البلد الحصين هذا.

نعم أيها السادة، ما سمعتموه وروي لكم في هذا الأمر صحيح. غضب حاكم العالم كثيراً، وأنّب إلكاس ميرزا بشدة غير متوقعة منه، وفقد الأمير الشاب احترامه حتى لدى رستم باشا. إثر هذا، اضطر ميرزا لنقل خيمته واصطحاب وزيره سيد عزيز الله إلى خارج موقع قيادة الجيش.

الحدث المهم الآخر الذي عكّر مزاج حاكم العالم جاء من إردال في الغرب. مقابل مبادرات حسن النية كلها أقدم مارتينوزي على الانقلاب الذي كنا نخشاه بدعم من القيصر، وأبعد الملكة وسيغموند عن الحكم، ووضعهما تحت الإقامة الجبرية في مدينة ليبة النمساوية الواقعة تحت سيطرة آل هابسبورغ.

كنا على الطرق منذ الثامن عشر من صفر، أي ما يزيد عن أربعة أشهر، ومتعبين. لهذا السبب، زادت هذه الأخبار المزعجة من ردة الفعل على ميرزا. أنا أيضاً كنت غاضباً جداً من تسيير جيش نخبوي مؤلف من مئة ألف جندي وعلى رأسه سليمان العظيم إلى تلك المناطق من أجل بضع قلاع يمكن استردادها بقوة بسيطة لأحد السناجق الشرقية مع قليل من الدعم.

لم يلق الشاب ميرزا ما يليق بمساعدته الكبيرة التي تستحق

التقدير باستعادة قلعة (وان) في طريق العودة. لا يا سيدي، قلت هذا من قبل أيضاً. لم يكن شاباً سيئاً. كان مزهواً فقط. ارتعدت عندما تصورت إمكانية أن يكون مصطفى خان مكانه، وغضبت بشكل غير مبرر في تلك الأيام.

أدرك إلكاس أن وقت الانفصال قد حل، فقبّل يد سليمان خان، واستأذنه، وقام بعدة هجمات ناجحة في قم وكاشان وشيراز، وأرسل بعض الغنائم الثمينة التي حظي بها إلى سليمان خان تعبيراً عن امتنانه وإخلاصه. ولكن هذا كله لم يعد يحمل أهمية بنظر حاكم العالم أو الديوان.

وقبل مرور عدة أسابيع على هذا، وصلت أخبار مفادها أن ميرزا عاد يعلق آماله على المذهب الشيعي. فقد أبعد وزيره العالم السني المحترم سيد عزيز الله عنه، وأصبح يتحرك منفرداً.

صحيح، لقد حزنت على هذا الوضع كثيراً أيها السادة. وبالطبع لأسباب وجدانية فقط، وليس لأن لدينا خططاً سرية وتبددت أحلامنا نتيجة هذا الفشل.

ما إن سمعت أنه لجأ إلى سهراب بيك حاكم إردلان في أيلول من عام 956، حتى خطر ببالي حلمٌ رواه لي خلال الأيام التي قضيناها معاً في إسطنبول. يحلُّ الليل فجأة في منتصف النهار، ويظهر فوق رأسه سليمان خان بلحيته التي تشعُّ بخيوط مائلة إلى الزرقة. وكانت زرقة عينيه أعمق وأكثر حدّة. كان ممسكاً بزهرة جافة. أعتقد أنها أقحوان. قذف وجه ميرزا بالزهرة، وانسحب فجأة، فتتكاثر التويجات إلى عشراتٍ ومئات وآلاف، وتتناثر نحو السماء. لفّت السماء عاصفة لونية حمراء وبنية. أغمض ميرزا عينيه لحظة، وفتحهما، فوجد أن ما يتساقط

عليه ليس تويجات زهـر، بل قطـرات دم قديمة عتيقة متفسـخة، وحين استيقظ كان يبكي.

نعم أيها السـادة، كان يبكي في نومه. هل يبكي الإنسان في نومه؟ في الحقيقـة، أدركت سـوء ذلـك الحلم منـذ ذلـك الوقـت. إنّ لجوءه إلى شـخص مشـكوك بماضيه كسـهراب هو بداية النهايـة حقيقة، ومن المحتمل أنـه كان واعياً لهذا الأمـر. وعلمت في ما بعد أنه سُـلم لأخيه بهرام ميرزا، وسُجن في قلعة ألاموت بأمر من طهماسب.

ماذا يا سيدي؟ ما الذي أدهشكم؟ حسـن، سأعترف لكم أن سبب دمع عيني السـليمة الآن ليس بخوركم. إنها الشـيخوخة... امحوا تعبير الشـفقة الذي في أعينكم، لأنكم - أطال الله أعماركم - ستصلون إلى هذا العمر بطرفة عين...

مـع معاليكـم الحـق يا حضـرة المفتـي. قبل مـرور وقـت طويل، خُنق وهو نائم علـى يد جلاد دخـل زنزانته؛ وكان يبكـي مثلما بكى في الكابوس بالضبط. هذا يعني أن الموت جزء من كابوس طويل عاشه... إنه شخص لي معه ذكريات جميلة ما زلت أذكرها على الرغم من مرور كل هـذا الوقت. بنينـا - مصطفى خـان، وإلكاس ميـرزا، وأنـا - عالماً جديداً جداً في اسطنبول خلال شهر رمضان لا يُنسى.

وهنـاك المودة على طـول طريق الحملـة قاطعين سـهولاً خضراء وبنية اللون، وجبالاً بنفسجية صخورها شـماء، ووديانـاً وغاباتٍ قفرة... كان لدينا عالمنا الحقيقي الذي يولد مع كل خطوة من خطواتنا، ويكبر، ويبرق. ولكـن الحياة غدارة. وهـل يرتبط قلب الإنسـان بوهم يطير من بين اليدين بهذه السرعة؟

III

كانت حملتنا إلى إيران مهمة على صعيد إثبات قدرتنا والقول للصفويين والعالم إن يدنا تطال كل مكان في كل لحظة. ولكن عدم تأسيس الإدارة المطلوبة في تبريز، وبقاء القضية الصفوية مستمرة خيّبا آمالنا. فوق هذا، كان حاكم العالم يلوم نفسه في ما حصل في إردال؛ على الرغم من أنه تصرف بمنتهى العقلانية. بصراحة، لم نضع احتمالاً بأن يتصرف مارتينوزي بعيداً عن المنطق إلى هذه الدرجة.

غير هذا، كان سليمان خان محقاً. كان مارتينوزي يعتبر موقع الرجل الثاني أكثر أمناً. ولكن مجلس نبلاء كولوشوار (كلوج) لم يتوصل إلى إجماع حول نقل العرش إلى القيصر فرديناند، لأن بعض النبلاء يخشون غضب السلطان سليم، وينتظرون موقفه بعد عودته إلى إسطنبول من حملة الشرق. ولكن فرديناند كان يضغط عليهم من الجهة أخرى. لا يمكنهم المقاومة أكثر. كان من المفروض أن نسرع.

طلبني سليمان خان إلى خيمته ذات ليلة من نهاية صيف عام 955 الحار قبل أسبوعين من حركته إلى ديار بكر من أجل قضاء الشتاء ورمضان. حين فُتح المدخل الظليل، وأُدخلت من بين الستائر الغربولية المرصعة بالأحجار الكريمة، وجدته يقرأ شيئاً على طاولة صغيرة من خشب الورد أمام المقعد. رفع الشمعدان الصغير الكريستالي الذي ينشر رائحة المسك والعنبر، ونظر إلى وجهي. قال لي بوجه باسم: «اسمع يا وهيمي»:

يا جمال نور عين الأولياء

المدد يا نور الهدى مصدر النور.

غبار قدميك كحل لزاهد

المدد يا نور الهدى مصدر النور.

لا أحد يمكنه السمو إلى الحق من دونك
تُقبل الأمنيات بفيض لطفك
أنت رحمة للعالمين يا رسول
المدد يا نور الهدى مصدر النور.

ارتكبتُ ذنوباً لا تحصى
صرت نديماً لهوى النفس
اشفع لي عصياني يا كريم
المدد يا نور الهدى مصدر النور.

يا رسولنا الأكبر منبع الكرم
أكرم عبدك الفقير إليك سليم
باللجوء إلى مجلسك
المدد يا نور الهدى مصدر النور».

«هذه قصيدة للمرحوم السلطان سليم الجبار، أليس كذلك يا حاكم العالم؟ لم أسمعها من قبل».

قال سليمان خان: «نعم». قدحت عيناه بنور منبعث من العمق كعالم على وشك تحقيق اكتشاف عظيم لم يُكتشف بعد، وأضاف: «لم يكن بوسعك أن تسمعها. وجدتها في صندوق أمانات خاص استخدمه في إحدى الحملات قبل عدة ليالٍ. كان بين أكداس أوراق، وسط قماش أحمر وأزرق».

فرحتُ لهذا بما لا يقل عن فرحه، وقلت مبتسماً: «لقد وقعتم على كنز ثمين في هذه الحال».

«ثمين جداً أيضاً».

أذكر أنني سألته عن أمور تتعلق بقصر حلب الذي سينتقل إليه من ديار بكر. لم يهتم. برقت الابتسامة على وجهه، وأطفئت بقوة أخيرة مثل أشعة الشمس الأخيرة.

«لديك مهمة هامة يا وهيمي. أنت الآن هنا لأن تلقيك الأمر مني شخصياً يبعث في قلبك الطمأنينة».

«أنا ممتن لكم يا سيدي. أمركم!».

قطب حاجبيه بشكل خفيف: «ماذا يفعل أولئك الذين لا يقدّرون يا وهيمي؟ ما هذه السفالة التي تجعلهم يتطاولون على تاج بحمايتي؟ ألا يقدر أولئك قيمة السلام المعقود بيننا منذ خمس سنوات؟ هل يعتقدون أن سيفي لا يستطيع سحق رؤوسهم في النهاية؟».

«تعتمد سياستهم على اتفاقات سرية وهجمات غادرة يا حاكم العالم. لا يُنتظَر غير هذا من المعتقدين أنفسهم أعداءكم ولا يجرؤون على مواجهتكم في ساحات الوغى».

نظر إلي بحدة تليق بتصميمه، وقال: «يزداد عناد الأخوين شارلكان وفرديناند مع حصولهما على مصادر الثروة في القارات البعيدة. إنهما يستغلان ثروات الناس الذين يستعبدانهم وجهودهم، ويغلقان عليهم الأقفاص دون أن يعترفا لهم بحق عتق الرقبة... كما أنهما ينهبان بلادهم، ويضعان أيديهما على مناجمهم، ويدمران حضارتهم. فكر بإرنان كورتيس؛ فهو الذي يقف خلف محو حضارة الأزتيك، وقد انخفض سعر الذهب بسبب الكميات الهائلة من الذهب الأمريكي الذي صبه في أوروبا. والآن يتعرضان لنا بدلال نتيجة القوة التي حصلا عليها».

قلت بحزم: «لا تهتموا يا حاكم العالم. طالما في وهيمي روح، فاطمئنوا إلى أنه سيلقي بأعدائكم تحت قدميكم واحداً تلو الآخر».

«دمت يا وهيمي آغا. ستتحرك نحو إردال دون أن تضيع أي وقت. كونوا قليلي العدد. لا تلفتوا الأنظار، فهذه المرة أهم من أي مرة أخرى».

«أتمنى من الله أن تكون مهمتي هي القضاء على مارتينوزي».

«مهمتك إنقاذ الملك والملكة الأسيرين من قصر ليبة حيث يسجنان، وإخراجهما سليمين من المنطقة، وجلبهما إلى بودين. معك كامل الصلاحيات في هذا الأمر، وهذه الصلاحيات تتقدم على امتيازات سادة السناجق. قم بالتحضيرات، وسيصلك أمري السلطاني. لا تمضِ دقيقة واحدة دون عمل. سيحل الوقت الذي تلاحق فيه مارتينوزي أيضاً، لا تقلق!».

IV

بلى، لم أنتظر نهائياً يا سيدي. ودعتُ مصطفى خان بشكل سريع، واصطحبت معي بالإضافة إلى الغرناطي كلاً من أرطغرول وعمر فهمي؛ وهم من أكثر رجالي إخلاصاً، وانطلقنا في الطريق كالصاعقة. عبرنا الجبال الحراجية الملتفة بدرجات الأخضر والبني الحزينة، وسفوحَ مراعٍ تبرز صخورها الصفراء تحت نور الشمس البرّاق كأنها قصور زجاجية، وذُرى تنتفخ وتتعرج سامقة آلاف الطوابق كأنها تريد أن تناطح الأعلون، وظلالَ قمم أشد حدة وقسوة وتهديداً؛ كأننا في حلم.

تمددنا على تربة حقول الذرة والشمندر والفول المحصودة

الصفراء ليلاً. نمنا فترات قصيرة ولكنها عميقة ملتحفين ضوءاً براقاً لنجوم لا تحصى. بارك الله بالسماء فقد تابعتنا نهاراً بصفائها غير المتناهي ولونها الأزرق المخضر والفيروزي دون أن تُقْدِمَ على أية مشاغبات. في اليوم الثامن عشر، أي في اليوم الثاني من رمضان، ركبنا مركباً شراعياً كان ينتظرنا على شاطئ مرمرة، وأبحرنا في بحر هادئ إلى درجة الإدهاش مستمتعين. كأن الريح الخفيفة المؤثرة التي تنفخ شراعَيْنا تشعرنا أننا نسير بالمركب ذي الشراعين في فراغ من الأزرق الصافي الذي لا نستطيع أن نميز فيه النقطة التي يتصل فيها البحر بالسماء، وليس على سطح البحر.

ترسو في بحر إسطنبول سفن شحن الموالح والقطن الخام والمغزول والعنب التي تقطع المسافة من إزمير في خمسة وعشرين يوماً مع استراحات متعددة، وسفن شحن الصابون واللوز من كريت التي تأتي كل اثني عشر يوماً، وسفن شحن الملح من فوتشا التي تصل كل أربعين يوماً، وسفن شحن الأرز والبن التي تصل من الإسكندرية وتستغرق ما بين خمسة وأربعين يوماً إلى خمسة وسبعين يوماً، إضافة إلى سفن شحن قرون الماعز والعنب من سيرا، وتلك التي تشحن الليمون والبرتقال من سينا، والفواكه الطازجة من زنتا، والخزف الأحمر من جنوة، والقمح من أورفان، والقمح والكافيار والحبوب والليمون والحجر الصخري والصوف من طايغان وأدويسا وخوجا بيه. كانت السفن ذات الصاريين والصواري الثلاثة، وسفن الشحن الأكبر منها متزاحمة وتضج بالألوان أمام موانئ غلاطة وأمينونو؛ بعضها تتحرك من أجل الدخول بدور تسديد الرسوم.

حين أبرزنا الأمر السلطاني لرئيس دورية البحر التي اعترضت

طريقنا في البوسفور، رافقنا ثلاثة أميال في عرض البحر الأسود حسب ما تفرضه قوانين القانوني. بعد اثنتين وأربعين ساعة نُقلنا إلى حراسة سفينة رسمية جديدة في فارنا، ولكن تم تأمين انتقالنا هذه المرة إلى مركب صيد عادي دون راية. كان هذا تفصيلاً ضرورياً من أجل تنكرنا. في كل نقطة استراحة كنا نتنكر حسب مهارة مساعدينا، ونصبح أرباب مهن جديدة تماماً.

أوصلنا الدانوب شديد الحيوية والمخترق في بعض أمكنته بكومات جذوع الصفصاف إلى فيدين دون أية مشكلة. بعد هذا الموقع، تابعنا طريقنا على ظهور الجياد. كان الطقس حتى ذلك الوقت جميلاً بشكل مدهش. ولكن السماء دكنت بجو عاصفة مائل إلى الصفرة في نواحي جبال ترانسيلفانيا. هطلت أمطار غزيرة على الطريق البالغ فرسخين بين تيمشوار وأراد، والذي كان يعصف فيه فلاد الثالث برياح الرعب، وشكلت السيول كومات من بقايا صعبت علينا كثيراً قطع الطريق الطيني ذاك.

لم يكن في مطابخ الخانات القذرة المظلمة التي نبيت فيها طعام غير لحم مجفف. كنتُ مع كمال أحضّر بعض لقيمات الإفطار للصائمين معنا سراً في تلك الظروف بما أنقذناه من أكياس طعامنا التي غُطت بالماء.

مع تقدمنا باتجاه الشمال، ظهر ضوء ناعم منعكس عن سطح الجبل الأحمر المتجه نحو السماء الباردة. غطينا ظهورنا بعباءات من الجلد السميك لنحمي أنفسنا من البرد القارس، وقد غطت سهل إردال رمادي اللون قطع غيوم صغيرة ناعمة. أذكر أننا قطعنا الوديان الطينية ونهر موريش الممتد على مسافة 473 ميلاً متلوياً ونحن ننظر بدهشة إلى الحقول. يجب أن تكون هذه المناطق للعثمانيين بالتأكيد.

حين وصلنا إلى ضفة نهر موريش، وجدنا سكان قصبة (أراد) الصاخبين منهمكين إلى درجة أنهم لا يرون أمامهم في اليوم الخريفي. نزلنا في خان صغير ولكنه مريح، تطل واجهته الحجرية على ساحة القصبة. خصص لنا صاحب الخان إحدى أفضل الغرف لأنه اقتنع بأننا فرسان مالطيون خرجنا في سفر طويل. ويبدو أنه خاف منا، ما جعله يوافق على تنظيف ثيابنا وشواء فروج لنا على العشاء مقابل ذهبية فلورية.

كان ذاك خاناً أكثر نزلائه من أصحاب المراكب المحملة بالملح من ليبة وبحارتها. ملح ليبة الشهير يُنقل عبر تيسا ونهر طونا ويصل إلى الأراضي التركية. لهذا السبب، بادرنا بالعلاقة. لم نجد صعوبة بإقامة صداقات بواسطة الامتياز الذي جلبته لنا سراويلنا الضيقة الكحلية وياقاتنا المنفوشة وقمصاننا البيضاء ذات الأكمام السوداء المذهبة. وافق قبطان مجري على أن يقلنا بمركبه لشحن الملح إلى ليبة مقابل قطعة نقدية تافهة عن كل فرد بعد أن جلسنا بجواره، ووضعنا جرة خمر أمامه.

الدفتر الرابع

ما رواه كبير الجواسيس وهيمي أورهون جلبي في الجلسة التي استمع إليها حضرة سليم الثاني من خلف قصر العدل. وقد قُدِّم الضبط بعد صلاة العشاء في اليوم الأول من جمادي الثاني.

I

نعم أيها السادة، تسللنا إلى حصن قلعة ليبة من أسوارها المطلة على نهر موريش في الجهة الغربية. كان هذا في اليوم السابع عشر من رمضان. لا، لم تعترضنا أي صعوبة، لأنكم تستطيعون دائماً إيواء المزيد من الرجال التابعين لكم على الحدود. في الحقيقة، إن هذا الأمر ينسحب على الطرفين. ولكن، كان من الصعب سبق عناصر الهلال بفاعليتهم خلال تلك السنوات في تلك المنطقة التي ازدادت أهميتها ولو قليلاً.

كان الثلج الناعم قد بدأ يهطل على المناطق المرتفعة. وكانت الملكة والملك الصغير في القلعة الداخلية خلف الأسوار محتجزين خلف أبواب مقفلة، ومن المحتمل أنهما ينتظران يد المساعدة التي سيمدها لهما حاكم العالم. بالتأكيد ستمتد. تنفيذ أمر ظل الله على الأرض حضرة الخليفة سليمان خان القانوني بالنسبة إلينا أعظم كفاح مقدس نخوضه.

أنا أعرف جيداً معنى الأسر والانتظار. شعور الإنسان بالحاجة للرعاية ينهكه من الداخل؛ حتى إن كان ملكاً أو ملكة. عليّ أن أذكركم بحال اليأس والضياع التي عشتها عندما أخرجني السلطان سليم الجبار من الزنزانة في بداية شبابي.

كانت ليبة مدينة في أوروبا الوسطى يبلغ عدد سكانها حوالى خمسة عشر ألف نسمة أيام الخريف، وأبنيتها مبنية بالحجر والقرميد ومدببة ومرتفعة ومدهونة بلون بياض زهر الفول. قرب البيوت هناك وُرش نسيج

قماش البازين الذي يعتبر ثاني منتجات ليبة من حيث الأهمية بعد الملح. يعمل أغلب رجال البلدة بالملح صيفاً، والنساء والأطفال بوُرش النسيج، وكانوا يعيشون حياة جيدة حسب معايير تلك الأيام.

في ساعات الصباح الأولى، كنا نتجول في أزقة رانـدا أكبر أحياء منطقة خارج القلعـة ونحن نلـوّح بأيدينا لأن الحراس فـي ذلك الوقت يتجمعون في الميناء بمناسـبة موسـم تحميل الملح. كانـت الإجراءات الأمنية عشوائية على الأسوار الخارجية الممتدة على طول نهر موريش؛ لم يلفـت نظَر أحـد نزولُنا إلـى اليابسـة من سـفينة شـحن ضخمة بزي فرسـان مالطـة المحترميـن بقمصانهـم البيضـاء، وعبورنا وسـط عمال يضربون بمجارفهم في كومات الملح الأبيض.

لا أذكر أنني قابلت عدداً من المجانين فـي أي مدينة أوروبية بقدر ما في ليبة. كان أولئك المسـاكين يعيشـون مربوطين بجنازير إلى عمود أو شـجرة في باحات البيـوت أو مخازنهـا الرطبة أو زوايا الإسـطبلات وسـط أقذارهم بوضع أسـوأ من وضع الحيوان. كان الجنـون ثاني أكبر مشـكلة لـدى الأوروبيين بعـد الطاعون. والسـبب الأهم لهـذا هو عدم اقتراب الخبراء من هـذه القضية المهمة جداً بشـكل جدي، ومحاولتهم الابتعـاد عـن أولئـك النـاس قـدر الإمـكان. الكثيـرون مـن الأطبـاء الأوروبيين الفاعلين لـم يروا ضرورة للتوقف عند قضيـة اعتبار الجنون مرضاً؛ مثله مثل الطاعون والجدري لديهم.

حيـن كنـا نعالـج مرضانـا بالمشـافي بـأن نسـمعهم خريـر الماء، ونشـممهم الروائـح الطيبة، ونعطيهـم الأعشـاب الطبيـة، كان الغربيون يعتبرون مرضـى العقل أناسـاً حلت عليهم اللعنة فتلبسـتهم الشـياطين، ويعرّضونهم إلى أبشـع أنواع التعذيب. من يسـتطيع أن ينسـى النهايات

الفظيعة لأولئك المساكين الذين كانوا يحمّلونهم بسفن المجانين التي يسمونها *narrenschiff* في العصور الوسطى، ويتركونهم لقدرهم في الأنهار.

نعم أيها السادة. كان هناك في تلك السنين بعض مشافي الأمراض العقلية في المدن الكبيرة التي أخذوا نماذجها منا، ولكن بالشكل فقط، فالظروف فيها لا تختلف عن الحيوان المربوط بجنزير في الزقاق. سيوافقني معاليكم الرأي، لأنني حسب ما فهمت لم يدخل الأطباء ببحوث دقيقة لهذا النوع من المرض، أو يصلوا إلى اتفاق بالرأي بسبب ضغط الكنيسة الكاثوليكية عليهم.

تُبنى بيوت الخوف تلك خارج المدن، وتحاط بأسوار عالية، وتوضع فيها مفرزة عسكرية لمنع المرضى من الهرب، ويُنزل إليهم الطعام بالرافعة. بالتأكيد، يظهر أحياناً بعض المؤمنين أصحاب الضمائر الذين يتذكرون إنسانيتهم فيهرعون لتقديم الخدمة. ولكن، من المستحيل تلبية حاجات أولئك المساكين عن طريق المتطوعين فقط.

ما أجمل المثال الذي ضربتموه يا حضرة كبير الرماة حسين باشا! لقد بحث الكندي والفارابي بتأثير الموسيقى إيجابياً على السلامة النفسية منذ القرنين الثاني والثالث الهجري. مثلاً، قال الفارابي إنّ مقام الرصد يمنح النفس الصفاء، ومقام الصبا يمنحها الجرأة. وقُدمت هذه الأطروحات قبل أطروحات الشيخ ناصر الدين طوسي، والشيخ عبد المؤمن صوفي، وسيف الدين بكثير؛ على عكس ما هو شائع.

حضرة المفتي أفندي يقول الصواب. بحث الفارابي بما قدمه ابن سينا من قبله حول تأثير مقامات الأذان على النفس، وضرورة اعتمادها ضمن نظام معين، واستنتج الرهاوي من صبحي صادق حسيني تأثير

الرصد على المؤمنين بدفعهم للمشاركة بالعبادة عند بدء الشمس بالارتفاع.

يجب أن أبيّن أن لجواسيسنا المحليين الذين كانوا ينتظروننا قبل خروجنا من رصيف الميناء، وكانوا أدلاء لنا فضلاً كبيراً علينا. كلٌ منهم بطل لا يمكن مناقشة ولائه، وحصل على عطاء خاص من سليمان خان. الكثيرون منهم تمت تصفيتهم من قِبَلِ الصليب الحديدي في السنوات اللاحقة، ولكن خدماتهم التي ضحوا بأرواحهم من أجلها لا يمكن أن تنسى. وقد تم تأمين إقامتنا في أكبر خانات المدينة أيضاً.

تفتح الأفران ودكاكين المؤن والنسيج تواً في الحي المتطرف الكبير المدعو راندا. تلف أزقة الحي الطينية بتأثير المطر الذي هطل ليلاً رائحة ماشية تجوب على هواها. كانت تلك الرائحة تتغلغل إلى الرئتين. في الحقيقة، إن صيامنا جميعاً في ذلك اليوم لم يكن يسهّل عملنا. قلبت تلك الرائحة التي ملأت أنوفنا في البداية معداتنا، ودوخت رؤوسنا قبل مرور وقت طويل.

قلت عند إحدى الزوايا: «اصمدوا يا أصدقائي. احتملوا لأن هذا الجهد لن يذهب سدى. عزيمتنا تشتد عندما لا نُخرج من عقولنا أننا هنا لكي يُسيّر سلطان سلاطين الإسلام حكمه. لا تنسوا أن سليمان خان يدعوا لنا ليلاً ونهاراً. إذا حظي إنسان ما بدعاء سلطان السلاطين، فلن يهزم بإذن الله. حسنٌ، لماذا؟ لأن سلطان السلاطين يحكم على الأرض باسم الله. هكذا هي العلياء يا إخوتي! اشمخوا! قفوا كعثمانيين. هكذا، أنا هكذا ربيتكم...».

كنا نعرف أن الطعام يُنقل إلى القلعة الداخلية في منتصف الليل بالضبط. كان بإمكاننا أن نلتقط فرصة الدخول إلى القلعة الداخلية بتلك

العربات. ولكـن، إذا فكّر حـراس الباب بمسـؤولية عظمـة الأمانة التي لديهم في ذلـك الوقت تحديـداً، فحينئذ سـيتصرفون بحساسـية كبيرة. حلـول التوتـر المفرط ليـلاً محل عـدم المبـالاة نهـاراً ناجم عن تشـوّه المفهوم العسكري، والأصح عن عدم الانضباط. كان بإمكاننا أن نلفت نظرهم إلى جهة أخرى، ولكنني اخترت خطة مختلفة وأكثر جرأة.

بعـد بحـث بسـيط، توصـل أدلاؤنـا إلـى أن جـورج مارتينـوزي شخصياً سيزور الملك والملكة الأسيرين في الليلة التالية، وهذا ما أكده رجالي أيضاً. لم نعد نسـتطيع الوقوف فـي أمكنتنا لشـدة فرحنا. ها هو جناب الحق يرسـل إلي هذا المفسـد على قدميه. في الحقيقة، دُهشـت من حسن حظنا إلى هذه الدرجة. كنت على علم بأن المدعو مارتينوزي يزور ضيفيه المجبريـن على البقاء في بعض الأحيـان، ولكنني لو رأيت بحلمي هذه المصادفة لما صدقت ذلك.

شرحت خطتي في مطعم الخان أثناء تناولنا حساء القمح في تلك الليلة. سـنضع حارسـين على طرفي الشـارع أمامنـا، وسـيرتاح الباقون في الخـان منتظريـن الليـل. بالطبع، كنـت أنوي الاسـتفادة مـن رجالي الذين في الخارج إلى أقصى الحدود. سيسـاعدنا أولئك الرجال بشـراء بعض حراس القلعة الداخلية في حال اسـتطعنا شراءهم. ولا يمكننا إلاّ الاعتماد على قدرنا بعد هذا.

أتسألون عن الخوف يا سـيدي؟ أنتم تسـألون عن هذا أيها الصدر الأعظم صوقولو باشـا؟! أنتم دخلتم أرض المجر فـي خريف عام 958 نتيجة تجـاوزات فرديناند الحدودية بسـبب طموحه غيـر المتناهي في إردال إثـر عمليتنـا الناجحة في ليبـة. تمـردتْ يومئـذ كل المجموعات الكاثوليكيـة التـي اعتقدنـا حتـى ذلـك اليـوم أنهـا سـتبقى صامتـة. مع

الأسف، حصل ذلك بسبب مهارات مارتينوزي الذي ارتكبنا خطأ إفلاته من أيدينا في ذلك الصباح الباكر. بالنتيجة فقد واجهتم مقاومة لم تتوقعوها. عندما وصلت قوات فرديناند الداعمة، قررتم الانسحاب إلى بودين من أجل قضاء الشتاء وإراحة الجنود. لولا جهود سيد السادة علي باشا العظيمة لتجمدتم من البرد في ذرى الألب في ترانسيلفانيا، ولن يكون صعباً حينها اصطيادكم من الكمائن المنتشرة في كثير من النقط.

النجاحات التي حققها جيشنا تحت قيادتكم بهجومه من الجهات كافة في قلعتي بيكس تيوبيكرك وليبة جعلت عدونا يرى كوابيس. ما كان يخيفهم هو تحقيقكم انتصارات أكبر من تلك التي حققتموها. من المحتمل أنني خفت بقدر ما كنتم خائفين في تلك الأيام الرهيبة تحت الثلج من الملاحقة والكمائن يا سيدي. لأننا كنا مضطرين للنجاح.

II

نعم، لقد شعرت أن الدفتردار خليل باشا بنى لنفسه حياة بسيطة على المحور الذهبي لمارتينوزي. شعر حاكم العالم - كما شعرت أنا - بأن هدف مارتينوزي الأساسي هو أن يمسك قوة إدارية مؤثرة بيده أكثر من حكم دمية. ويدرك فرديناند أن إدارة البلد ستؤول إليه باعتباره الوصي الأول كما كان سابقاً؛ الملك الذي يتحمل مسؤولية الإدارة كلها يكون الأقرب إلى بلطة الجلاد، لأنه في ذروة آلية المحاسبة. أما الرجل الثاني أو الثالث فهو الرجل المنزلق كالصابون، والذي يستطيع أن ينسل ببساطة، ويختفي في أحرج الأوقات.

بلى يا حضرة المفتي أفندي، طريق العقل واحد. لم يكن في عقل

هذا العاجز لله سوى القوة والنفوذ. بنيتُ خطوط خطتي الأساسية على تفصيل بسيط لهذا النهج. إذا لم ألتقه، وأغيّر رأيه بالدوقات البندقية ذات العيار العالي التي أعده بها، فإنني سأرسل روحه إلى جهنم قبل أن يدرك الوضع الذي هو فيه.

يبدو لي أن كل تلك السفالات التي حاول أن يُقدم عليها هي نتيجة وهمه أننا استخففنا بما يمكن أن يفعله، ولم نأخذه مأخذ جد. وهذا ما جرّه إلى اتفاق مزدوج، وطمعٍ للحصول على الكثير من الذهب.

وقفنا أمام الحراس الناعسين المبتلّين الشاعرين بالبرد وهم يحاولون إغلاق مزاليج باب القلعة الداخلية الرئيس الثقيل بجرأة كبيرة في الساعات الأشد ظلمة من تلك الليلة الطويلة الماطرة. كان هدفنا هو الإقدام على حركة مؤثرة، والتفوق بقضية إدهاش العدو. كان الحراس أربعة. وكانوا واثقين بأنفسهم إلى درجة أن أحدهم حاول أن يقول بصوت مخمور إنه علينا أن ننتظر الصباح إذا أردنا أن نتقدم بطلب. أدركت أنه أحد الرجال الذين اشتريناهم. كان واقفاً على مبعدة من الآخرين.

رمقت الجنود بنظرة استخفاف، والتفتُ إلى رجالي بهدوء. قال كمال بصوت مرتجف عمداً بشكل يضاهي أداء ممثل ماهر: «أمرنا مستعجل قليلاً. سأخرج غداً مع والدي وأصدقائي هؤلاء في رحلة حج طويلة إلى القدس. لا بد من تقديس الراهب لنا، وإلا فنحن نخشى عدم وصولنا إلى المدينة المقدسة».

قال آخر، أعتقد أنه الأقدم بينهم: «لا نستطيع أن نساعدكم». كأنه شك بوضعنا. لن يكون هناك أي معنى لإطالة الأمر.

قلت متجهاً نحو كمال: «تعال يا بني. لنذهب من هنا، ولكن أودع الهدية التي جلبناها للراهب لدى الحراس».

قال كمال وعيناه تقدحان بتلك النظرة الجذابة: «آه طبعاً». وأضاف وهو يمد يده إلى خصره: «الهدية...».

وبحركة قوية، قضى بخنجره الذي قدح كالبرق على الرجلين الأقرب إليه بين الرجال المسترخين والثملين. ألقى الرجل الذي اشتريناه سلاحه فوراً وتراجع، ولم يحاول الآخر أن يقدم على أيّ بطولة.

بعد أن حللنا مشكلة الحراس، قطعنا الزقاق المظلم المحاط بأبنية ذات طابقين بسرعة وهدوء، ودخلنا حديقة القصر عبر باب قضبان حديدية مزخرفة يبهر الأبصار. نعم يا سيدي، كانت تلك مفاجأة لي أيضاً للوهلة الأولى. تصفر الريح مكان حراس القصر، وكأن العالم كله نائم وليس أهل ليبة فقط.

أذكر أن «كمال» قال ونحن على طريق الحديقة المحاط بنبات البقس السامق والمقلّم بأشكال مختلفة هامساً: «كيف؟ كيف يمكن أن يكونوا غير مبالين بحراستهم للرجل الذي يرتبطون به؟».

قلت: «يحصل ذلك كثيراً. الارتباط قضية قلب، أمّا حلم الذهب فيكون أكثر بريقاً. الذهب أفضل مساعد للجاسوس يا كمال... ليس هناك باب لا تفتحه الفلورينات؛ خاصة في البلدان التي لم تقرر بعد إلى أي طرف يجب أن تسند ظهرها. يكفي أن تكون كريماً وحازماً».

بينما كان رجلاي الآخران يأخذان الملكة إيزابيلا والملك سيغموند من الباب الخاص بالخدم بإشراف كمال، التقطتُ أنفاسي عند باب غرفة مارتينوزي الذي يحرسه حارسان ضخمان. انسحب

الرجلان من أمامي بهدوء عندما رأياني. في الحقيقة، ليس الذهب وحده ما جعلهما مطيعين على هذا النحو، بل ظل سليمان خان الذي يسير دائماً أمامه، ولا أدري لماذا لم أرغب أن أشرح هذا لكمال عندما سألني عنه في المرة الأولى. سأفهم هذا بعد فترة طويلة.

كنتُ هادئاً كنسمة، ومخيفاً كشبح. كان مصباح واحد مُناراً في زاوية الغرفة. الضوء كهرماني اللون المرتجف بهدوء يجعل الغرفة تبدو أعمق مما هي عليه. استيقظ مارتينوزي لحظة لكزي له برأس خنجري. نظر إلي بعينين منتفختين بتأثير الشراب أكثر من تأثير النوم، ثم التفت نحو عمودي الرخام الضخمين الواقعين في الظلام، ونخر قائلاً بالإيطالية: «ماء!». مسّد لحيته البيضاء، وصرخ وهو ينظر إليّ: «لا تقف عندك يا رجل، أعطني ماء! لقد احترق قلبي...».

قلت دون أن أرفع صوتي: «تسد ظمأك في جهنم بطاسات دم وقيء يا سافل». التفت إلي مرة أخرى، ولكن عينيه هذه المرة كانتا محملقتين، وتحملان تعبيراً واضحاً بأنه ارتكب خطأ. قلت وأنا أرفع رأس خنجري: «اسكت!». كانت رائحة زيت شفرة الخنجر تصل إلى أنفه. «سأطعن رقبتك بهذا إذا صرخت. أنا آخذ الأمور ببطء لأنني لا أريد أن أوسخ يدي بدمك القذر».

اختفت مواقفه الآمرة الحادة فوراً، وعيناه مسمّرتان على بريق الفولاذ الذي بيدي. «أنا فدائيُّ حاكم العالم المُعترف به السلطان سليمان خان».

قفز فجأة بموقف آمل: «عرفت... عرفتك. أنت وهيمي أورهون جلبي. أنت وهيمي ذاته. قف... انتظر يا وهيمي، انتظر!... يمكننا أن نتفاهم...».

«عرفتني إذاً أيها الأفندي. نتفاهـم!! التفاهم أليس كذلك؟ لا أحد غيرك يعتقد أنه يمكن أن يعقد اتفاقاً مع كل جاسوس يقابله».

هز برأسـه إلـى الجانبين مشـعثاً شـعره الطويـل الأبيـض ولحيته، وقطّب جبينه بتعبير الندم. «اسمعني أيها التركي الأصيل المحترم».

«كنت أعتقد أنكم تعتبروننا برابرة».

«من يلفـظ هذا سـيجدني فـي مواجهته يا سـيدي. أنـا مارتينوزي رجل سـليمان خان الموثـوق الوحيد فـي المنطقة. لا أحد يسـتطيع أن يقول هذا أو ما يشبهه عنه أو عن أي تركي آخر».

ضحكت. «أنت رجل سـليمان خان الموثـوق، أليس كذلك؟ أيها اللعين، هل سمعت بما أفعله بالكلاب أمثالك عندما أستل خنجري من غمده؟».

انسـل مـن بيـن أغطيـة فراشـه السـاتان وجلس. «رأسـي، رأسـي كالمرجل... اسـمعني يا وهيمي! أعرف سـبب وجودك هنا. لا تتصرف بتهور، وفكّر أولاً. أنت جاسوس وفدائي ورجل سليمان خان الخاص، وليس ثمة من لا يعرف قدرك. في الحقيقة، إنني أعرف أسـلوب الكلام ومؤداه، ولكن رؤيتك فوق رأسي في الليل قطعت أنفاسي...».

«قل ما تريد قوله بسرعة!».

«هذا بلد صغير يا وهيمي، وهو مضطر لأن يكون تحت جناح قوة كبرى. لا تعتبرني مذنباً بهذا».

نزلت بمقبض الخنجر على وسـط جبينه. سُـمع صـوت مكبوت. ولكن مارتينوزي أثبـت أنه رجلٌ قـوي على الرغم من شـكله اللطيف. قلت وأنا أنظر إلى الدم شـديد السواد يسـيل من جبهته، وصوتي متفهم وهادئ وبـارد: «لا أعتبرك مذنباً من أجـل هذا. ذنبك هـو خيانة الدولة

العلية، والتعاون مع آل هابسبورغ ضدنا، وخيانتك لولي نعمتك الذي تقول إنه يثق بك».

تحدث بصوت قوي ليس فيه أدنى ارتجاف: «انظر يا وهيمي، إذا قبلتَ بأن تكون ذارعي في إسطنبول فسأمطرك بالذهب والفضة، وسأؤمّن لك مكانة كبرى ليس في المجر فقط، بل في بلاد آل هابسبورغ كلها. ألا تريد أن تجلس على رأس الصليب الحديدي وتكون أحد الإداريين؟ أستطيع أن أؤمّن لك هذا. من يستطيع الوقوف في وجهك حينئذ؟ ستُتوّج الملوك، وتحكم قارة عظيمة.

اسمع يا وهيمي! أنت لست أعمى إلى درجة عدم رؤيتك نهوض أوروبا تحت حكم آل هابسبورغ. المستقبل للأوروبيين بعد الآن يا أخي. الزمن يتغير. العثمانيون عملاق بدأ ينزف ببطء من كل طرف. لم يعد دَخْل التجارة والحرب كما كان في الماضي؛ لأن نهاية طريق العثمانيين ظهرت منذ تحول طرق التجارة من البر إلى البحر. لو لم تبلونا ببلية البروتستانتية لما خربت الوحدة الكاثوليكية، ولتمكنا من تقريب نهايتكم الفظيعة تلك، ولكن هذه إرادة الله...».

زأرت وأنا أقرّب وجهي من أنفاسه الحامضة بتأثير الشراب: «كونوا كما تشاؤون، وثقوا بما تريدون. ولكن، سيحافظ العثمانيون على قوتهم ونفوذهم إلى الأبد».

ابتسم ببرودة ما زالت تدهشني حتى الآن: «بدأ دخل الفتوحات الذي يغذي ذلك العملاق يتناقص. طالما أنّ قضيتكم الفظيعة المستمرة مع الصفويين منذ مطلع القرن قائمة، فستبقى فعاليتكم في الغرب محدودة. وليست أوروبا هي التي ستنهيكم يا وهيمي، بل جارتكم المسلمة إيران. لن تدوم طويلاً مكانتكم المستمرة؛ بماضيكم

البراق وجيشكم المقتدر. وهي محكومة بالخبو خلال قرن على الأكثر، لأن أوروبا تحقق قفزات في التقدم على صعيد تقنية السلاح».

«ألهذا السبب لا يخرج شارلكان وأخوه أرشيدوك النمسا فرديناند الذي لا يختلف عن والٍ صغير لمواجهة سليمان خان مباشرة؟ بما أنكم صرتم تثقون بقوتكم، فلماذا لا تجرؤون على مواجهة الجيش العثماني؟».

«صحيح ما تقوله يا وهيمي، ولكن الزمن يتغير. إثبات الجرأة والكرامة انسحب من ميادين الحرب إلى ميادين السياسة والاتفاقات السرية والاغتيالات. ما زال مظهركم الذي لا يُهزم يتفوق على تحالف قوي. ولكن، لا تعتقد أن هذا الأمر سيستمر على هذا النحو! سترتكبون خطأ ذات يوم... نعم، خطأ واحداً يا وهيمي... خطأ صغير يهز وجودكم المتكامل مع عدم قابليتكم للهزيمة من أسسه... وسيكون هذا بمثابة شرارة مقاومة جديدة أكثر تأثيراً ضدكم في أوروبا. وهكذا سيتفتت العثمانيون...».

لم أكن غافلاً عن الجدّية التي بدت في صوت الرجل. أمسكته من ياقته، وهززته: «جربوا متى شئتم! سيحارب العثمانيون بدمائهم وأرواحهم حتى آخر فرد من أجل حماية وحدتهم، ولن يتفتتوا...».

«كانت أسلحتكم النارية تبدو كالكوابيس لملوكنا قديماً يا وهيمي، ولكن ملوك أصغر الدول صاروا يعطون الأولوية لورش الصب في الجيش. صرتُ حتى أنا أدهش من هذا الأمر، ولكن هذا ما يحدث يا وهيمي. يمكن أن يتحول حلفاؤكم جميعاً إلى مصدر خيانة بعد الآن. هل تعتقد أن هناك من لا يعرف اشمئزاز جنودكم الإنكشاريين بألبستهم الأنيقة من رائحة البارود والبنادق التي تلوثهم؟ أما فرسانكم فما زالوا حتى الآن يصرون على استخدام النبال والرماح.

ولكن جنود آل هابسبورغ أصبحوا يستخدمون بنادق خفيفة بسهولة وهم على صهوات الجياد... وهم يعملون حالياً على صنع بنادق أخف وذات مدى أطول، وقطعوا شوطاً على هذا الطريق يا وهيمي... وهذا هو المهم؛ إنهم يقطعون طريقاً مهماً...».

وضعتُ خنجري على رقبته، وضغطت عليه جيداً. أمسك معصمي بيديه الصغيرتين الباردتين كالثلج. كان جسمه النحيل والطويل خفيفاً كريشة. ولكنها المرة الأولى التي أنتبه فيها إلى عينيه في ضوء المصباح الضعيف. كانت عيناه مؤثرتين وتلتهبان من الداخل بلون زرقة السماء الياقوتية. «اسمع يا وهيمي! اسمع يا أخي! الأذكياء أذكياء لأنهم يتخذون مكانهم الصحيح في الزمن الصحيح. هل تعتقد أنني لا أعرف ذكاءك! تعال وساعدني بإدارة إردال، وبعدها بإدارة المجر كلها. أعدك بأن أستحصل لك على أمر من الفاتيكان مختوم بتوقيع البابا جوليوس الثالث شخصياً يجعلك راعياً للمسيحيين. يمكنني أن أقدم لك الضمانة التي تريدها...».

ضحكت ثانية: «مقابل ماذا؟ مقابل ماذا تعرض عليّ كل هذا؟ لا يمكن أن تكون مشكلتك كلها هي إنقاذ روحك فقط. أنت خائف، ولكنك لا تستسلم لخوفك. لعلك تتظاهر بالخوف وتحاول خداعي... لأن عملي جعلني أميّز جيداً بين الرجل الجريء والرجل الجبان».

«كن مسيحياً يا وهيمي. إذا انضم إلينا رجل مثلك بإيمان كامل فمن الممكن أن نُبْكِر بجلب أَجَل الأتراك. أستطيعُ أن أؤمن لك عائلة وقصراً وأولاداً ووطناً ومكانة أكبر، وأجعل ملوك الكاثوليك يركعون في حضرتك. سأجعلك رجل شارلكان الخاص... صدقني، أستطيع أن أفعل هذا... ماذا لديك الآن؟ ما الذي يساويه ما لديك الآن مقارنة بما

يمكنني أن أقدمه لك؟».

قلت: «هكذا إذاً؟».

قال: «هكذا!».

«أنت رجل جريء يا مارتينوزي؛ فأنت لا تهتم للسكين التي تحز رقبتك ولدمك الذي يسيل. أشعر بأنك صادق. لا بد أن صدقك هذا الطاغي على خطابك هو ما يجعل كل أولئك الناس يتبعونك».

ظهرت ابتسامة مهلهلة على وجهه.

قلت: «في هذه الحال، اسمع عرضي المقابل!».

نظر إلى عيني وهو يبتلع ريقه بصعوبة، فيما همست: «إذا وضعت تحت قدمي ليس أوروبا فقط بل إمبراطورية روما الجرمانية ومُلكها كله في أمريكا، وأكثر من ذلك، وحتى إذا وضعت الشمس والقمر حارسين على بابي، فأنا لا أفضلها على السهر ككلب على عتبة سليمان خان حتى الصباح... أما بالنسبة لتحولي إلى المسيحية، فتعال أنت واعتنق ما أتى به الرسول محمد (ص)، ولنتآخ؛ لأننا نعتبر الرسول عيسى رسولنا، ولا ننكره؛ أستغفر الله العظيم. صر مسلماً، واخلص من جهنم يا مارتينوزي. ثم دعك من اللعب على الحبلين! أنت من يجب أن يصحح وجهته وموقفه، وليس أنا. لو كان لديك أنت ورجالك مقدار ذرة من التكامل النفسي، لكان حارساك عند الباب قد قطّعاني الآن، ولما كان جنودك المرتزقة الآخرون مستغرقين في نومهم. كل منهم ينام على حلم صفرة الذهب. كان على رجل دين مثلك أن يدرك أن القضية لا تتعلق بأمور دنيوية. النقود لا تستطيع سوى شراء رجال صغار كهؤلاء».

«أنت بطلٌ، ولست كلباً يا وهيمي... عرضي ليس فارغاً، ألا ترى أبداً؟».

«أرى أيها الشيخ. أرى، ولكنك لا ترى أنني لا أهتم بالدنيا نهائياً...».

ضحك بصوت مؤلم. «ما الذي يمكن أن ينتظره رجل مثلك من العالم الآخر؟ هل تعتقد أنك ستُقبل في الجنة رغم ذنوبك كلها؟ إذا فكرنا بكل أولئك الطيبين الذين قتلتهم، فلن تجد ما يسعدك سوى ما أبشرك به من نِعَم الدنيا».

«ذنوبي كثيرة، ولكنني أحمل إلى الدنيا الأخرى شيئاً لا علاقة له بهذه الدنيا!».

«ما هو؟».

«الأمل...».

تمتم الراهب هذه المرة مندهشاً: «هل ستقتلني إذا لم أسلم يا وهيمي؟».

«أعتقد أن لا أحد يعرف بقدر ما يعرف الأوروبيون الذين يعيشون ضمن حدود الدولة العثمانية بأنه لا إكراه في الدين. وأنت واحد منهم. لم نكره أحداً على تغيير دينه أو اسمه طوال عصور حكمنا في هذه الجغرافية. ولم نُرِق قطرة دم واحدة لكي تدخلوا الإسلام. ومُنح كل المنتسبين إلى الأديان الأخرى ضمن حدود الدولة العثمانية حق المواطنة باعتبارهم أهل ذمة.

أخلاقكم عكس هذا. قل يا مارتينوزي، هل بقي مسلم واحد يعيش في بلادكم؟! أما أجبرتموهم على اعتناق المسيحية أو قتلتموهم؟ قل لي، هل هناك حقوق مواطنة لمن يقول علناً إنه مسلم؟ هل يوجد لديهم معبد واحد قيد الاستخدام؟

سأجيبك أنا. الجواب عن كل هذه الأسئلة هو لا! ليس هناك

في التاريخ من أعطى حق حرية التجارة والعقيدة سوى أكبر دولتين تركيتين العثمانية والسلجوقية. دعوتي لك الآن هي لإنقاذك من مستنقع الإنكار. وسأعفو عنك مقابل بيعتك لسلطان سلاطين المسلمين وإعلان إخلاصك له».

رمقني بنظرة مصحوبة بتعبير جعلني أرخي أصابعي عن ياقته، وأبعد خنجري عن رقبته دون إرادتي. وحدث كل ما حدث في تلك اللحظة. كنت هرماً في ذلك الوقت أيضاً، ولكن الرجل الذي أمسكت بياقته كان في العقد السابع من عمره. لم أذكر في أي وقت من أين أخرج ذلك السكين، وكيف غرزه في بطني. لم أصدق شعوري بالبرد ذاك، وبعده الشعور بالحرقة، وعلقت بيده، ولكنني حلت دون جعله يفتل السكين. وإلا فإنه سيقضي عليّ بسرعة أكبر من المتوقع. لو كان رأس السكين مسموماً لكنت الآن ميتاً.

هرب مارتينوزي من بين يدي كطائر يخفق بجناحيه. رأيته يركض إلى جوار عمود في ظلمة الغرفة كشابٍّ سريع. أخرجت السكين، وهرعت خلفه. ولكن قدمي تعرقلت بشيء ما في ظلمة الغرفة، وسقطتُ على وجهي، وسقط السكين متدحرجاً نحو الظلام، وضاع. وبينما كان الألم يستهلك قوتي سمعت مزلاج باب قريب مزيّت يُغلق.

تأخر الوقت كثيراً. نهضت على قدمي بصعوبة، وخرجت من الغرفة بهدوء. كان الدهليز خاوياً. أذكر الطريق الفسيفسائي الممتد وسط لهيب المشاعل التي تطلق الهباب، والجدران المرتفعة وعليها رسوم الفريسك المقدسة على مستوى العين. هذه تفاصيل لا أدري كيف غابت عن عيني أثناء دخولي. كلما استندت إلى الجدار، كانت أصابعي تترك أثر دم على الألوان الجامدة، وكأنها تبعث الحياة في الصور.

لم أكن أتألم كثيراً في تلك اللحظة، ولكنني شعرت بأنني فقدتُ قوتي تماماً، واعتقدت أن كل شيء قد انتهى أخيراً. ها قد قدر لي الله أن أموت بين أيدي أعدائي. مجرد فكرة الشهادة هدّأت البرودة التي سرت داخلي. وقبل مرور زمن طويل، بدأ منظر الدهليز يُشوش أمامي، ثم حل عليّ ظلام ناعم.

عندما فتحت عيني ثانية، وجدت كمال الغرناطي بجانب رأسي. كنا في مركب يسير في نهر الدانوب، وعلى وشك أن نصل إلى بودين. نُظّف جرحي، وضُمد، ولكنني كنت أتألم بشكل فظيع.

III

نعم أيها السادة، أُحْبِط آل هابسبورغ نتيجة النجاح الذي حققه حضرة محمد باشا صوقولو خلال السنوات الأربع التي تلت ذلك، وفَتْحِ تمشوار مع الوزير الثالث أحمد باشا قرة الذي عُين قائداً لجيش المجر. وتأسس سلام طويل المدى في إردال أخيراً. أصبح سيغموند وأمه بأمان في بلدهما من جديد. واعتقد سليمان خان أنه يستطيع الاهتمام بقضايا البلد الداخلية، ولكنه شعر بأن الأمر لن يطول كثيراً على ما يبدو.

أرضروم... آه يا سيدي، مدينتنا الحدودية أرضروم... استغلّ الشاه طهماسب فرصة انشغال جيشنا في الغرب، ودخل الأناضول في صيف عام 958، ونهب مدن (وان) و(حقاري) بداية، ثم (غِواش) و(عادل جويز) و(أخلاط) و(أرجش) و(مرادية) والكثير من مدننا الشرقية. ولكنه ارتكب أكبر مجزرة بحق أرضروم التي قاومه أهلها ببطولة. أمر بنهب المدينة كلها، ولم يكتف بهذا، بل أمر بحرقها.

حزن سلطان سلاطيننا لهذه الواقعة كثيراً، وصار يتصرف بحدة أشد من المعتاد مع المبعوثين الأوروبيين عند قبولهم في حضرته. ينتظر مبعوث آل هابسورغ من ستة أشهر إلى ثمانية من أجل مقابلة سليمان خان. غير هذا، تُصادر نقوده وأغراضه الخاصة، ويغامر بقضاء حياته مع فريقه في الزنزانات.

صار سليمان خان يحنق بشدة على أوروبا والأوروبيين لأنهم يدللون الصفويين الشيعة إلى درجة كبيرة. شاعت في تلك الأيام في الغرب مقولة: «لولا الشاه لوصل العثمانيون إلى ضفة نهر الراين». كان سلطان السلاطين يقول لي عند لقائنا: «نحن أيضاً سنستخدم السلاح المذهبي بقوة أكبر يا وهيمي. سنغذي الصراع الكاثوليكي – البروتستانتي بشكل يحرمهم الطمأنينة؛ ولو ليوم واحد على مدى ألف عام...».

ولكن حضرة حاكم العالم لم يكن يفكر بحملة كبرى إلى الشرق قبل أن ينهي صوقولو باشا عمليته المؤجلة في إردال بحجج عديدة إلى الخريف. نعم أيها السادة، كان جرح سلطان سلاطيننا الذي فتحته مجازر الصفويين في ولايات الشرق وعلى رأسها أرضروم عميقاً. لدي قصيدة كتبها في تلك الأيام، سمعتها من صديقه الشاعر باقي الذي يحبه كثيراً إثر عودتي من إحدى المهمات على الحدود الغربية. حسب ما رواه لي، كان يتجه نحو الشرق، ويصب دموعه على رعيته التي تعرضت للإبادة في الولايات الشرقية وهو يلقي القصيدة.

«أرسلت لك قلبي يا صديقي
لم يعد ممن الممكن أن يعود إليّ.
يا ذا الحاجب المقوس، لن أكون رجلاً

إذا لم أشرع صدري لرأس سهمك الحديدي
كلما وجهته نحو صدري.
أيها الصديق أخذت قلبي،
إذا كنت تريد روحي الآن
فأنا منحت هذا الطريق روحي ورأسي منذ زمن طويل».

مع معاليكم الحق أيها السادة. لعل طهماسب غضب كثيراً لاستخدامنا إلكاس ميرزا ضده. ولكنه لم يكن حساساً بالدرجة نفسها عندما أرسل عملاءه من أجل إغراق الأناضول بالدم والنار.

أثناء استمرار عملية محمد باشا صوقولو أنجز سليمان خان قانون السلطان سليمان الذي عمل عليه طويلاً على فترات متقطعة دون أن يستطيع إنهاءه، وأعطاه شكله النهائي عام 960.

بلى، كان حاكم العالم قد تجاوز الثامنة والخمسين من عمره. ووجد أنه لا معنى للانتظار أكثر، وعيّن حضرة محمد باشا صوقولو الذي نثق به جميعنا على رأس جيوش روملي، وأرسله إلى الشرق.

IV

أما أنا، فقد كنت على رأس وحدات الاستخبارات التي تتقدم أمام الجيش كما يذكر صوقولو باشا جيداً. كنت أتفقدُ النقط التي ستتقدم منها وحداتنا متنكراً بمختلف الشخصيات، وأداهم الأماكن التي يجب أن تُداهم، وأغتال من يجب أن يُغتال.

أنجزتُ عملية قتل عباس عربغيرلي أحد أمراء العدو المشاهير قبل أن تنطلق جيوشنا في الطريق؛ مما تسبب بهلع كبير بين صفوف الصفويين. والعباءة التي أرسلها لي حاكم العالم كمكافأة هي أغلى

قطع ميراثي الذي لا يحمل سوى قيمة معنوية.

إذا أردتم الحقيقـة، لقد كنت مقتنعـاً بأنني وصوقولو باشـا كافيان لتلك الحملة. لا تبالوا لضحكتي أيها السادة، لا أذكر الآن لماذا فكرت على هذا النحو، ولكن يجب أن تكون مشـاركة حاكـم العالم وتعبه في حملة إيران السابقة ما دفعني إلى هذه الفكرة.

كنا في نُزل بولوادين حين علمنا أن رسـتم باشـا يتقـدم على رأس خمسين ألـف جندي باتجـاه أنقـرة. تقدمنـا تحت مطـر بدايـة الصيف المتقطع، ولـم نجد صعوبـة بقطـع أي وادٍ أو نهر بفضل مهـارة عناصر الهندسـة العسـكرية. غير هذا، كان المطر المنهمر بغـزارة في الجو ذي الريح الهادئة منعشاً بصفاء.

أذكـر جيـداً أن صوقولو باشـا قال لـي عندمـا اجتمعنا فـي خيمته ذات ليلة ربيعية جميلة: «تتعمق القضية وتكتسـب أبعـاداً مختلفة». بلى يا باشـا، أنا أيضاً لا أنسـى تلك الليلة أبداً، سـألتكم: «هـل هناك حاجة لرستم باشا؟».

أرجوكم صححوا لـي إذا كنت أكذب، ولكنني أذكـر أنه كان على وجهكم قلـق لا يقل عن القلق الـذي بدا على وجهي. انحنى جسـمكم القـوي الطويل الـذي لا يدخـل عبر بـاب ارتفاعـه ثـلاث أذرع. كنتم عاقدين ذراعيكم الفظيعتين المغطاتين بآثار جـروح معارك إردال وأنتم جالسون أمام النار الصغيرة الموقدة قرب خيمتكم، وتفكرون.

لم تتحركوا سـوى من أجل تعديـل الفراش الذي تجلسـون عليه، والبطانيّة التي تلفون بها ظهركم وكأنكم تحبسـون أنفاسكم. شعرت أن هناك ما تريدون قوله. ولكنني رأيتُ بريق تردد عميق في عينيكم.

نظرتـم لحظة إلـى عينـي كأنكـم لا تعرفون مـاذا سـتقولون. كان

الـدم يجـري فـي عـروق عينيكـم نحـو بؤبؤيهمـا الياقوتيين لشـدة قوة فكرتكم. بماذا تتفضلـون؟ آه من أذني... آه من هذه الشـيخوخة... بلى يا سـيدي... هذه تفاصيل ما زالت تشـكّل جسـراً بين الأحداث بالنسبة إلي. نعم يا صوقولو باشـا، صحيح ما سـمعتموه. بداية الطريق المؤدي إلـى الحادثة الأكثـر فظاعة والمثيـرة للكره فـي تاريخ الأسـرة العثمانية المالكة تمر من عينيكم الجميلتين المهمومتين.

كلما طـال صمتكم وجمودكم شـعرت بـأن القضية التـي تريدون بحثها سـتؤثر عليّ كثيراً بعـد نقطة معينـة. شَـغَلَ بالي مـا إذا كان هناك تحت لسـانكم ما أجهله؟ هل هناك تفصيل غابَ عن عيني وأُخفي عني طوال الفترة التي كنـتُ فيها على رأس عملي؟ هل هناك شـرارة صغيرة مضايقة... حقيقةٌ تنظر إلينا بمكر ولا نسـتطيع رؤيتها عندما ننظر بشكل مباشـر؛ مثل النجوم التي تظهر عندمـا نركّز النظر على نقطـة أخرى في السماء... نعم، حقيقة دقيقة جداً...

قلتم: «مـن المؤكد أنه لا حاجة لوجود رسـتم باشـا شـخصياً في هذه الحملـة». ثـم نهضتم قليـلاً، وأسـندتم كتفكـم إلى عمود خشـب الجوز المحفـور الحامـل سـقيفة خيمتكم البسـيطة، وأضفتـم: «انطلق الباشا في الطريق ملاحقاً بعض الأخبار».

«إذا لـم يكـن لديكـم مانع هـل يمكننـي أن أعـرف تلـك الأخبار يا باشا؟».

تنهدتم بعمق، ومددتم ذراعكم المنتفخة عروقها، وأمسكتم كتفي بتحبب: «كم عمرك أيها الشيخ؟».

قلت: «لم أعدْ أَعدّ يا سـيدي. ولكنني بلغتُ السـابعة والسـتين أو الثامنة والستين تقريباً».

«كيف بقيتَ حيوياً هكذا إذاً؟».

«بفضل الحياة التي عشتها، والوراثة. ولكن نَفَسي صار ينقطع بسرعة يا باشا. لقد مضى وقت منافسة الشاب منذ زمن. مع هذا حبنا للخدمة مستمر. إن شاء الله أقدّم روحي على هذا الطريق».

شعرتُ أنكم تتحينون الفرصة من أجل الدخول بالحديث، أو الأصح تحضرون أنفسكم من أجل فتحه يا باشا. لهذا لم أرد أن أضايقكم. انتظرت فقط. قلتم: «يغدو الناس جبناء مع تقدمهم بالسن غالباً. ولكنك لم تخف أو تشعر باليأس البتة. أنت عثماني حقيقي تضرب أجمل مثل على التضحية من أجل الخدمة عبر سنين طويلة».

وقعت عيني على جنودك الذين ينقلون أوامرك، ويهرعون من هنا إلى هناك بانضباط شديد. اعترضت بتهذيب: «أنا رجل عادي يا سيدي». ثم أشرت نحو الجنود: «إذا أردتم أحداً يقوم بخدمة حقيقية فانظروا إلى هناك. من ناحية أخرى، فقد حدث أنني خفت، وبكيت، ونزفت أيضاً». ثم أضفتُ بتحبب: «ما زالت أشعر بالألم الناجم عن طعنة خنجر مارتينوزي المعقوف ببطني مثلاً. ولكن هذا يؤجج الحقد على العدو على سبيل المثال يا باشا».

قلتم: «انظر إلى نهاية مارتينوزي الذي فعل هذا!». وابتسمتم. «قتله الألمان منذ سنتين لأنه جاسوس مزدوج. وقد طعنه بداية أنطونيو فيراجو مساعد كاستالدو قائد حرس الملكة إيزابيلا الخاص، ثم طعنه قائد تحالف الجيوش الإيطالية سفورزا بالافيتشيني بالحربة بتهمة الخيانة والعمالة المزدوجة...».

«نال ما استحقه يا باشا».

«حسنٌ، ما قولك بشيخ على هذه الحال يقف على قدميه مع كل

هذه الجراح الخطيرة، ويحاول القتال يا وهيمي؟ كم هذا مدهش! أليس كذلك؟».

«لا بد من قول الحق يا باشا، نعم. مع أنه كان شيخاً ضئيلاً هزيلاً. اعتقدت أنني لو مسكته بقوة أكبر لبقيت قطعة منه بين يدي أثناء انزلاقه كالسمكة».

«سحب مارتينوزي خنجره غير مبالٍ بجرحه، وهجم على بالافيتشيني. أطلق جنود القائد الإيطالي عليه ستين طلقة بالضبط... حباً بالله، لقد أطلقوا ستين طلقة من أجل قتل شيخ بذلك العمر! هل هذا ممكن برأيك؟».

أجبتكم: «ممكن يا سيدي. بما أنه حدث مرة، يمكن أن يحدث دائماً! المخيف أصلاً هو أن مارتينوزي كان ينهض على قدميه دون خوف أو وَجَل كلما تلقى رصاصة، ويجدد هجومه في كل مرة على الرغم من كل الجراح والنزيف، ونجح بقتل اثنين من الجنود الذين أطلقوا عليه النار».

صمتنا فترة، وبقينا هكذا تحت النجوم التي برزت وسط الليل الأزرق. قلتُ في ما بعد مستجمعاً كل قوتي: «ولكن، بالنسبة للأخبار التي تحدثتم عنها... أشعر أنها معقدة ومظلمة قليلاً. هل أنا مخطئ يا باشا؟».

فتحتم ذراعيكم إلى الجانبين، وقلتم: «لست متأكداً يا وهيمي...». ثم بدأتم تحركون الجمر برأس خنجركم التبريزي الذي أخرجتموه من زناركم. «هناك بعض الأخبار. لدى رستم باشا المتقدم حالياً باتجاه أنقرة أخبار مضايقة منقولة عن حاكم العالم».

«لا يريد الإنسان أحياناً أن يسمع كل شيء ويعرفه يا باشا».

تمتمتم بصوت متقطع، ووجه مقطب: «لعل هذا يجعل ما سأقوله لك خطأ».

«الرجاء أن تنهوا ما بدأتم به!».

سحبتم هذه المرّة نفساً مرتجفاً أعمق إلى رئتيكم. الآن علي أن أعترف بكل صدق أنني شعرت بما ستقولونه. «هناك أدلة قوية على تعاون الأمير مصطفى خان مع الشاه طهماسب يا وهيمي... الرسائل التي ظهرت مع المراسلين الذين قَبض عليهم رستم باشا أثناء تفتيشه على الطريق تدلّ على هذا التعاون...».

أذكر أنني ضحكت بصوت مؤلم، وأن اليأس والغضب كانا يهدران مع الدم المتدفق إلى صدغيّ. «رجال رستم باشا هم الذين قبضوا على أولئك المراسلين، أليس كذلك؟».

«نعم يا وهيمي؟».

«هذا يعني أن مصطفى خان اتفق مع طهماسب، وسيهاجم سليمان خان...».

«بلى، ولكن الأمير سيغدو صهر طهماسب بداية، وهذا ما يجعله واثقاً من دعم الصفويين. وبهذا تنتهي التحركات العسكرية على حدودنا الشرقية، وتُنهى الفتنة الشيعية، ويُفتح الباب أمام تكثيف الغزو غرباً؛ كما كان الأمر في عهد المجاهدين عثمان وأورخان».

«حسنٌ، هل يعتقدون أن حضرة حاكم العالم لن يدرك أن هذه كلها لعبة السلطانة حُرّم من أجل أن يبقى العرش لابنها؟».

هززتم كتفكم، وركزتم نظركم على الشفق البازغ تواً في المدى الأقصى. أقلقني ترددكم أيضاً. «ممكن أن يراه، وممكن ألا يراه يا وهيمي. الواقع أن حاكم العالم يشعر بوحدة شديدة. لن يقضي

التكتل المحيط بـه على ذكائه، ولكن هـذا التكتل على درجـة من القوة حيث يسحق معنوياته التي تلقت الكثير من الضربات».

«ومـاذا عنا يا باشـا؟ لدينا قـوة تمكننـا من المبـادرة باكـراً لترجع حاكم العالـم عن خطأ فـادح. أينبغـي أن نكون سـلبيين ليقضـي حاكم العالم على ابنه بغضـب دون مبرر. إذا حدث شـيء لمصطفى خان فإن توازناتنا الداخلية والخارجية كلها ستتخلخل».

«أنت محقٌّ، ولكننا بعيدون دائماً أيها الشيخ».

«ماذا تقصدون يا باشا؟».

«أليس هذا واضحاً بما يكفي يا وهيمي؟ وصل عمر مصطفى خان إلى الأربعين، وليـس الجيش والدولة فقط يتمنيـان أن يرياه في الذروة، بل الشـعب أيضاً. قوة شـخصية الأمير ونجاحاته ستمسح وجود أشقائه الآخريـن والسـلطانتين حُرّم وميهريماه ورسـتم في الدولة خـلال فترة قريبة جداً. من يُذكّر سـلطان السـلاطين بهذا أثناء غيابنـا في الحملات والمهمات؟ لا بد أنه يتذكر إسقاط والده سليم خان الجبار لجده الولي بيازيد خـان عن العـرش. وسـيذكّرونه إذا لم يُـرد أن يتذكر. لأن سـليم الجبار كان في الأربعين من عمـره عندما أجبر والـده بيازيد الثاني على التنـازل عن العـرش. لا بد أن تشـابه شـخصيتيهما ووجهيهمـا الذي لا يمكن إنكاره يزعج سليمان خان كثيراً».

جُرحتُ، وغضبتُ قليلاً حينئذ يا باشـا. «يعرف سلطان السلاطين حاكـم العالـم جيـداً أن مصطفى خـان لا يطمـع بمـكان والـده. ثم إن سـليمان خان يستسـلم للقـدر. غير هـذا، لا يمكـن مقارنة عهـد الولي بيازيـد خـان بهذه الأيـام. رحمـةُ الولـي بيازيـد المفرطة وسياسـته غير المؤثرة أثنـاء انتشـار الفتنـة الصفوية فـي الأناضـول بقيادة قائـد عظيم

كالشاه إسماعيل كادت أن توصل الدولة العلية إلى حافة الانهيار.

ولكن سليمان خان يضع ثقله ويُسخّر نجاحاته كلها من أجل استمرار سلطته. ومصطفى خان لا يفكر بغير الخير من أجل والده ودولته. لدى سليمان خان المدهش بصيرة تمكّنه من رؤية كل هذا يا باشا. أنا واثق من أنه سينجح بالإبقاء على بكره بعيداً عن هذه الإشاعات. ولكن، على الرغم من هذا، هل ينبغي أن نقف دون أن نفعل شيئاً؟ يمكننا أن نُدْخِل الاستخبارات المضادة في القضية، وأن نقنع حاكم العالم بأن هذه المراسلات كلها مزورة».

كلماتي برّدت قلبكم قليلاً يا باشا. ابتسمتم، وقلتم: «أنت محق، سلطاننا حاكم العالم لديه تجربة وفطنة تجعلانه يشعر بهذه اللعبة القذرة. على الرغم من هذا، يجب أن نُعلم مصطفى خان بالأمر. من الأفضل أن يكون محتاطاً. وهو بشر، يمكن أن يخطئ. ولكن، ينبغي أن يثق بأنه لا بد للدولة العلية من أن تعلم بكل أنواع المبادرات بشكل مسبق».

أطرقت بوجهي حينئذ. «لا تقولوا هذا يا باشا. لا تدعوا مجالاً لأدنى شك بإمكانية صواب فتنة كهذه...».

«أنا أفهم حساسيتك يا وهيمي، ولكنك يجب أن تفهمني. هل تستطيع أن تقول إن مصطفى خان لا يفكر بالسلطة، ولا يقتنع بأن دوره قادم؟ هل تعتقد أنه لا يوجد حوله محرضون؟ صحيحٌ أن مصطفى خان لا يسايرهم، ولكنه لا يبعدهم عنه. وهو يثق ببراءته ولا يتحرك بحزم من أجل كسب ثقة والده، وليس جيداً ألا يتحرك من بموقعه ويكون لديه أعداء أقوياء إلى هذه الدرجة. أنا هنا لا أتحدث سوى عن الاحتمالات».

شعرت بأن قطرات العرق المنسابة من جبيني نتيجة الحزن ملأت

عيني، وعضضت على شفتي، ولم أستطع أن أتنفس. سألتم فجأة: «هل تذكر آخر مرة تحدثت فيها مع حاكم العالم حول مصطفى يا وهيمي؟»

«سيدي، لم نلتقِ كثيراً خلال السنة التي تلت إصابتي في ليبة، لأن غالب إقامته كانت في أدرنة مع السلطانة حُرّم، وفي العمل على القانون. وأنا لم أنهض تقريباً من الفراش. وفي السنوات التي تلت هذا انشغلت بالفوضى التي حصلت على الحدود، والاغتيالات ضد الصفويين بشكل خاص. كانت لقاءاتنا القليلة كلها قصيرة، وتركزت حول نتائج المهمات التي قمت بها...».

«مفهوم. مهما يكن يا وهيمي، قريباً سيكون حاكمنا هنا».

لم أصدق أذني للوهلة الأولى، لم أتكلم لفترة. لعلكم تتذكرون أنني تجاوزت حدودي بأنني صرخت قائلاً: «سيكون هنا؟! هل سيشارك حاكم العالم بالحملة؟ ولكن، لماذا؟ ما ضرورة هذا؟ كيف لا أعلم أنا بهذا الأمر يا باشا؟».

«أرسل سليمان خان رسالة حادة لطهماسب يا وهيمي. إذا كانت الأخبار صحيحة، فإن الشاه قَبِلَ عرض حاكم العالم».

«ما هو هذا العرض؟».

«قال له سليمان خان: إذا كنت خائفاً من مدافع الأتراك وبنادقهم، تعال إلى نزال بالشروط التي تريدها، والمكان الذي تحدده. لا تخف يا طهماسب، لا مهرب من القدر. كن جريئاً وشجاعاً كوالدك! حين يحل ذلك اليوم، إما أن يمدك الله، أو يمدني. لا يليق بالشهم أن يهرب من ميدان الوغى، ويقطع رقاب النساء والأطفال الأبرياء والشيوخ مكسوري الخاطر بحد السيف... نحن نجهل رد الشاه على رسالة حاكم العالم. ولكن، حسب ما فهمت، فقد قبل النزال...».

كأن شعاعاً شديد السواد تسلل من قلبي إلى عقلي. هل تذكرون يا باشا أنني قلتُ: «لا، ثمة أمر ما في هذه القضية يا باشا. طهماسب يخاف من التهديد بتخريب الأماكن الشيعية المقدسة إذا عاد سليمان خان بعد تلك الحملة. لن يُغامر بجذب حاكم العالم مرة أخرى. أما عن خروجه لمواجهته، فهو لا يجرؤ بتاتاً...».

«هذا يعني أنه تجرأ يا وهيمي. ما بك أيها الشيخ؟ لماذا تتململ دون توقف؟ ماذا يوجد تحت لسانك يا وهيمي؟ ماذا يحدث لك؟ ما الطبيعي أكثر من أن يُطالب حاكم العالم شخصياً بدم أولئك الأبرياء الذي سفك في الشرق؟».

التصقت شفتاي إحداهما بالأخرى بقوة، وبقيت قبضتاي مشدودتين بقوة على جانبيّ. قلت: «لا أعرف... لا أعرف يا باشا... تخطر ببالي بعض الأمور، ولكن لساني لا يطاوعني على قولها... كأن هناك فخاً... فخاً سافلاً فظيعاً... يبدو لي أن خطةً قد أُعدت، وتخلفنا عنها كثيراً يا باشا...».

V

نعم أيها السادة، وصلنا إلى نهاية قضية مهمة تثير فضولكم منذ بداية التحقيق. هذه حادثة مفاجئة لا بد لكل صاحب عقل سليم أن يصل في نهايتها إلى نتيجة سلبية كانت أم إيجابية. ولكن الأمل موجود دائماً.

بسبب الكثير من الأسباب المستجدة لم يستطع سليمان خان الانطلاق حتى الثامن عشر من رمضان عام 960. كان معه أميره الأصغر الحساس جداً جسدياً وروحياً، وقرة عينه جيهان غير خان. استقبله

الأمير بيازيد خان سيد سنجق غرميان (كوتاهية) في (يني شهير) في 29 رمضان. كُلف بيازيد خان بأمانة العرش، وأُرسل فوراً إلى أدرنة. بعدئذ تابع حاكم العالم سيره نحو بولفادين.

أما سليم خان فقد خرج على رأس جيشه من صاروخان (مانيسا) التي كان سيد سنجقها، ووصل إلى بولفادين في اليوم التالي لوصول حاكم العالم، أي في الرابع عشر من شوال. أما سيد قرامان (قونية) ولي العهد الأمير مصطفى خان، فقد كان على الطريق، وحسب ما يقال، سيستقبل والده في إيرليسي التابعة لقونية.

نعم أيها السادة، كان حاكم العالم لا يقابل أحداً إلا عند الضرورة القصوى. كان حاداً، وخرج إلى الصيد في الأمكنة المناسبة الشهيرة كلها على طول الطريق، وقد أنهك الجنود تماماً بمناورات شارك فيها حتى الباشاوات. يبدو أنه هذه المرة مصممٌ على إيلام طهماسب، لهذا السبب كان يتجنب كل المقابلات الخاصة.

قيل لنا إنه انكب طوال الليالي حتى الصباح على طاولة الخطط، وعمل على تكتيكات حربية جديدة. طلبت لقاءين، ولكنه رفضهما. أدهشني هذا كثيراً، لأنني لم أشهد أن سلطان سلاطيننا حاكم العالم قد رفض مقابلتي من قبل.

في 26 شوال وصلنا إلى قصر آقتبة القريب من إيريلسي. ولكن مصطفى خان لم يكن قد ظهر. وحسب المعلومات التي أوصلها عناصر الهلال فإنه لا يمكن أن يصل قبل صلاة العشاء. ضايقتني تصرفات الأمير المتمهلة هذه. وكنت أستطيع رؤية العاصفة الخفيفة التي لم ينتبه إليها أحد والمتجلية بلباقة الأمير سليم بتلبية أوامر والده.

أنا منتبه لتعابير وجوهكم، وأعرف أنكم ستنقلون ما أقوله الآن

إلى حاكم العالم عبر المحضر أو شـفهياً. لعل حاكم العالم يستمع الآن لكل ما يقال من خلف شـبك قصر العدل المحفور من خشـب الجوز. لا أخاف منه، أنـا أحبه وأحترمه فقط؛ لأنه اسـتطاع مع مـرور الزمن أن يلفت نظر كل رجال الدولة بطيبته وأصالته ومواقفه المطيعة؛ وليس نظر والده فقط. وسيتخلص من الافتراءات التي تستهدفه بالتأكيد.

حسـنٌ، لن نسـتخدم كلمة افتراء، موافـق... إشـاعات مزعجة... وأمره بإعداد مجلـس كهذا دليل على براءته. يراد إلباسـه تهمة مشـابهة للتي أُلبسـت لشـقيقه الأكبر مصطفى خان. يُدّعى أنني أقنعت سـليمان خان الهـرم والمريـض بالخروج فـي حملة سـيكتوار من أجـل الانتقام لمصطفـى خـان، والتسـريع بإجلاس سـليم خان علـى عرش السـلطة التي هي من حقه، أليس كذلـك؟ والأكثر من هذا أننـي ارتكبت جريمة كبرى بقتل سلطاني الأعز على نفسي من روحي بيدي في خيمته، أليس كذلك؟ هذا أمر مضحك بالنسـبة إلي أيها المبجلون. كل من لديه عقل أيضاً يسخر من هذا.

نعـم، نعم أيهـا السـادة، لم يسـتطع مصطفى خـان أن يصـل على العشـاء أيضاً مع الأسـف. لـم يظهر على حدود موقع قيـادة الجيش مع وحداتـه المهيبة إلـى ما بعـد الانتهاء مـن صلاة العشـاء بسـاعة. ولكن شـيئاً غريباً قد حـدث. قطع آغـا المحضرين طريـق ولي العهـد بوحدة إنكشارية مؤلفة من ألف شخص، وطلب من مصطفى خان أن ينـزل مع وحداته خارج موقع قيادة الجيش لكي لا يزعج حاكم العالم المعتكف للاستراحة.

وحسـب ما أبلغه آغا دار السـعادة أيضاً، إنّ حاكـم العالم مصاب بوعكة صحية، ولن يستطيع اسـتقباله إلى صباح اليوم التالي. أما الأمير

سليم فقد كان قد انزوى للاستراحة منذ زمن، ولا يستطيع استقبال أحد لأنه اعتكف على وِرْدٍ سيستمر إلى ساعة متأخرة من الليل.

ولكن الأمير جيهان غير الذي غدا حبه لمصطفى خان وإعجابه به أسطورة تتناقلها الألسن لم يستطع الوقوف في مكانه عند رؤيته شقيقه. كان في الثانية والعشرين من عمره، ولكنه لا يبدو في عمر أكبر من الثامنة عشرة. كان فناناً. يُقال إنه كان على وشك تجميع ديوان، ولكنني لم أحظ بشرف قراءة أي قصيدة من قصائده. غير أنني رأيت عبارة مكتوبة بخطه، وينافس فيها أكبر الخطاطين. كنت أود كثيراً أن تكون لدي قطعة نادرة كتلك. يقال إنه كتب مصحفاً وأجزاءً، وحلية شريفة، وفرمانات، ومرقعات، ومجموعات، وأتمنى أن أطّلع على تلك الأعمال الفنية المخبوءة في خزائن قصري طوب قابِ وأدرنة.

التفتُّ لحظة، وألقيت نظرة إلى جيهان غير. كأن جسمه النحيل بسبب مرض ارتفاع الحرارة الذي كان كثيراً ما يصيبه يسبح وسط ثيابه الفضفاضة والثقيلة، ولكنه بدا قوياً جداً وحيوياً في تلك الليلة. كان ينظر إلى شقيقه المتقدم ببطء على صهوة الجواد الكحيل بنظرة طافحة بالإعجاب دون أن يرف له جفن. لا أشك أنه كان يتخيل نفسه قوياً ووسيماً مثله، وأنه محارب سيفتح ما تبقى من العالم.

كان مصطفى خان مثل سيف قد استُل تواً من غمده. لا تبدو عليه أية علامة من علامات السفر. كان في غاية النظافة بقفطانه البسيط دون كميّن وبدرعه البراقة. وبدت عضلاته المنتفخة البارزة العروق من بين دروع الصدر والكتفين المصنوعة من كوبالت هايبرنيا المائل إلى الخضرة وهو يتقدم ببطء مدركاً أنه يجذب نظرات إعجاب الحرس الخاص من الإنكشاريين.

شعرت ببريق ينبعث من ظلمات ذهني في تلك اللحظة؛ بريق نحس وشؤم أحمر... هل تقصّد مصطفى خان تأخير وصوله لأنه يعرف أن تصرفات من هذا النوع تحظى بتقدير الجنود؟ هذه التصرفات تشير إلى أنه قريباً سيكون مصدراً للأوامر وليس متلقياً للأوامر.

ولكن، ما لزوم هذا؟ ما معنى تصرف ولي عهد محبوب يحظى بدعم واسع جداً على هذا النحو، وفوق هذا محاصر بكثير من الأخبار الكاذبة الملفقة التي تصل إلى سلطان السلاطين؟ أمن الممكن ألا يكون على علم بالألعاب التي تُلعب عليه البتة؟

أنا كل يوم أفكر بمواقف مصطفى خان تلك التي قوّت أوراق أعدائه ضده يا أصحاب المعالي. لم أستطع أن أعطي قراراً فيها أو أجد تفسيراً لها. أعرف أكثر منكم جميعاً أنني شخت وأن شعوري يفيد أكثر من منطقي.

ترجّل مصطفى خان عن حصانه عندما وصل إلينا، وعانقنا. شعرت أن قلبه الحجري قد ذاب حباً، واختلط كماء دافئ شافٍ مع دمي. بعدئذ، بدأ يبرر لنا تأخره بسبب ملاحقته بعض قطاع الطرق. حسنٌ، كيف لم يخطر بباله أن يرسل ساعياً إلى مركز قيادة الجيش بهذا الخصوص؟ لم أستطع الاحتمال، فقلت: « ليتكم تركتم هذا العمل لقوات مؤخر جيشكم يا أميري. هذا ليس جيداً أثناء انتظار والدكم لكم...».

عصر كتفي بيده الشبيهة بمخلب، وضحك ساخراً مني: «يبدو أنني أغضبت ذئبي العجوز».

«عفوكم يا سيدنا».

قفز جيهان غير في هذه الأثناء قائلاً: «احك لنا يا أخي، هل

اشتبكت معهم؟ هل نازلتهم وجهاً لوجه؟». ثم أشار فجأة إلى جواد مصطفى خان، وقال: «لم أكن أعرف أن لديك جواداً كهذا يا أخي، يا الله! إنه حيوان رائع!».

ابتسم مصطفى خان موجهاً وجهه إلى الريح التي تجلب رائحة النجوم البعيدة، وتنهّد وهو ينظر إلي: «إيه، جميل أن يكون هناك من ينتظرني بشوق». ثم التقط شقيقه من ذراعه، وضمه إلى صدره: «تفعل حسناً إذا لم تسأل عن كل شيء أيها الأمير. هيا، تعالوا معي».

أنا أيضاً ألقيت نظرة تقدير للكحيل الذي يكشط الأرض بحافره بهدوء. كان الجواد مرتفع العجز ذو الأذنين الرفيعتين الظريفتين والشامة على جبهته بلونه الرمادي الأرقط كأنه قفزَ تواً من حلم.

لا أدري لماذا تذكرتكم في تلك اللحظة يا صوقولو باشا. أعرف يا باشا، أعرف. لو لم تكونوا بعيدين على رأس قوات الطليعة لكنتم بجانبنا بالتأكيد، ولعلكم حلتم دون وقوع ما حصل لاحقاً...

VI

تلك الليلة يا حضرة المفتي أفندي؟ دخلنا نحن الثلاثة في حديث مفعم بالمحبة والشوق، كما تعرفون بالتأكيد. أنا آسف، لم أفهم. لا يا سيدي، لا أومئ من خلال كلماتي. أنا لا أتكلم بشكل موارب، بل أعبّر عما أريد قوله بصراحة. حاشاكم، لا أغضب منكم بتاتاً. بالتأكيد لا يمكن مناقشة عالم بمستواكم بفتوى قتله. ولكن، يبقى الحزن يا سيدي... الحزن الذي يكوي القلب إلى ما لا نهاية.

كان مصطفى خان في الثامنة والثلاثين من عمره، ويتكلم بمخزون معلومات وريث عرش اقترب من سن النضج. كان راسخاً

ومنتشياً ومهتماً. يدفن اندفاعه في بريق عينيه الكهرمانيتين، وينجح بلفظ الكلمات مبرزاً مخارج حروفها، وتطفي حركات يديه طويلتي الأصابع واقعية أسطورية على ما يرويه.

أعرف أنه يحب أخاه «سليم» البالغ التاسعة والعشرين من عمره، وبيازيد البالغ السابعة والعشرين من عمره، ولكن حبه لجيهان غير مختلف. شعوره باهتمام الأمير الشاب به وحماسته غير المحدودة أثناء كلامه يزيدان من انفعاله. كان مصطفى خان يبرق بشكل مختلف في تلك الليلة. كانت عيناه تبرقان كموج ضوء لهب شمس الغروب. أشار لنا بالجلوس على فرش تفوح منها رائحة صابون زكية وعطرٍ ممدودة على سجاد سادة الأوغوظ النادر في خيمة فخمة قريبة من خيمة حاكم العالم. السيف والأقواس كانت معلقة في مكان مرتفع. في كل مكان لون، وفي كل زاوية ربيع، وفي كل زخرفة مصطفى خان.

بماذا تحدثنا؟ مع الاقتراب من مركز الألم العميق، يطوّق ذلك الاضطراب ركود ونسيان يا سيدي. لعل ذاكرتي اليوم ممحوة في بعض أمكنتها لأن ما سيحدث بعد اليوم يمكن أن يكون منعطفاً في تاريخ العالم، وليس تاريخ العثمانيين فقط...

تحدثنا فترة في الشؤون الإدارية، ثم لم يرد طلب جيهان غير الذي يتدفق النعاس من عينيه، وروى له مصطفى خان عن القتال العنيف الذي خاضه مع قطاع الطرق. أردت أن ألتقط فرصة لأحدثه في ما يحاك ضده، ولكنني لم أكن أستطيع فعل هذا بحضور جيهان غير. قبّل مصطفى خان شقيقه، وودعه قائلاً له إنه يجب أن ينام دون أن أضطر للانتظار أكثر.

عندما عدنا إلى الخيمة، بدا لي أن صمتاً متوتراً سينمو بيننا.

ولكنني أخطأت. نزع الأمير لفته البيضاء، وأدخل أصابعه في شعره الخرنوبي القوي، وسأل: «ماذا يحدث يا وهيمي؟ ثمة غرابة. لماذا أُجبر على النزول بعيداً عن المقر العام للجيش. لدي أربعون ألف جندي، ولم يعجبني هذا الأمر نهائياً. تأخرتُ بالمجيء إلى مقر الجيش قبل هذه المرة، ولكنني لم أعامل مثل هذه المعاملة».

لم أعرف من أين أبداً. ضايقتني قضية الجواد تلك. بالطبع سيكون الجواد الذي يركبه ولي عهد العثمانيين العظماء عظيماً، لا شك في هذا. ولكن، يمكن أن يخرج البعض، ويطرح أسئلة لا ضرورة لها.

قلت له هارباً بنظراتي: «والدكم مشحوذ ضد الصفويين أكثر من أي مرة مضت. إنه متوتر وغاضب... وهو لا يقبل بأي تعثر. لم أره يشبه سليم خان الجبار إلى هذه الدرجة قط».

إثر وضع الخدم كأسي الفخار المليئتين بشراب الكرز المثلج، ومغادرتهم قال: «هذا يعني أن مراسلاته مع طهماسب، والدعوة إلى المبارزة حقيقية إذاً».

وافقته مطرقاً برأسي بشكل خفيف: «هذا ما يجب أن يكون يا أميري. وإلا لماذا ستكون هذه المشقة؟ حركة الجيش لمسافة قصيرة تكلّف ثروات الدنيا. لم يعد لدينا ذهب زائد ننفقه».

«ما هو وضع الجنود يا وهيمي؟ أنت تعرف هذا».

«كل عناصر الجيش ما عدا الإنكشاريين جاهزون للتضحية بأرواحهم من أجل سلطان السلاطين. وهذا ما هو عليه الحال دائماً. ولكن، لا أحد يعرف ما الذي سيفعله الإنكشاريون. يقولون سلطان السلاطين منا ويتباهون بأنفسهم مشيرين إلى أن حاكم العالم هو الإنكشاري الأول. مثلهم مثل الموج؛ لا أحد يعرف متى يهيج. ولكنهم

هذه المـرة لم يتذمروا كثيراً لأنها حملةٌ نحو الشرق. أسكتهم سـلطان السـلاطين بحزمه وحدّتُه. من ناحية أخـرى، يعرفون أنهم سـيحصلون على حصة من الغنائم لوجود حاكم العالم على رأس الجيش».

بعدئذ شعرت أن الوقت مناسـب، فأخبرته عمّا يُحاك ضده، فقال: «لست غافلاً عن هذا كله يا وهيمي».

«لم أكن أتوقع هذا أصلاً يا سيدي».

هزّ قبضتيي يديه بهدوء، وقال: «خاصة قضية الرسائل تلك!».

«الكثير من الكذب والافتراء يا سـيدي. البعوضـة صغيرة، ولكنها تقلب المعدة».

«ولكنني لا أضع نفسـي وسـط فتنة. أنت تعرف مقدار اشمئزازي من الأعمال الخفية كلها. وأنت تعرف أبي. شغفه بالسلطانة حُرّم يجعله يُجَرُّ نحو ما يـراد له أن يصدقـه، وليس نحـو ما يجـب أن يصدقه». هز كتفه. ثم مرّت رجفة غير واضحة تماماً على شـفتيه، وابتسـم. «مع أنني اعتبرت السلطانة حُرّم كوالدتي دائماً، وحرصتُ على ألا أكون طرفاً في أي قضية حدثت بينهـا وبين أمي. أمـا الكلب رستم...». توقف. «خير يا شيخ؟ هل تتفقد ما إذا كان هناك أحد يتنصت؟».

«للحيطان آذان يا سيدي».

«نسـي من السـيد ومن العبد في هـذه الدولـة يا صديقـي القديم. تتصـرف الأقدام في هـذه الدولـة كالـرؤوس... إذا كان هناك مـن يُقدم على جريمة التنصت علينا، فدعه يتنصت!».

على الرغم من هذا التفتُ نحو عتبة الخيمة الباقية في موقع بعيد، ونظرت، ثـم قلت لنفسـي: ليتني وضعـت عناصـرَ الهلال أمـام الباب. شـعرتُ بالقشـعريرة. اندسـت أمور ما إلـى نَفْسـي عبر الهـواء المنعش

المحمّل برائحة المطر المتسلل من بين المفروشات والستائر التي حركها قليلاً. اجتاحت قلبي رعشةُ برد. حالة برد لن أتخلص منها بعد تلك الليلة قط... حالة برد من المحتمل أن ترافقني إلى قبري...

شعرتُ أن مصطفى خان قبض على معصمي. راحة كفه كالنار، وأصابعه كالملزمة الحديدية. حسب تجربتي، إن قوة كهذه تستطيع خوض صراع مع أربعة إنكشاريين وحدها. «وهيمي، انظر إلي أيها الذئب العجوز!».

«فلتأمروني يا سيدي!».

«ليس بيدنا سوى الانتظار والدعاء... نحن بريئون، ألا يكفي هذا؟».

قلت وأنا أنظر إلى بؤبؤي عينيه مباشرة: «لا يكفي! ثم من الممكن أن يكون هناك ما نستطيع فعله. لعلنا نستطيع فعله الآن، هذه الليلة... قبل الفجر يمكنني أن أقبض على كبار الضباط، وأداهم خيام الأركان، وأوقف الأمير «سليم» والقادة جميعاً...».

حملق بي حتى غدت عيناه كصدفتين: «هل أنت منتبهٌ لما تقوله يا كبير الجواسيس؟».

كنتُ قد انطلقت من قمة الجنون الحادة نحو السماء الرمادية. «سيتنازل لك سليمان خان عن العرش، ويمهر الفرمان الموجه بهذا الخصوص قبل الضحى. أنا أضمن لك أن يفعل هذا...».

ارتجف جسم أميري كله حينئذ: «هل جننت؟! لو أردت لأمرت بقطع رأسك الآن... ولن أراجع والدي أو المفتي أفندي... ولمحوت صداقتنا وماضينا وما عشناه كله بلحظة واحدة، ورميته يا وهيمي!».

«أعرف، أعرف ولكنني لا أهتم... ليس رأس وهيمي فقط، بل

رؤوس الآلاف مثلي فداء لكم ولدولتكم».

«حسنٌ، لماذا؟ لماذا أيها الشيخ؟».

«لأن هناك ما يحاك... أشعر بأن سوءاً يتقدم سراً، حتى أنا أجد صعوبة باستيعابه... إنه يحتل جسدي بهدوء وقوة في آن واحد...».

خفّضت صوتي كثيراً، وغممت عيني أكثر: «الشيطان يجول الليلة في موقع قيادة الجيش يا سيدي... أشمّ رائحة دخانه الحادة التي تنبعث من حيث يطأ... وأستطيع أن أرى اللهب الأسود في عينيه... إما أن ننفض أنفسنا، أو نموت معاً...».

«أنت لديك معلومات ما... أمور تعرفها وتخفيها عني...».

«أنا أقول كفى فقط... الجميع منتبهون إلى أمور ما، ولكنهم يتسابقون بإظهار تعبير البراءة والسذاجة... هذه سفالة... سفالة...».

«هذا يعني أنك تريدني أن أكون مثل جدي سليم خان أيها الشيخ».

«جدكم سليم خان هو المنبع الحقيقي لقوتنا التي أوصلت الدولة العلية إلى ما وصلت إليه اليوم... كان الجيش يدعمه... والشعب أيضاً. ولو لم يكن كذلك لكان الشاه إسماعيل والغربيون الذين يدعمونه قد غرزوا أنيابهم في العثمانيين كضباع وحشية، ومزقوهم. أنتم تحظون بدعم أكبر الآن من جنودكم... إنهم يرونكم «سليم» جباراً ثانياً يا سيدي. فلتأمروني فقط... فلتأمروني!».

ظهر تعبير ألم وحزن على خطوط وجهه الدقيقة المتشابكة: «سليم خان قاتل أباه أيضاً يا وهيمي... أنا أحبه، ولكنني لا أريد أن أكون مثله. سأطأطئ رأسي للقدر، وانتظر!».

قلت بحزم: «حياتكم مهمة في هذه الحال يا أميري. هناك طريقة

أخرى لهـذا الأمر. إنهـا طريقة آلـت إلينا من قصـور رومـا البيزنطية... طريقة ماكرة ولكنها مؤثرة... أعطوني أسـماء الأشـخاص الذين فتحوا معكم حديث السلطة والعرش».

قطـب حاجبيه بشـكل خفيـف، فانكمـش الفـراغ بيـن الحاجبين.

«من؟ اسم من؟ ماذا تريد مني أيها الشيخ؟».

«أريد اسماً أو اسـمين فقط من المقربين منكم، من القادة لديكم، مـن ندمائكم وخدمكـم وأغـوات حرمكـم... وعندها، سـأحصل على فتوى مباشرة، وأضرب عنقيهما في الساحة عند السحر...».

«ألسـتُ الأمير ولي العهد يا وهيمـي؟ ألا يتحـدث المقربون مني عن العرش؟ أليس لي حق الأولوية بالعرش؟ وهـل هناك ما هو طبيعي أكثر من الحديث عن العرش؟».

قلت وقـد انحنى رأسـي مثقـلاً كسـبيكة: «هـذا طبيعـي بالتأكيد! ولكننـا يجـب أن نخطو خطـوة طويلـة تريح الجميـع من أجـل مقاومة الزمرة التي تحيط بحاكم العالم...».

غضب بشدة: «لقد جننت أيها الشيخ، خرفت... ولم تعد تنتبه لما تقوله...».

مـددت نفسـي، وأمسـكت ذراعه. ليـس من حـق أحد فـي العالم الإقدام علـى وقاحة كهـذه... ارتعـد، وارتعـب، واسـتغرب، ونظر إلى عيني بيأس. «نحن بحاجة إلى ضحية أو عـدة ضحايا يا أميري من أجل إثبات براءتكـم، وأنكم لم تفعلوا شـيئاً، لكـي تعرّفوا من يسـتفزكم بما يمكن أن تفعلوه... إذا اجتاح الغضب حاكم العالم لا قدر الله...».

«اسـمع يا وهيمي، غداً سـأمثل في حضرة والدي، وسـأفتح أمامه القضية المثارة حولي وعلى رأسها تلك الرسـائل. سيصدقني سلطاني.

غير هـذا، الإنسـان ليس مضطـراً لإثبـات براءتـه يا وهيمـي، بالعكس الإثبات يقع على عاتق المدعي».

«أنتم على حـق يا أميـري، ولكننـا على الرغـم من هـذا يجب أن نكون محتاطين ويقظين. لهذا السبب اختاروا لي أحد ندمائكم، واتركوا الباقي عليّ. خلال عدة ساعات سأقنع الجميع بأنه ارتكب ذنوب الدنيا كلها... حلُّ هذه القضية مرتبط بذهاب بعض الرؤوس يا أميري».

حرّك يده حركة حـادة. «لنغلق هـذا الموضوع أيهـا العجوز! إنك تعكر مزاجنا!».

«اسـمح لي في هذه الحالة أن أدعـي بأنني من قام بهـذا الأمر. أنا جديّ للغايـة، وأتكلم بـكل صدق. رأسـي مهـم، وسـيهدِّئ الكثير من الغضب...».

غضب فعـلاً هذه المـرة، ثم بـدأ يضحـك. «هل علـي أن أضحي بمن لا علم له بأي شـيء أو برجـلٍ مهم مثلك يا وهيمـي؟ دع الآخرين يتكلمون، ولنكن نحن المظلومين. الله صديـق المظلومين. لهذا أفضّل الموت مظلوماً على العيش ظالماً. وليعرف الجميع هذا!».

VII

أنـا واثـق بأنكـم تسـتطيعون رؤيـة دهشـتي، وتقـدرون صدقـي يا أصحـاب المعالي. يا أعضاء الديـوان العالي المبجلين، ما سـمعتموه منـذ البدايـة حتـى الآن حقيقـة. حسـنٌ، هـل أخجـل أو أخـاف؟ لا، أبـداً. أحياناً تفـرض علينا الظـروف أن نتصـرف بما يخالـف المألوف، والكثيرون منكم يعرفون هذا أفضل مني.

لعـل محاولاتـي مجرد تخبـط لا جدوى منـه مثـل كل محاولات

محبي الأمير الذين شعروا مسبقاً بنهايته. كلماتي خاوية. أقدم كذبي في علبة ذهبية، وآمل ألاّ يحاول أحد فتح تلك العلبة، والأصح أنني أعرف أن أحداً لن يجرؤ على فتحها.

أفكر في ما كان سيحصل لو أن أميري أَذِنَ لي بأن أرتب انقلاباً؛ هل كنت سأستطيع التصرف كما قلت؟ لا أعرف يا أصحاب المعالي... لا أعرف أبداً... ولكن، لا بد لي من القول إنني كنت أشعر بداخلي أن سليمان خان كان ينتظر محاولة كهذه، وأنه سينقل العرش بكل حب وسعادة. أشعرني مرات عديدة من خلال كلامه أنه يخشى من ارتكابه خطأ فظيعاً طالما بقي هذا الحمل الرهيب على كاهله، وأنا إما تظاهرتُ بأنني لم أفهم شيئاً، أو أنني حقيقة لم أفهم شيئاً.

لم يبق في ذاكرتي من الحديث الذي تبادلناه في الساعات المتأخرة من الليل سوى تفصيل مهم حول حلم رآه الأمير أيها الباشا. الأكثر غرابة بالأمر هو شعوري بأنني في حلم آخر أثناء روايته حلمه. خير إن شاء الله، رأى الأمير في حلمه أنه يقف وسط سهل مترامي الأطراف، ويهطل عليه مطر حار من غيوم رمادية خفيضة.

يطول شعره ولحيته مع اشتداد غزارة المطر. شعر بسائل دافئ وثقيل في فمه. وحين بصق خرجت أسنانه مع الدم. ولكن التراب الرطب لم يمتص دمه. شعر بأنه سيبكي، ولكنه بدأ يضحك. القهقهات التي صعدت من صدره، لفت نشيجه بداية، ولكنه وجد نفسه يضحك، وأن الأمر حقيقة ساخر، فأسلم نفسه للضحك قهقهة. هذه المرّة انتبه إلى الدمع المتراكم في نبع عينيه. لأنه هذه المرة كان يبكي حقيقة... ثم رأى أن الدم الذي كان يبصقه ملء فمه قد وصل إلى ركبتيه.

بعدئذ التفت نحو السماء. رأى نجوماً ميتة معلقة على الغيوم...

إنهـا نجـوم مطفأة سـوداء داكنـة؛ نجـومٌ تتسـاقط مـن أعمـاق الفضاء، وتتسـلل عبر الغيوم، لتتراكم فـي قعرها. ثم بـدأت تتسـاقط واحدة تلو الأخرى على السـهل. خيّمت على الجو رائحة كريهة. وحينئذ اسـتيقظ الأمير.

توقعكم صحيح يا سـيدي. توقع منـي أن أحتاط. لـم يعجبني أي من تفاصيل هذا الحلم، وحتى إنني يجـب أن أعترف بأنني خفت. حين قلت له إنني لا أفهم بهذه الأمور، وسـألته إن كان يرغـب في أن أطلب أحد مفسـري الأحلام في القصـر، لم يوافق. قـال: «يكفـي أن تقول ما يخرج من قلبك أيها الشـيخ». ويعرف العارفون أنني لا أسـتطيع رفضَ طلبٍ له.

إثر هذا أجبته بسـؤال مقابل: «مـا الذي يخطر ببالكـم؟ هل يخطرُ معنى سيئ كما أفهم من عينيكم؟».

ظهرت ابتسـامة خجولة على وجهه الوسـيم. «برأيي، إن المراجل التي تفور بالمفتنين حولي سـتنجح يا صديقي وهيمي. لهذا السبب، إن اتخاذ الحيطة لا يفيد، لا بد مـن الرضوخ للقدر. هاتِ أعطني تفسـيرك أنت!».

أخذت نفسـاً عميقـاً. انتظرت آمـلاً صـدور صـوت أو انفجار أو زلزال يشـتت انتباهنا. ولكن شـيئاً لم يحدث. لم يكن لي بد من القول: «سمعت أن تساقط الأسنان ليس إشارة خير».

قال ضاحكاً: «وأنـا أيضاً، ولكن انظـر، كلها في فمي، وسـليمة». وأشار إلى أسنانه اللامعة السليمة. ثمة احتمال بأن اللهو في هذا الوضع يريحه.

«لم تعجبني النجوم الخامدة التي تتساقط أيضاً».

قال من جديد: «وأنا أيضاً». وقلب كأس الشراب دفعة واحدة.

«ولكن المطر رحمة وبركة...».

توقف لحظة، وظهر تعبير جدي في عينيه عنبريتي اللون: «حتى لو هطل مع دمي؟».

عندما لم أعرف ما أقوله، قال: «من أين لواحد مثلك قوة الخيال؟». ولَكَمَ كتفي لكمة خفيفة. وكان في الوقت نفسه يضحك. فشعرت وكأن عظامي الهرمة تداخلت في ما بينها.

حين توقف عن الضحك في النهاية كان الوقت قد تأخر كثيراً. نهضتُ وأنا أشعر بالشبع من الساعات التي أمضيناها دون فراغ. طقطقت مفاصلي وكأن بندقية قد انطلقت فجأة. أخجلتني علامة الشيخوخة البائسة هذه، فأطرقتُ برأسي، وضحكت. يبدو أنه فهم حالي، فمد نفسه، وتأبط ذراعي. وخرج معي حتى عتبة الباب.

كانت ريحٌ باردة محمّلة برائحة المطر والطين تهب على السهل. قال وهو يشير إلى النجوم الشبيهة بكسارة الألماس المنثورة كومات على مخمل السماء الكحلي: «كم هي جميلة، وكم هي خاوية! مثل الحلم بالضبط... لن يعني شيئاً ما نعيشه، ولن يعني شيئاً لأحد بعد قرن... المهم، اذهب، ونم قليلاً أيها الشيخ... غداً أراك بعد زيارة والدي».

امتلأ أنفي برائحة تشبه رائحة مزيج العسل والقرفة والصابون. قلت: «سأنتظر يا سيدي». ومشيت. ولكننا لم نلتق ثانية. كانت تلك هي المرة الأخيرة التي رأيته فيها سليماً.

الدفتر الخامس

ما رواه الشيخ كبير الجواسيس المدعو وهيمي أورهـون جلبي الـذي فقد توازنه نتيجة الحزن الذي أصابه، وبدا عليه ما يشبه أعراض مرض الصرع في التاسع عشر من جمادي الثاني بعد صلاة العصر، وفي حضور سيدنا سليم الثاني خان وهو يستمع من خلف شبك قصر العدل.

I

نهضت مـن فراشـي الرقيق البسـيط مرتعـداً من صرخـة الجيش: «يـا ويلاه!». نمـت حتى تلـك اللحظـة كحجـر... كان نوماً قلقاً أسـودَ كالغيبوبة جعلنـي أترنح. فوّتُ صلاة الصبح، وأشـرقت الشـمس فوقي على غير عادتـي. كانت السـاعة الرملية بجانب رأسـي تشـير إلى وقت قريب من الضحى. لم يوقظنـي أحد. ما هذا الأمـر؟ حاولت النهوض، فشـعرت بالدوار. انهرتُ على فراء خـروف ممدود علـى الأرض. ثمة أمر سيئ...

فـي مـا بعـد، انتبهـت لرائحـة نفّـاذة... كانت تلـك رائحـة زهرة اللوتس المسـببة للترنح. ثمة شـيء آخـر... ثمـة رائحة نفّـاذة أيضاً مع شعور بالتصاق لساني الصدئ حتى جذره. سأدرك في ما بعد أنها بذور الشـوكران، وهذا مجرد فقدان وعي بسـيط بجانب الألم الذي أعيشـه. تناولت سـيفي من مشـجبه على عمود الخيمة، واسـتندت إليـه كعصا، وانتظرت قليـلاً. ما الذي يحدث؟ حاولتُ اسـتجماع أفـكاري. انقلبت معدتي فجأة، تملصت من مكانها، وقفزت نحو الأعلى.

همست: «مصطفى!». شـعر قلبي بخطر يشبه تشققات ناعمة على سـبطانة مدفع ارتفعـت حرارته كثيـراً. تمنطقت بسـيفي، ومشـيت نحو الباب. عضضت لسـاني لكي أسـتطيع التغلب على الدوار. أثناء انتشار طعم الدم بهدوء على لسـاني، رميت بنفسـي إلى برودة صباح الخريف المنعشة.

قابلني هواء ورائحة مطر تقتـرب. ما هذا الصمت؟! أين حصاني؟

هل هناك وقح يلعب معي عند الصباح؟ غضبت، وناديت الغرناطي متوقعاً أن يكون في الخيمة المجاورة لخيمتي. ولكن لم تجبني سوى نسمة أججت بعض الغبار.

استغرق وصولي إلى خيمة مصطفى خان أكثر مما كنت أتوقع. لهذا السبب، قررت أن أسحب حصاناً من أول مربط أصادفه. جنود الطوابير الذين ينفذون مناورات يومية، ويشتكون دائماً من قسوة التدريبات، لا يفعلون الآن سوى ما يطلبه منهم قادتهم، ويبدو عليهم الامتعاض والانهيار. لم يكن هناك أحد يتسكع في طرق مدينة الخيام.

عبرتُ وسط جمع الجنود الذين يحفرون متاريس جديدة حول مقر الجيش. ومن انتبه إليّ حملق مرتعداً ثم سيطر على نفسه. تمكنت أخيراً من حث خطاي. شعرت بنفسي أكثر قوة، ولكنني لم أتخلص من دواري.

لم يُسمع أي صوت من خيام قادة الإنكشاريين - مركز الجيش - التي ترتفع أمامها رايات الفصائل، أو من خيام جنود الخدمات الثقيلة التي تدهش المراقبين الأجانب بشكل خاص بانتظامها. أسرعت ضربات قلبي، حيث دفعت معدتي إلى بلعومي، ثم هدأت. كلُّ طرفٍ مني صار يتدفّق منه العرق. حين رأيتُ جنودَ الحرس الخاص أشباه العمالقة يحيطون بخيمة حاكم العالم توقفتُ من أجل تنظيم نَفَسي الذي يتحشرج في صدري، وتهدئة ضربات قلبي التي تخفق بسرعة لم أعتد عليها.

شعرتُ بندمٍ شديدٍ لأنني عدت إلى خيمتي ليلاً. إذا لم أجد حصاناً على الفور فسيستغرق وصولي إلى خيمة مصطفى خان من طريق مختصر ربع ساعة. ولكنني بدأت أركض بطريقة لا يمكنني

أن أعيدها الآن بهـذا العمر أو أن أجربهـا على الأقل. تحوّلت أنفاسـي إلى لهيب؛ كأن ما أخذته ليلاً يشـوي أحشـائي. على الرغم من هذا، لم أحاول أن أبطئ. لا بد أن الذي مكر لي بهذا كان يريد أن يقضي عليّ.

ولكنهـم لم ينجحـوا. قبـل أن أتقدم مئـة ذراع رحمني ربـي بأنني صادفت مفرزة إنكشارية صغيرة. أبهرني قائد المفرزة بدرعه التي تقدح الشـرر تحت أضـواء الصباح البراقـة، ولباسـه القطني الأبيـض، وقبعته البيضاء. وعلى الرغم من هذا، لاحظت الدهشة على وجه الرجل.

قال لي بعدئذ شـيئاً ما، وأنا رددت عليه. ولكن ما حدث بعد تلك الدقيقة خيّم على مـا تبقى من حياتي كلهـا بانطباع شـبه خيالي كأنه في مركز حلم.

«خير يا وهيمي آغا؟ ماذا تعمـل هنا؟ رجلك الغرناطي يركض من أجل تجهيز الجنازة والكفن وأنت هنا...».

«جنازة من يا قائد المفرزة؟».

«ما هذا السؤال أيها الشـيخ؟ هل جُننت؟ لماذا تتجول هنا؟ أليس لديك علم بوفاة الأمير؟».

«انتبـه لما تقولـه يا قائـد المفـرزة! أي أمير؟ هـل هو جيهـان غير خان؟».

ضحك قائد المفرزة: «ماذا جرى لك أيها الشيخ؟ أُعدم مصطفى خان هذاالصباح».

تابعت فتـرة خطوط وجـه الرجل الـذي يبدي الخبل وهي ترسـم ابتسامة قبيحة.

قـال الرجل هـذه المـرّة وعلى وجهـه تعبير هـازئ مهيـن: «لماذا دُهشـت أيهـا الشـيخ؟ مـا حـال أولئـك الأبريـاء إذا كنـت وراء ذلـك

الخبث؟». أدار ظهره، ونظر إلى رجاله الذين لا يقلون غضباً عنه. حينئذ مددتُ يدي، وأمسكتُ بياقة الإنكشاري الأنيقة. قال أموراً ضاعت وسط قرقعة الدرع والسلاح. لا أعرف، ولا أذكر ما قاله، ولكن كل كلمة من كلماته غُرزت في قلبي وكأنها رأس خنجر مسموم. ارتبك الجنود وهم يراقبوننا من بعيد بعيون طافحة بالخوف.

صرخ أحدهم... نعم، كان يصرخ بأعلى صوته، ويعيد الأمر نفسه مرات على الرغم من تعثر لسانه. عندما أردتُ أن أتكلم من جديد، أدركت بأنني من يصرخ. يبدو أن ذلك الصدع الذي حدث في نفسي قد امتد إلى عقلي. ألقيت الرجلَ جانباً، وتوجهتُ باتجاه خيمة سلطان السلاطين. ماذا كنتُ أقول؟ صدقوني، صدقوني، إنني لا أذكر يا صوقولو باشا.

كانت الأرض المتدفقة تحت قدميّ تتراقص حمراء صفراء كاللهب. كان موقع قيادة الجيش يتراقص ببطء تحت ضباب ذهبي. كنتُ أحاول أن أخطو خطوة أمام الأخرى فقط لكي أستطيع البقاء واقفاً ولا أسقط. خطوة... خطوة أخرى...

قابلني الحرس وقائدهم أمام المتراس الذي يحدد حدود الخيمة السلطانية. «قف يا وهيمي آغا!».

«أين مصطفى خان؟».

قطب قائد الحرس وجهه باشمئزاز، ونخر بحدة لم أكن أتوقعها: «أنت أيضاً سيأتيك يوم. أتمنى من الله أن أكون جلادك... أتمنى من الله أن يريني إياك تتوسل عند قدمي من أجل روحك كالكلب...».

هززت برأسي إلى الجانبين. شعرت أن دمي كله انسحب إلى مكان وسط جسمي. «لا أعرف شيئاً يا قائد الحرس، لا أفهم ما تتحدث

عنه... ولكـن، عليك أن تضبط لسـانك لكـي لا تخرس إلـى الأبد كما حدث مع من قبلك!».

انتبهتُ إلى أن وجهه قد تشـنج بقلق واضح. نفث قائلاً: «ستُحرق في جهنم! سيكون مسكنك وادي الأحزان، وتشـرب الدم والقيء أيها السافل...».

تحركنا في اللحظة نفسـها، ولكنني كنتُ شـيخاً، ولم أتخلص من تأثير الأعشـاب التي تنفسـتها بعد، وبالإضافة إلى ذلك أنا أعور. أما هو فقد كان شـاباً ويقظاً. نزلت صفعتـه على أذني اليمنـى بالضبط، ونزلتُ بلكمتي الخفيفة المؤثرة التي تعلمتها مـن الأوروبيين على عينه اليمنى. انظروا إلـى قَدرنا الذي لعب علينـا في ذلك اليوم الخريفـي الغائم، لقد فَقَدَ بَصَـرَ عينه، وفقدتُ سـمع أذني فـي اللحظة ذاتها. كانـت عيني في تلك الجهـة لا تعمـل أصلاً. فتحـتُ الشـريط الجلـدي الـذي يغطيها، وظهرت الحفرة السـوداء التـي أحدثها لـي الجرّاح ذات يـوم. هذه هي قصة فقداني السمع بإحدى أذني يا أصحاب المعالي...

ترنحت بتأثيرٍ معنوي أكبر من تأثير الضربة. توجيهه غضبه نحوي إشارة واضحة إلى أنه يريد تحميلي مع رجالي مسؤولية الكارثة التي وقعت. هكذا ينجح أعدائي. علـيّ أن أجد «كمال» فوراً. لديه كل التفسـيرات التي أحتاج إليها. شعرتُ بحربة باردة تتغلغل بأمعائي نتيجة قلقي من أن يكون قد حدث له شيء. ابتعدت من هناك دون أن أقول شيئاً آخر.

أثنـاء نزولي نحو أسـفل مدينـة الخيام بخطـوات بطيئـة، ضغطتُ بمنديلي على أذني محاولاً قطع نزيف الدم، وفي الوقت نفسـه حاولت أن أجد تفسـيراً لما يحدث. عند أسـفل طابور فرسـان الجيش النظامي المنتصبيـن علـى صهـوات جيادهـم فـوق مرتفع كأنهـم قلعـة متحركة

صادفتُ رجل دين يتبعه مريدوه. أحد المريدين كان يحمل بيده قماش كفن أبيض. سألته: «لمن هذا الكفن أيها الغر؟».

ركز الشاب عينيه البنيتين في عيني دون خوف: «للعثماني بفضلك يا آغا».

لم أخفْ وحدي، بل خافَ رجل الدين وبقية المريدين أيضاً من هذه الكلمات. انكمشوا وسط طيالسهم المهفهفة، وجباتهم الواصلة إلى أرساغ أقدامهم. الخوف والقلق هما اللذان أدخلاهم هذه الحالة الآن.

سألتُ من خلف ستارة الدم التي تعكّر رؤيتي: «لماذا تقول هذا أيها العالم؟».

«اسأل رجلك الغرناطي عمّا تريد أن تسأله، وليس أنا... من الآن فصاعداً لن تجد أحداً في هذا الوطن يجيبك عن أسئلتك».

«أين هو؟».

«عند رأس الضحية المهيبة. في قسم المغسل خلف خيمة المسجد».

II

كان كمال يقول وهو يحاول تخليص رقبته من بين أصابعي: «فرمان السلطان!» ابني كمال... كمال الذي أفنيت سبعة وعشرين عاماً من عمري بتنشئته، وأنهكت نفسي من أجل تعليمه كل ما أعرفه... كمال الذي حظي بكل ما لديه من النعم بدءاً من الحذاء الذي في قدميه، ووصولاً إلى قميصه المزركش، ومروراً بالاحترام والشهرة بفضلي...

كان بياض عينيه الزرقاوين مخلوطاً بالدم. وكانت رائحة حموضة

أنفاسه تطغى على رائحة ماء الورد والصابون وروائح النهار المألوفة. كان ثمة تعبير على وجهه يوحي بالمتانة. زأرتُ قائلاً: «أنت، أيها الكلب الإسباني... ألم تستطع رؤية أن ما جرى ليس إزالة مصطفى خان فقط، بل خطوة على طريق إزالتنا نحن عناصر الهلال؟ برأيك، ألم يخطط رستم لهذا منذ البداية؟ ألم تتعلم حتى الآن كيف يستطيع أمثالنا الاستمرار بوجودهم؟ سند الجاسوس وحتى قاطع الطريق هو الشعب. يا ويلنا إذا لم يقف الناس وراءنا، ويؤمّنون لنا مخبأ. لا يمكننا حينئذ الاختباء في أعمق زوايا الغابات... ليس رجال الدولة المقربون من الجاسوس ومن قاطع الطريق من قصدهم، بل إنهم القرويون... من سيقف خلفك إذا وافقت الآن على أن تدوس عليّ، وتمر؟ أي حانوتي أو فلاح سيفتح لك بابه عندما تضطر للاختباء؟ هل سيُنقذك رستم الذي زوّغ عينيك ببعض الوعود؟».

أرخيت أصابعي لكي يجيب. طاطأ عناصر الهلال الذين معه في زوايا خيمة المغسل رؤوسهم من خوفهم، وهم يراقبون ما يجري.

قال كمال بصوت متحشرج: «آغا، ما زال رستم باشا في أنقرة. ما علاقته بما جرى الليلة؟ تجمد فكرك عند رستم وحُرّم. وهل أنت طاهر مطهر لتكون حاداً مع أصحاب المعالي الذين يمنحوننا القوة؟».

«يمنحون القوة إذاً!».

«من يمنحك القوة، نعم... ويمنحني إياها أيضاً... مهمتنا هي الطاعة دون قيد أو شرط... نحن مجرد كلاب... كلاب صيد وحراسة في الوقت نفسه...».

هززت برأسي إلى الجانبين، وضحكت بصوت مفعم بالألم: «لم تفهم شيئاً طوال تلك السنين، لم تفهم شيئاً. أصحاب المعالي يكلفونك بمهمة، ويريدون نتيجة... لا تهمهم ذرائعك واعتذاراتك. لا يهمهم أبداً ما

يحاك من ألعاب خلفك... كم مرّة قلتُ لك أيها الأحمق، كم مرة شرحتُ لك... هل يتركنا الناس أحياء بعد نهاية الشخص الأحب إليهم؟».

«انتظر يا آغا، ما تفعله ليس مناسباً بحضور المرحوم».

«قل لي، هل شاركت الجلادين؟».

«وهل هذا ممكن يا وهيمي آغا! هل هـذا ممكن؟ وهل أقضي على سموّ أميري بيدي بعد أن تكرّم عليّ بصداقته؟».

ألقيتُ نظـرةً أخيرة على جسـد مصطفـى خان الأبيض كعـاج الفيل والمحافظ على هيبته. لم أشـعر بالكدر فقـط، بل بما هو أعمـق من هذا؛ بالألم والبكم المؤقت. التقطتُ «كمال» من ذراعه، وأخرجته إلى الخارج.

قال: «كنت في خيمتي على وشـك النوم حين وصـل الفرمان. وُجه الأمر لي شخصياً. لم يُرد أن تتدخل. اعتُبرتَ ممن سيحاولون منع الأمر، ويمكـن أن تـودي بحيـاة أنـاس كثيرين على رأسـهم أنـت، حتـى إنه من المحتمل أن تتحول القضية إلى تمرد...».

صرخت: «لهذا السبب جرّوا عناصر الهلال إلى هذه القضية بشكل مباشر. لماذا تعتقد أن جلادي سلطان السـلاطين البكم لم ينجزوا الأمر. تجلى تأييد مصطفى خان بشـخصي، وقد أنهوه عبري شخصياً... تشتتنا، تفتتنا...».

قال كمال رافعاً رأسه: «الزمن تغيّر يا وهيمي. الطريق اختلف...».

«أنت أعمى يا كمال... فتحوا عينيك على عالم مختلف تماماً. لعل طُرُق ذلك العالم كلها مفروشـة بالذهب، وهنـاك حورية تنتظرك في قصر على كل زاويـة من زوايـاه... لعلك لعبت هـذه اللعبة لكـي تحل محلي، ولعلك تحظـى بمقـام وزارة، ومن الممكـن أن تكـون وزارة تحت القبة. أليس كذلك؟».

«ليس هناك شيء مما قلته يا وهيمي آغا. أنا عبدٌ مأمور، وأنت ما زلت قائدنا كلنا. لم يتغير شيء قطّ. سيطر على نفسك الآن، وتجهّز للمثول في حضرة السلطان. سلطاننا ينتظرك بعد صلاة الظهر!».

نظف أغوات الخصيان البيض الدم النازف من أذني، ورتبوا لي لباسي، وبخوا عليّ روائح عطرة، وصعدتُ إلى حاكم العالم متمسكاً بما بشبه الواقعية. وجهي الذي رأيته في مرآة المدخل الصقيلة كان وجه شبح. غارت خطوطه، وأُنهك، وغاب خلال عدة ساعات.

لم يكن سليمان خان مختلفاً عني. بدا وكأنه ضائعٌ وسط قفطانه الحريري الزمردي المطرز بالأسود وفراء السمور الأسود الفاحم الذي يغطي صدره ورقبته. صَغُرَ وجهه، والتف بلون رمادي كسماء مليئة بالثلج. اللحية أدكن، وتبدو أشد غزارة. غارت عيناه، ورقت شفتاه. تبادلنا النظر لمدة ونحن نبدو كشبحين... لا أعرف كم بقينا على تلك الحال. انتبهت بعد فترة أنني واقف هكذا، فركعتُ أمام العرش، وقبّلت طرف قفطانه وليس ركبته كما أفعل منذ سنين طويلة. كان تصرفي هذا تعبيراً عن غضبي. وضع يده على رأسي بهدوء، ثم قال بصوت متحشرج يُسمع بصعوبة: «أرسلت حفظة القرآن إلى مصطفى. سيقرأون القرآن دون انقطاع حتى دفنه. ستنقل الجنازة إلى بورصة، وسيُدفن هناك...».

أنهضني، ومسح بيده دمعي والدم الذي ما زال يسيل من أذني الصمّاء.

سألته على خلفية نشيج انفجر فجأة: «هل قاوم؟».

ابتسم بهدوء. «كنتُ خلف تلك الستارة الشفافة. لم يُفاجأ، ولم يستسلم على الرغم من هجوم سبعة جلادين عليه. لو لم يكن خلفه نديمه الخاص محمود آغا زال، لفعل ما هو أكثر من تكسير

أذرع الجلاديـن المنتخبين مـن عناصر الهـلال وفكوكهـم. كان يصرخ نحو المكان الذي كنـت فيه: أنا لم أقتـل محمداً... لا علاقـة لي بموته يا أبـي... لا أدري إن كان قـد رآنـي أو انتبـه إلـي... ولـم أكتب تلك الرسـائل يا أبي أيضـاً! لا تفعلها يا أبـي... لا تفعلها... لقد أشـفق على جلاديـه يا وهيمي. رأيتـه... رأيت هـذا بعيني... لم يحاول سـلب أحد روحه... كيف يرحم الإنسان جلاده؟».

قلتُ: «إنه إنسان أصيل ورحيم». وصمتُ فترة.

قال لي سـلطاني وهو يبتسـم ابتسـامة منهكة: «ابحـث بماركوس أوريليـوس يا وهيمـي». وظهـر في عينيـه نفطيتـي اللـون تعبيـر الحزم والشـموخ. «ما الذي ينجـم لدينا عندمـا ندقق بقطعٍ تشـكّل بنيـةً كاملة كل قطعة وحدها؟ هـل نفهم الكُل، أم ننسـحق أمامَ أسـرار عصية على الفهـم؟ مـا هـي طبيعـة الأشـياء؟ هـل الحجر قـاس فقـط؟ هـل الماء رقراق وانسـيابي؟ اسـأل جسـدك المتفتت عندمـا يجرفه السـيل الهادر ذات ليلـة... فكّر... ومـاذا عن الإنسـان؟ ما هو شـرح طبيعة الإنسـان يا وهيمـي؟ مـاذا يفعـل الإنسـان الطمـوح حيـن يقـع بفتنـة المرائيـن، وينجرف بشـغف السـلطة؟ وكيف تتصرّف معه؟ اذهب إلـى قبر جدي ولي بيازيد، وفكر... فكر ثم حاكمني...».

«هل كانت الأدلة قاطعة إلى هذه الدرجة يا سلطاني؟».

انزلقت زاوية شـفته، وتظللت: «الحقيقة بحر يهيج بكذبات صغيرة يا وهيمي... أحياناً ترى أن الحلول قد نفدت».

«ولكن الإنسان يخطئ أحياناً يا صاحب العظمة!».

«اقـرأ مكيافيللي يا وهيمي، هذا مـا يظهر هنا: هـل أن تكون محبوباً أفضل مـن أن تكـون مرهوبـاً؟ أم أن تكـون مرهوبـاً أفضل مـن أن تكون

محبوباً؟ يمكن أن نجيب على هذا السؤال بأننا نريد الحالتين. ولكن، بما أننا من الصعب أن نجمع بين الحب والخوف، وإذا كان لا بد من اختيار أحدهما، فأن تكون مرهوباً أكثر أمناً من أن تكون محبوباً. لأنه لوحظ أن الناس بالعموم لا يشكرون على النعمة، وغير موثوقين، ويهربون من الخطر، ويتحرقون لتحقيق المكاسب، ويرتبطون بك طالما أمّنت لهم مصالحهم، ومستعدون للتضحية بأرواحهم وأولادهم طالما كان الخطرُ بعيداً، ولكنهم سيديرون ظهورهم عندما نحتاج إليهم حقيقية...».

«خلق الله الإنسان في أحسن تقويم يا سيدنا...».

«ولكنه أوقع نفسه في أسفل السافلين يا وهيمي...».

أطرقت برأسي، وسألت بصوت خفيض: «ذكرتم محمود آغا زال قبل قليل. هل كانت له علاقة بهذا الأمر؟».

تحدث سليمان خان دون أن يهرب بعينيه: «كان مصطفى يصارع جلاديه محتمياً به. إذا لم يساعده، فلا يتوقع منه أذى بعد صداقة دامت سنين طويلة... ولم ينتظر منه هذا... إنه يعرف مصطفى منذ طفولته. عندما تحول الصراع لصالح مصطفى بسرعة، أنزل محمود زال السهم الذي كان يخبئه خلف ساقه في رقبة ابني من الخلف. وهكذا انتهى الصراع».

قلت وأنا أخشى من لفظ الكلمات: «محمود زال الذي كان يحب مصطفى خان إلى درجة أنه يفديه بروحه».

«ظهر أنه يحب الوزارة أكثر».

كأن لساني ارتبط فجأة. سألت متلعثماً: «هل منحتموه وزارة؟ صار وزيراً مقابل قتله فريداً في عالمه؟».

هز حاكم العالم رأسه ببطء.

«حتى الخليفة يزيد لم يرحم قاطع رأس سيدنا الحسين المبارك، وأنتم تجعلون قاتل ابنكم وزيراً؟».

صمت...

«لم أنظر هذا الصباح إلى وجهي في المرآة يا وهيمي... انغرزت عيناي في أعماق المرآة، ولكنني لم أستطع أن أدير نفسي... برأيك، ألست أرى أن الانتصار الذي حققته بقتل ابني هو في الحقيقة هزيمة؟».

لم أقل شيئاً. لم أستطع أن أقول شيئاً أيها السادة. لم أستطع أن أقول تلك الكلمات المعتادة الممجوجة حول عظمة مسؤولياته في سبيل بقاء الأمة والدولة. لم أستطع أن أقول: لقد رأى الجميع عقوبة من يستهين بسلطان مظفر ما زال جالساً على عرشه. لم أستطع أن أقول: سيرى الجميع عاجلاً أم آجلاً أنكم قدمتم تضحية عظيمة بابنكم من أجل سلامة الدولة والمسلمين. ولم أستطع أن أقول: بتعيينكم السافل محمود زال وزيراً، فأنتم تثبتون كيف تكرمون الخونة الذين يلقون عدوكم تحت قدميكم حتى لو كان هذا العدو ابنكم!... لم أستطع أن أقول شيئاً نهائياً لأنكم من المحتمل أنكم قلتم كل هذا بالنيابة عن الجميع، أليس كذلك أيها المفتي العظيم حضرة «أبو السعود» أفندي؟

III

نعم يا سيدي، بعد عصر اليوم نفسه بدأ الهدير. اعتقدت أن الأرض قد زلزلت، ولكنني لم أهتم. شحذت خنجري وسيفي، وارتديت درعي البرونزية. روحي فداء سليمان خان، ولكن هناك أشخاصاً يجب أن أحاسبهم. فقد تمادوا كثيراً، وفقدتِ اللعبة طعمها.

بعد أن أديت صلاتي منفرداً في خيمتي، دخلت بين الإنكشاريين

المحيطين بالخيمة السلطانية. حين رأوني أفسحوا لي الطريق باشمئزاز وخوف. لا يا سيدي، لم أكن سوى مراقب في تلك اللحظة، مراقب تمنطق بسيفه...

شيء ما شد انتباهي أو أدهشني يا صوقولو باشا؟ آه من الماضي، ولكنني أشعر بأنني فهمت ما تريدونه من تعبير الحزن الذي يبدو في عينيكم الآن. نعم، رأيت واحداً ظهر قربي عند انفصال الباشاوات والضباط رفيعي الرتب عن الجنود وسط الحرس الخاص المحيط بالخيمة السلطانية. كان مسلحاً بسيف فقط مثل قائد كتيبة عادي، وعلى رأسه قبعة. حيّاني بهدوء حين رآني، ثم غاب بين الجنود.

في الحقيقة، تذكرت هذا في ما بعد؛ بعد زمن طويل جداً. ولكنني ما زلت غير واثق مما إذا كان هذا يمكن اعتباره دليلاً واضحاً أم لا. نعم يا سيدي، أعرف أنكم تقصدون الوزير الثاني محمد باشا قرة بسؤالكم عن شيء ما لفتَ نظري. بالتأكيد يا باشا، يجب أن يكون قرب سلطان السلاطين في تلك الدقائق الفظيعة. لا شك في هذا... ما لم أتأكد منه طوال تلك السنين التي مرت هي نيته. هل كان سببُ وجوده بين الجنود تهدئتهم وإعادتهم عن الخطأ، أم مشاركة المحرضين؟

لم تكن آلية عمل عقلي كما هي مع الأسف في ذلك الحين؛ بسبب الدخان الذي استنشقته في ذلك اليوم، وكنت أشعر بأن أذني تنزف دون توقف، وبأن جروحي السابقة كلها بدأت تؤلمني. لا أدري، كما أن هذه الذرائع لا تُقنع صاحب تجربة مثلي، ولكن مع الأسف، هذا ما حصل في ذلك اليوم، وذلك الوقت.

انضم جنود الخدمات الثقيلة وبعض المجموعات الكبيرة والصغيرة في ذلك اليوم إلى الإنكشاريين الواقفين خلف الحرس

الخاص وظلوا معهم حتى المساء. كان يصدرُ صوتُ واحد، وتطلقُ رغبة واحدة: عُزِل الصدر الأعظم رستم باشا. وتحقق ما أرادوه. عُزل الباشا بعد صلاة العشاء. ومن المؤكد أن خنق ثلاثة من عناصر الهلال المهمين في خيامهم وسط تلك الفوضى ساهم بتهدئة الأمور.

أتسألون عن القاتل؟ طبعاً، إنه أكبر قاتل عاش في هذه الجغرافية... أي أنا...

لم يكن وجهي البائس البشع هذا مختلفاً كثيراً في شبابي أيضاً. ولكنني أبث الرعب دائماً بالناس بعيني المصابة المدسوسة فيها كرة زجاجية، وأذني الصماء التي لا عمل لها، وحدبتي الخفيفة، وجسمي المنكمش الذي يجعلني أبدو وكأن جنياً تلبسني. ولكن الأحداث المخيفة في تلك الحملة لم تتوقف عند هذا. بعد صلاة الجنازة، ودّع الجيش جثمان مصطفى خان بمراسم رسمية، ثم انطلق جيش الرحمة والعدالة بعد صلاة العصر بساعة.

وجدتُ وقتاً كافياً أقضيه مع الأميرين سليم وجيهان غير في الطريق إلى حلب. كانا حزينين جداً؛ حيث لا يمكن الشك بصدقهما. ولكننا جميعاً لاحظنا أن وضع جيهان غير كان مختلفاً تماماً. فقد اختبأ الأمير جيهان غير وسط ظلام يتجاوز المأتم المعتاد.

كان يصطاد معنا عند الغروب الذي يرقّط الجبال البنفسجية، ويرتاح عند رؤوس الينابيع، ويتجول في الغابات التي يضربها الخريف بصمت. كان يتصرف وكأن مصطفى خان بيننا، ويتحدث عنه دائماً بالفعل المضارع. وكأنه خرج في رحلة طويلة، وسينضم إلينا قريباً جداً من خلف السهول الشهباء والجبال المثلجة. حينئذ، بدأنا نتصرف مثله أيضاً. يمكنكم أن تتوقعوا بأن هناك سلواناً ما في ذلك التصرف، ولكننا لم ننتبه إلى الجانب المَرَضي فيه.

أفكّر الآن بأن رغبتي بالانتقام وقلقي المتجاوز حالة الحزن منعاني من الانتباه إلى وضع جيهان غير خان. كان عناصر الهلال بعيدين عني، وأنا بعيدٌ عنهم، ولكن الأفنديين أرطغرول وعمر فهمي من رجالي القدماء لم يبارحاني لحظة. كان عمر فهمي يدور حولي على الرغم من تقدمه بالسن، ويبدو مكتنزاً ولكنه حازم كفهد متحفز للانقضاض على عدوه وبث الرعب فيه. وهذا أيضاً عاش طويلاً، ولم تمض سوى ثلاثة أشهر على وفاته. أما أرطغرول فقد كان هادئاً تصالحياً. وكان أكثر من ساهم بالنشر بين الجنود بأنني بريء من الفجيعة التي حدثت خلال فترة قصيرة. خسرته أثناء حملة سيكتوار. رحمهما الله، فقد كانا دائماً صديقين حقيقيين جيدين.

وبفضل هذين الرجلين، ما إن وصلنا إلى مشتى حلب في الأول من ذي الحجة حتى ارتفعت مكانتي من جديد. أصلاً، القليل من القرب يكفي أعور فَقَدَ سمعَ إحدى أذنيه. كان المحاربون يزورونني جماعات، ويحدثونني عن أيامهم الخوالي، ويستشيرونني بما يجب أن يكون عليه موقفهم في قضية مصطفى خان. من المؤكد أن نصيحتي لهم كانت دائماً الاعتدال. خاصة أن القلق بين صفوف الجنود يعني تحوّل الجيش إلى مثار سخرية للعدو لا سمح الله. وقد عُزل رستم باشا، وتحقق الهدف الحالي.

لم يعد شيء كما كان مع الغرناطي. فقد صار الناس يشعرون نحوه مثلما يشعرون نحو أي جلاد غجري. لم أستطع تقبّل خطئه في قضية نظامنا إلى هذه الدرجة. هذا يعني أنني لم أعرف الناس كما يجب. لا يُغفر لي خطأ كهذا.

طلب الغرناطي لقائي عدة مرات، ولم أستقبله. كنت أتوقع أن

اندفاعه وردّة فعله السريعة سيؤديان به إلى خطأ فادح ذات يوم. ولكنني لم أدرك أبعاد هذا الخطأ.

ذات ليلة باردة جرّت مياه أمطارها سيول الوديان القريبة والغابات، قال لي سليم خان: «من المفيد أن يتجدد التنظيم كل فترة. لأن القوة الكبرى المتشكلة تسحق المعايير السابقة؛ حتى لو كان ذلك عن غير قصد».

كنا قد تناولنا عشاءنا معاً في خيمته بجانب الموقد الحجري، وتناول الحلويات. لم أدرك ما إذا كانت نيته بهذا الكلام أن يسليني أو يوقفني عند حدي. تابع قائلاً: «دعمي لك غير محدود في هذا الأمر. ولكنني أعرف إلى أي مدى أنت جارح عندما تغضب يا وهيمي. إذا ارتخى جنزيرك قليلاً فلا تعترف بذلك حتى لأبيك. لهذا السبب، لا تقدم على أي عمل دون استشارتي. وأنا أحذّرك منذ الآن حول المشاكل التي من الممكن أن نعيشها بشأن العرش بعد مصطفى خان. لا أجدُ وقوفك مع طرف علناً صحيحاً. يمكن أن تجد رأسك على رأس حربةٍ في وقت لا تتوقعه. جناب الحق سيقدّر من يكون الوريث الطبيعي للعرش، وحسب التقليد التركي القديم ليس علينا نحن العبيد سوى الرضوخ».

شعرتُ بأن وجهي قد شحب. تحدثتُ وعيني على الأرض: «لم أكن مندفعاً في سبيل منافع الدنيا الفانية يا أميري. أنتم تعرفون جيداً أنني دائماً أدافع عن الحق والعدل. ومن الآن فصاعداً أيضاً سأفعل ما أعتبره صحيحاً، وأقف إلى جانب ما أراه حقاً. وإذا كُتب لنا أن نرى العالم من فوق رأس رمح، فلا اعتراض على قدر الله».

«أليس لكلامي قيمة عندك أيها الشيخ؟».

«حاشا، كلامكم بالنسبة إليّ كنز يا سيدي، ولكنني لست حيواناً يربط بالجنازير. أنا مجرد فانٍ واثق بأنني سأبقى بأمر ميزان العدالة طالما بقي متوازناً. لا يمكن التفكير أو القبول بعكس هذا. وإذا أردتم الحقيقة، فإنني سأكون مشغولاً كفاية بشؤوني الشخصية خلال الفترة القريبة...».

تابع سليم خان بنبرة صوته المتوازنة الحادة: «أعرف أن قلبك يميل لبيازيد بعد وفاة مصطفى؛ لأنه يذكّرك بشباب والدي. إنه أمير متوازن وذكي ويحب الشورى».

«في الحقيقة، لقد استهجنت كلامكم هذا قبل أن تبرد جثة مصطفى خان يا أميري. أنتما أخوان من الأبوين نفسيهما. وبالتأكيد، إنّ أبويكما سيختاران أحدكما». في الحقيقة، إنني لم أستهجن الأمر. كان سلطان سلاطين المستقبل يستدرجني بالكلام فقط، وكان منتبهاً إلى أن السلطانة خُرّم ستكون إلى جانب بيازيد.

ظهر على وجهه في تلك اللحظة تعبير الخجل: «لا ضرورة للدهشة يا وهيمي. أنا منتبه إلى أن الطرف الذي تقف إلى جانبه سيحظى بقبول عام».

«حتى مصطفى خان كان يفكر على هذا النحو. ولكنكم الآن تمتطون الجواد المدهش الذي كان يمتطيه في زمن ما. وسمو الأمير مدفون قرب تربة مراد خان الثاني في بورصة».

غاب تعبير التحبب الخفيف الذي كان على وجه سليم خان، وتنهّد بيأس. بعد فترة طويلة قال: «قصدت بالقبول العام قبول الجيش ورجال الدولة. أعرف أن الوقت مُبكرٌ على الحديث بهذا الأمر، ولكننا إذا أسرعنا، فلن نقع بالمشاكل».

«كما بينتم قبل قليل، من المفيد أن نسلّم لجناب الحق يا سيدي».

قال فجأة: «أنت تعرف أن الشك يحوم حولك بمقتل عناصر الهلال».

هززت كتفي: «وأعرف أن هذا أعده ذكاء كبير ومكر قبل زمن طويل يا سيدي. من يعلم؟ لعلني فعلتها. ولعلني هكذا بدأت بتصفية التنظيم الذي أسسته...».

تابع وكأنه لا يستمع إلي: «هذه الدولة بحاجة إليك أنت وعناصر الهلال. يجب أن تنتهي البرودة بينك وبين كمال، وتعودا للعمل بشكل منسجم كما كنتما من قبل بأسرع ما يمكن».

«يا أميري، الذين أعدوا لهذا الأمر وضعوا بحسابهم الصراع والانقسام المحتمل، ولكنهم نسوا أن حدَّي السيف قاطعان. أُبعد راعيهم رستم عن السلطة. فاتح تمشوار أحمد باشا قرة الذي عُين مكانه رجل عالم وفاضل، ولديه مستوى عالٍ من المعلومات والتجربة العسكرية. ولكن رستم باشا بدأ نشاطه الهدام ضده فوراً. من الواضح أنه لن يقبل أن يكون وزيراً عادياً تحت القبة. ما أخشاه هو أن يشعر أحمد باشا قرة الذي لا باع له بهذه الألعاب القذرة باليأس خلال فترة قصيرة. آه يا أميري، لو لم يكن رستم باشا زوج السلطانة ميهريماه لدفع ثمن ما فعله هذا كله في ليلة واحدة...».

نظر إلى وجهي بطرف عينه وهو يبتسم ابتسامة خفيفة: «أنت لا تُنجز عملاً دون فتوى يا وهيمي!».

«نعم يا سيدي. ولكن ثقل كلماتي ناجم عن عظمة ألمي».

كان سليم خان يرتدي البروكار والحرير المذهب، ومسح كرشه

التي يفتقد إليها أخواه الآخران، ووضع زبدية الحلو على الطاولة. نظر إليّ بتعبير المتردد الذي يرافقه دائماً، وسألني: «ألا تفكر بإمكانية وجود علاقة معنوية بيني وبين زوج شقيقتي رستم باشا عندما تقول هذا؟ ماذا لو نقلت له هذا الكلام؟».

نظرتُ إلى بؤبؤي عينيه، وابتسمت: «سؤالكم هذا إذلال لي يا سيدي. لم تعرفوا بأنني لا أخاف أحداً، وها قد عرفتم الآن. رستم باشا هو قاتل شقيقكم، ويستحق أكثر من العزل».

بقي سليم خان صامتاً. تناول قطعة حطب من جواره، وألقاها إلى الموقد الهادر. اختلط الشرر المتدفق مع رائحة الحطب الرطب، وانتشر في الهواء.

قال بعد فترة: «لا يهدأ الشعراء. إنهم يتمادون، ولا أحد يردعهم. أتحدّث عن الشعراء الكبار على مستوى الإمبراطورية والآخرين الصغار والمتوسطين. صاروا يؤلفون المراثي لمصطفى خان. بعضهم ينتقدون والدي بحدة لا يمكن قبولها. وعلى رأس أولئك الشعراء فنوني، وناظمي الأدرني، ورحمي، ومصطفى، ومُعيني، ومُدامي، وسامي، وفاضل الأسمر، ونسائي، والشيخ أحمد أفندي خيالي، وسليمي، وقادري».

أطرقت برأسي قليلاً، وقلت: «سليمان خان رحيم على الفنانين، وهو يعمل الأفضل دائماً. وهذا ما يليق بسيد العالم. ويأتي يحيى بيك طاشليجالي في مقدمة الشعراء الذين تتحدثون عنهم. لا بد أن تكونوا قد سمعتم مرثيته الشهيرة».

هز رأسه ببطء: «سمعتها، ولكنني لم أجد القوة التي لدى والدي لأسمعها إلى نهايتها».

حينئذ بدأت بإلقائها دون أن يطلب مني:

«مَدَدٌ مَـدَد، لقد انهـار طرف من العالم

مجـرمو الأجـل أخذوا مصطفى خاننا!

خُسف وجهه القمري، وغضبت الأركان

ألبسـوا الذنب بالحيـلة لآل عثمـان

افتـراء كـاذب أسفر عن حقـد دفيـن

أسـال دموعنـا، وأشعل نـار الفـراق

يا ليـت عيـني ما رأت ذاك الحـدث

ولـكـــن مـــع الأســـف لقـد رأتـــه

لا تمرروا دم أخينا دون ثأر كنسيم الصبا

فقـد أهانوا سلالة سلطـان سلاطيننا

من رأى ومـن سمـع أمـــراً كهـذا؟

حـاكِمٌ كعُـمَرَ يـزهق روح ابنـه!

اللهـم اجعـل مثـواه الجنـــة

واحفظ لنا منظّم العالم سلطان سلاطيننا!».

قال سليم خان: «ولكن أبيات سامي أشـد إيلاماً». وبدأ يروي من ذاكرته المدهشة القصيدة التي انتشرت بسرعة مذهلة خارج اسطنبول:

«أهذا هو الحب إذا كنت محباً؟

أهذه شفقتك على ذي قلب كقصر؟

سفكت دم ابنك بالحيلة، فهل هذه هي الحقيقة؟

وما العداوة إذا كانت هذه صداقة؟

هل الخلافة سفك دون سبب؟

بدلاً من أن تنتقم من تلك الحميراء،

قتلت روحك، فهل يستحق ابنك هذا؟

لا يجوز أن يكون الانتقام من أجل ملك دنيا،

لمن سيؤول التاج والعرش؟ ولمن هذا الملك؟

ألا تعلم يا سلطان السلاطين من تسبب بهذا؟

سقطت قطرة ندى الورد على الأرض

ألن يحترق قلبك عندما تشعر بالفراق؟

أهذه هي الرجولة يا سلطاني...

أنت سلطان سلاطين، ألا تخشى الله أو تحذره؟

ما الذي فعله مصطفى يا سلطان سلاطيني؟».

أبكتني أبيات سامي هذه، وتسامح سلطان السلاطين العظيم معه أيها السادة. وأكثر مما كان يحدث لي في الزوايا حيث أختبئ. سيتذكر سيدنا سليم الثاني جيداً أنني كدت أغرق بدموعي كطفل في حضرته.

IV

بعد ذلك، فتحتُ حديث حالة التشاؤم التي تلبست جيهان غير خان. لأنه صار يمضي ساعات طويلة على سجادة الصلاة دون أن يتحرك، ولا ينبس بأي كلمة، وقد تقوس جسمه الطويل النحيل الضعيف أساساً كشجرة صفصاف عجوز.

كانت علامات القلق المزمن ظاهرة عليه. شهدت أزمات نفسية

تجعل الإنسان يشيخ بسرعة، ولكن تلك الحالة كانت حرجة جداً. فقد كان تنفُسُه وضرباتُ قلبِه غير منتظمة إلى درجة مدهشة. وكان يتكلم بحشرجة تشبه الهمس وكأنه ينادي من زوايا عالم بعيد مختلف. ومن الممكن ملاحظة حالة البرد المرضي والجفاف بسهولة في بشرته. ارتخى جلده، وظهرت بقعة حمراء غريبة تشبه الوحمة على فخذه.

ولكننا شهدنا باستغراب أن الوحمة غابت بعد أن صحا من غيبوبة دامت ستاً وثلاثين ساعة. ولم يتمكن كبير الأطباء الهرم محمد أفندي بدر الدين من إخفاء دهشته إزاء هذا الوضع. غير هذا، فقد اختفت الحشرجة من صوت الأمير. ولكنني عندما عدت من سهول حلب الشهباء المبتلة بعد عاصفة قوية مع رجالي المتزايد عددهم يوماً بعد يوم إلى حلب المدينة، عرفت أن الأمير عاد يتكلم مع الحشرجة الغريبة. وعادت البقعة إلى فخذه أيضاً. كان الأطباءُ يائسين.

قال لي سليم خان في الليلة ذاتها: «هناك حقيقة لا يعرفها أحد يا وهيمي!».

سألته ومعدتي تتشنج من الهلع، وقيود النار تُضرب على مجاري تنفسي: «ما هي يا أميري؟».

«الحقيقة التي سأحدثك عنها هي التي جعلت جيهان غير على هذه الحال!».

«سمعت أن الأمير كان في خيمته يقرأ كتاباً أثناء الحادثة».

عقد سليم خان يديه على صدره، واتكأ على مخدة مملوءة بريش الببغاء. «جيهان غير كان قرب الخيمة السلطانية على عكس ما هو شائع. وعندما سمع أصوات الصراع شهد جزءاً من تلك المقاومة شبه

الأسطورية على الرغم من تدخل الحرس».

كنت مبهوتاً: «ولكنه لم يقل شيئاً قطّ. سألته أسئلة كهذه لأنني شككت بالأمر، ولكن السكين لا تفتح فمه...».

تنهد سليم خان، وقال: «إنه لا يتكلم. لن يتكلم كلمة واحدة بهذا الخصوص... ولكن هذا سيئ. إنه يعيش الحادثة في داخله مرات ومرات».

«حسنٌ، كم شهد منها؟».

«كان مصطفى خان يتملص من الحبال بحركات مرنة مرة تلو مرة. ومن يقع بجهالة الاقتراب منه كان يكسر عظامه بضربات سريعة وسديدة؛ حيث لم تذهب أي منها سدى. حارب بمهارة حتى اللحظة الأخيرة. والأهم من هذا أنه كان بارداً ومتيناً كقطعة حديد؛ إلى أن خانه محمود زال. لقد شهد جيهان غير بشكل مباشر سحب محمود قوسه، وشده لتسديد السهم في رقبة شقيقه من الخلف».

بماذا تفضلتم يا حضرة المفتي أفندي؟ أذني وعيني تعملان بصعوبة اليوم يا سيدي، مثل عقلي بالضبط... عفوكم. نعم، مع الأسف لم يستمر وضع جيهان غير هذا طويلاً. فقد ذوى بسرعة مذهلة أمام سليمان خان الذي يتخبط دون جدوى من أجل إيجاد علاج له، وأمامنا نحن الذين نحبه. أصلاً، كان ولداً ذا بنية هزيلة. لم يمكّنه وضعه من تحمل هزة وفاة شقيقه الأكبر الذي يحبه كثيراً، ويعتبره مَثَلَهُ الأعلى على هذا النحو. إذا أردتم الحقيقة، إن قتل مصطفى خان يعني إرسال جيهان غير معه إلى المقبرة.

ساءت حالته في التاسع عشر من ذي الحجة. مع أنه قضى قبل ذلك أسبوعاً وهو يأكل ويشرب القليل، وبدأ يتكلم بتعبير باسم. وكان

من نصيب الفقير لله أيضاً واحد من تلك اللقاءات الأخيرة. وهذا أيضاً من الأحداث التي تجعلني وثيقة مهمة في تاريخ الدولة العثمانية القريب يا أصحاب المعالي.

كنا قبل غروب شمس ذلك المساء -السلطان وأنا- عند جيهان غير خان. نظر إلى وجهينا بشفقة ذات لحظة، وقال بنبرته المتحشرجة وعلى وجهه تعبير محبب يخاطب المجهول: «حدث ما كان يجب أن يحدث. يعيش الذين يجب أن يعيشوا. يا وهيمي أورهون جلبي! لم تعد أنت وأبي شابين، وأعداء والدي أضعاف أعدائك الذين اكتسبتهم طوال تلك الأعوام. لا تتركه وحيداً! لملم تنظيمك! ولكن، قبل كل شيء لملم نفسك! أنت تشبه المجنون!». وضحك، وشاركته الضحك بامتنان وحب.

تابع: «تذكرت مقتطفاً من إراسموس دوّنه جدي ولي بيازيد خان في أحد دفاتره يا وهيمي. كتب: كل ما في نفس المجنون مكتوب على وجهه، ويقوله لسانه دون أن يخفيه. ولكن، لدى العالم بحسب يوروبيدس لغتان: واحدة من أجل قول الحقيقة، والأخرى من أجل تغيير لبوس الحقيقة أو إخفائها. لدى العالم فنُ إظهار الأسود أبيضَ والأبيض أسودَ. يخرج من فمه نفساً بارداً وحاراً في الوقت نفسه. وغالباً ما تكون أفكاره بعيدة جداً عن كلماته... أنا دائماً أراك على هذا النحو أيها الشيخ؛ معلماً حقيقياً... معلم الكلام والسلاح... ويد الرحمة الظالمة... ذئباً بفراء حَمَل... ولكنك وهيمي جلبي الكسير من طرف ما دائماً... كيف يمكن لرجل تلك النجاحات الكبيرة كلها أن يكون دائماً كسيراً من طرف ما؟».

ثم نظر إلى والده. كان بؤبؤا عينيه يضحكان: «الله هو الدائم يا أبي، لا تحزنوا على شيء. سيبقى الحزن هو الشعور الأقوى الحي

بين الناس حتى يوم انتهاء الدنيا وما فيها. لأن أعمدة الأرض كدر وسطحها دموع يا حاكم العالم... ماذا هناك أجمل من حب الله والتعلق به في عالم كل شيء فيه محكوم بالزوال؟».

قال سليمان خان وهو يبتلع نشيجه بصعوبة: «لا تتعب نفسك يا بني! ارتح!».

«أود أن أذكّرك بأمر صغير فقط يا حاكم العالم. تلطفوا بالموافقة».

«قل يا بني!».

«في إحدى الليالي التي خصصناها لقراءة كتب المؤرخ الشهير تاسيتُس كما كان يفعل جدانا مراد خان الثاني والسلطان محمد خان الفاتح في الماضي، قلتم إنه قال: تتفسخ الدولة أكثر حيث تكثر القوانين».

كأن حبات ياقوت ذُرِفت من عيني سليمان خان في ضوء الشمعدان البرونزي: «أذكر يا أميري».

«في هذه الحال، حافظوا على حساسيتكم بالمحافظة على جمع القوانين وتطبيقها بأفضل شكل... لأن الحماية أصعب من التأسيس!».

ثم قرأ الآية الثامنة والخمسين من سورة الفرقان: ﴿وَتَوَكَّلْ عَلَى الْحَيِّ الَّذِي لاَ يَمُوتُ وَسَبِّحْ بِحَمْدِهِ وَكَفَى بِهِ بِذُنُوبِ عِبَادِهِ خَبِيرًا﴾.

رد عليه سليمان خان بالآية الثلاثين من سورة فصلت: ﴿إِنَّ الَّذِينَ قَالُوا رَبُّنَا اللَّهُ ثُمَّ اسْتَقَامُوا تَتَنَزَّلُ عَلَيْهِمُ الْمَلاَئِكَةُ أَلاَّ تَخَافُوا وَلاَ تَحْزَنُوا وَأَبْشِرُوا بِالْجَنَّةِ الَّتِي كُنْتُمْ تُوعَدُونَ﴾.

كان هذا حديثي الأخير مع جيهان غير خان. عندما أبلغوني بعد منتصف الليل بأنه دخل سكرة الموت، كانت تلك هي المرة الأولى التي أنتبه فيها بقوة كبرى إلى كل ما عشناه على مدى تلك السنين، وإلى

تفوقنا الساحق في هذا العالم، وتوسعنا في ثلاث قارات، ونجاحنا القاهر في صراع النفوذ مع آل هابسبورغ، وسيطرتنا على البحرين الأسود والمتوسط، وكسبنا قلوب شعوب دولتنا بحساسيتنا نحو العدالة، وبالنتيجة أهمية هذا النهج الذي أضفناه إلى الأطلس الثقافي التركي. لأن منبع هذه النجاحات كلها هو تلك التضحيات الرهيبة.

في تلك الأثناء، كان ثمة شعور آخر يقبض قلبي. ماذا هناك أهم من الموت في هذه الدنيا التي نفقد فيها كل يوم أحباءنا أمام أعيننا واحداً تلو الآخر؟ يمكن أن تعتقدوا أن طرحي هذا السؤال على نفسي بشكل مستمر هو سبب حالة السأم التي عشتها. ولكن الصواب هو العكس تماماً. العيش مع التضحية لا يقترن بالنجاح فقط. فالتضحية تنير الحياة بقدر ما تنير الموت، وتنسل من الظلام والمعاني الهدامة.

V

توفي جيهان غير قبيل فجر اليوم التالي. ولكن الشمس أشرقت كعادتها كل يوم فوق شفق أشقر، والطيورَ غردت بانفعال كاليوم الذي خُلقت فيه معبرة عن سعادة جنونية، والمطرَ هطل بشكل خفيف منعش. خرج الجنود إلى تدريبهم اليومي، وعبروا عن شكاوى متشابهة هي مصدر نجاحهم، أُشعلت النيران تحت المواقد، وطُبخ الطعام، وأديت الصلاة، ثم انقلب النهار ثانية... كما يحدث منذ آلاف السنين... العالم لا يهتم لأفراح الإنسان وأتراحه وآماله.

نعم أيها السادة، أُرسلت جنازة الأمير جيهان غير خان في اليوم التالي بعد صلاة الجنازة إلى إسطنبول ليُدفن قرب قبر شقيقه محمد خان. وكما قلتم يا باشا، فقد فَقَدَ حاكم العالم رغبته مؤقتاً بزيارة

القدس والمسجد الأقصى التي خطط لها منذ بداية الحملة، وذكَرها مرات بسعادة.

نُظّمت رحلات صيد كبيرة إلى جوار حلب على مدى خمسة أشهر. وبفضل هذا، قضى الجنود شتاءً مريحاً نسبياً. كان سليمان خان يلاحق الطرائد على صهوة جواده بمتانة مدهشة على الرغم من عدم تناوله وشربه أي شيء تقريباً. لم يستمع لنصائح الأطباء في موضوع جرحه النازف دائماً في رجله اليمنى، والذي تسبب بمرض النقرس. لم نستطع رغم كل محاولاتنا إقناعه بالاستراحة.

عاد مرض ارتفاع الحرارة الذي أصيب به إثر وفاة الأمير محمد خان يزعجه في الليل. ضعف بشكل ملحوظ، ولكن ظرافته وقوته ظلتا كما هما والحمد لله. ولم يتراجع عن الهجوم على الصفويين. كان إيمانه تاماً بأن حزمه وعزمه على القتال سيفيدانه خلال فترة قصيرة. ونحن كنا ندعمه.

كمال الغرناطي؟ بعد وفاة جيهان غير خان اختفى كمال مع مجموعة من عناصر الهلال. لا، لم نكن على علم حينئذ بدعوة الأمير بيازيد خان له، وقبوله لها بامتنان، وابتعاده دون أخذ إذن من أحد. عمل ما يليق به، لا أستطيع القول إنني استغربت تصرفه. لم يعد يختلف عن اللصوص المنفلتين المتقدمين خلف الجيش، ولعله لم يكن مختلفاً في أي وقت.

بالتأكيد يا سيدي. لا شك أنه مفيد لبيازيد خان. ولكنني أحترم الذكاء والموهبة حتى لو كانت لدى عدوي. كان خطئي أنني اعتبرت «كمال» ابني الذي لم أرزق به، ولكنه لم ير تقاربنا سوى من منظور مهني. إيه، الجميع يخطئون يا سيدي. مع الأسف، لقد فهمت متأخراً

جداً تنبيه سيدنا علي القائل: «الحق لا يُعرف بالرجال، اعرف الحق تعرف رجاله». كلامي جاء متأخراً أيها المبجلون، لا ترهقوا أنفسكم بفهمي.

غادرنا حلب في 6 جمادي الثاني عام 961. كان وضع سليمان خان أفضل بكثير عندما وصلنا إلى ديار بكر بعد شهر. جمع ديوان الحرب في موقع (تشولك). رأيناه مرتدياً درع مصطفى خان من كوبالت هيبرنيا المدهش حين وقف يومئذ أمام الجنود. السيف المرصع الذي تمنطق به هو للأمير محمد، والحزام الفضي ذو المرايا الذي يلف وسطه لجيهان غير خان. كانت نظراته حادة، وحركاته حازمة وغير مهادنة كحركات السلطان سليم الجبار. كان منتبهاً لغضب الجنود؛ لهذا انتصب أمامهم جامداً كتماثيل اليونان بمظهر الذي لا يُهزم لكي يطيب خاطرهم، ويرفع معنوياتهم.

قال كلمات سيطرت على قلوب باشاواته وقادة مجموعاته، وألبس كلاً منهم عباءة، ووزع إكرامياتٍ على جنوده، وأمر بإعداد موائد الولائم. ألقى كلمة مؤثرة جداً بيّن فيها أن تجاوز القلق الذي تشهده الدول العظمى في تاريخها لا يتم إلا بالصدق والولاء والتضحية، وفي نهاية ساعة مرت كالماء تبدد جو السأم الذي كان يلف الجيش نتيجة وفاة مصطفى خان وجيهان غير خان المتتابعتين.

«... يا عسكر الإسلام، أنتم تتقدمون الآن عابرين الجبال والسهول والوديان، حاملين على ظهوركم ما يقارب سبعين أوقية. يكاد يقصم ظهوركم العتاد المؤلف من حقائب العدة، والأحزمة التي تضغط على لحمكم، ومحافظ الدرع الاحتياطية التي تجرح برشيمها خصوركم، ورماح خشب المُران والقرانيا، والأسياخ، والأطباق،

والمطحنة اليدوية، وحجر المسنّ، وحجر القدح.

تتعبون نتيجة ثقل أدوات الخيام، والفأس، والمجرفة، ورؤوس السهام المحفوظة بجلد الماعز المدهون بالزيت، والسكين العريضة والرفيعة، والسيوف والخناجر التي تُدهن مقابضها ليلاً بزيت القنب، وزادكم المؤلف من طحين كثير ولحم مقدد وبقول، والأهم من هذا كله قُرَب المياه التي لها دور حياتي في هذه المناطق الجافة.

تسأمون من اضطراركم إلى تلميع دروعكم وتروسكم بالرمل والزيت كل ليلة من أجل المحافظة على نظام الجيش فقط. تضعون في نعالكم أو أحذيتكم العسكرية أرضيات داخلية ناعمة، وعندما تتفتت، تملأونها بالقطن الاحتياطي الذي تحملونه. أعرف أن هذا أيضاً ينهك أقدامكم. تدهنونها ليلاً بعقاقير نباتية مثل لبان الصنوبر، والقربيون، والمنقوع، وزهرة القمعية، وتلفونها بقماش الكتان، وعلى الرغم من هذا تعكر أمزجتكم عندما تستيقظون صباحاً وتجدونها متورمة.

بعدئذ تنظرون إليّ وإلى باشاواتي وقادتي، وتقولون: لو عانوا مثلنا فهل كانوا سيصرون على حملات الشرق؟ فهم على خيولهم الأصيلة برفقة حرسهم الخاص. أما سلطان سلاطيننا فيركب في بعض الأحيان العربة السلطانية. يطالبوننا بأمور كثيرة على الرغم من أنهم لا يتعبون مثلنا...

نعم، أنا أعرف ما تفكرون به يا أبنائي. غير هذا، أنتم لم تتقبلوا فكرة التوجه نحو الشرق في أي وقت. اعرفوا أننا نحن أيضاً هكذا. المجيء إلى العذاب هنا وترك التفاحة الحمراء يشعرنا جميعاً بالبؤس. ولكننا لم نأت إلى هذه الطرق من أجل أنفسنا. سنمتطي صهوات جيادنا ونمتشق سيوفنا ما دمنا على قيد الحياة. نحن جنود الإسلام. هل

نصمت إزاء المفتنين الذين يتطاولون على ديننا ووحدتنا، ويستخدمون الجميع حتى ابني من دمي في هذا السبيل؟ لا... لا... لنذهب إلى الشرق، ولنحاسبهم على قتل كل أبناء وطننا هناك...

ها أنا أعطيكم وعداً، من اشتاق لبيته وامرأته وفراشه الدافئ فيمكنه الانفصال عنا بأمان. لن يُحاسب أحد، ولا أحد يقلق على راتبه لأنه لن يُقطع. هذا الوعد فرمان سلطان السلاطين. يخرج من فمه مرة، ولا يمكن التراجع عنه. ولكن، اعلموا أنني لست عائداً؛ لأن الحياة الحقيقية عند الله. وراحتنا هناك. أولويتنا نصر دين الإسلام، وتأمين راحة المسلمين، وعمل ما باستطاعتنا في هذا السبيل. وعند اللزوم، فنحن نقضي على من هو قطعة من روحنا...».

صمت سلطان السلاطين في هذه النقطة لحظة.

«ونقدم أرواحنا دون تردد؛ لأن ما سيحدث مقدّر ومكتوب لنا في اللوح المحفوظ. بالنتيجة، من يفهمنا ويحبنا فليلحق بنا، وليخرج، وليذهب من يريد!».

كان سلطان السلاطين حاكم العالم محقاً. كان الشاه بانتظارنا، وسنعمل اللازم في النهاية، وستغدو دولة الصفويين بإذن الله مجرد تاريخ، وستغلق قضية الشرق نهائياً. بعدئذ، هات يدك يا روما... سيتم الانطلاق بحملة كبيرة نحو قلب المسيحية التي زيّنت أحلام الأجداد والباشاوات العثمانيين المشاهير كلهم وصولاً إلى إبراهيم البرغالي، وتخليص العالم من ظلم الفاتيكان.

عندما وصل الجيش إلى نواحي قارص خمد انفعاله ونشوته التي كانت قد خيّمت عليه. بدأ الشاه يرسل رسائل عجيبة تتحدث عن السلام والأخوّة. أذكر جيداً الغضب الذي اجتاح سليمان خان. خرج

أمام الإنكشاريين المتذمرين غاضباً وهو يلوح في الهواء بصولجان يبهر العيون بثقله، وطالب بمن لديه كلام أن يقوله في وجهه، وأنه سيصارع من لديه معه خصومة وحده، ولن يحدث شيء لمن سيتغلب عليه. بعدئذ خيّم صمت الموتى على الجنود.

مع أول أشعة صباح الليلة نفسها وجد الإنكشاريون خمسة عناصر أساسيين منبوذين من الهلال يسيرون خلف الجيش مشنوقين في الساحة ووجوههم متجهة نحو مدينة خيامهم. لم يسأل أحد عن شيء، وأنا لم أقل أي كلمة في هذا الموضوع.

في الثاني عشر من شعبان دخلنا ريوان، وفي السابع والعشرين منه دخلنا نهجيوان دون أية مقاومة. لم تكن أمامنا حتى طلائع الجيش الصفوي. كان غضب سليمان خان عظيماً في هذه المنطقة، ونحمد الله أننا انتقمنا لولاياتنا الشرقية. كان الشاه يرسل رسالة وراء رسالة، ومبعوثاً خلف مبعوث، ولكن سليمان خان كان يمزق تلك الرسائل بحدة لم نره عليها من قبل دون أن يجد ضرورة لقراءتها، ويرميها.

استمر بالتقدم بالجيش نحو داخل إيران بقسوة لم أشهدها إلى اليوم. كنا منتبهين إلى أن سليمان خان لا يمكن أن يتصرف بطريقة أخرى. لأن أي ذرة رحمة مع طهماسب ستعود على أراضينا خراباً ومجازر كبرى قبل مرور وقت طويل.

أخيراً، تمت العودة إلى أماصيا بتاريخ الثالث من ذي الحجة عبر طريق أرضروم سيواس من أجل العودة للهجوم على إيران في السنة التالية. قضاء سلطان السلاطين الشتاء هناك أجج مشاعر الجميع لأن سيواس سنجق المرحوم مصطفى خان.

نعم يا سيدي، إنكم تصيبون عين الحقيقة. سيُقبل السلام مع إيران

في حال قبولها شرطاً كبيراً واحداً. عدم الاعتداء مجدداً على ولاياتنا الشرقية، أو سيواجهون خراباً أكبر من الخراب الذي عاشوه الآن في الربيع القادم. وسيبقى هذا الأمر على هذا النحو حتى يغدو العيش غير ممكن على الأراضي الإيرانية، ولا تستطيع السلطة الصفوية الاستمرار. وُقِّع هذا الشرط بموجب اتفاقية أماصية المؤرخة في 11 رجب 962. وبموجب الاتفاقية تُتْرَكُ العراق وأذربيجان الغربية ومركزها تبريز لنا.

VI

بلى يا سيدي، عاد حاكم العالم في 12 رمضان من العام نفسه إلى إسطنبول. ولكنني كنت حينئذ في سيلانيك. آه من أذني، أممكن أن تعيدوا؟ بلى يا باشا، اعتبر سلطان السلاطين أن إرسالي مناسباً من أجل قضية مصطفى المُنتحل. أنا لم تكن لدي رغبة بالمرور على إسطنبول ولقاء رستم باشا وشركائه بأي شكل من الأشكال. وبالتأكيد ليس خشية من أن أؤذيه. أنا رجل لدي القوة التي تمكنني من خطو خطواتي باعتدال؛ حتى لو أن الاعتقاد السائد عكس هذا يا سيدي.

في الحقيقة، إن مصطفى المُنتحل نتيجة من نتائج الحزن والانكسار الرهيب الذي ساد إثر فقدان المرحوم مصطفى خان. أما الحقيقة الأكثر عمقاً فهي الهزة التي تعرضت لها وتعرض لها عناصر الهلال. هذا يعني أن الوقحين المنتظرين فرصة الانقسام ويعيشون بيننا يمكن أن يجرؤوا إلى هذه الدرجة.

الادعاء الذي طرحه المُنتحل بسيط جداً. لم يخنق الجلادون مصطفى الحقيقي في خيمة السلطان، بل مصطفى آخر يشبهه كثيراً. ومن أقدم على هذا الأمر الصعب لم يكن سوى كبير الجواسيس

وهيمي أورهـون جلبي الذي يحـب مصطفى خان أكثر مـن روحه. لأن وهيمي إذا عزم على شـيء، فليس هناك من يستطيع منعه من عمله بإذن الله. سيتسـلم مصطفى خان العـرش بدعم من وهيمـي وعناصر الهلال قريباً، وسـيضيف أعظم حلقـة من حلقات عصـر الفتوحـات العثمانية. ومن أجل تحقيق هذا فهو بحاجة إلى أبطال لا يخشون المخاطر.

استخدم هذا المحتال اسمي دون تردد، وبدأ نشاطه في سيلانيك ويني شهير، وعرف كيف ينشر الأمر بسرعة مذهلة وصولاً إلى دوبروجا. ويتقدم المُنتحل الذي تمكّن من تجنيد خمسة آلاف رجل منذ الآن على طول وادي الدانوب، ورضخت له قلاع على خط سيليسترة – نيبلو بسهولة. وكان معه وهيمي مُنتَحل يستخدم اسـمي ويسـهّل عمله دون تردد. في الحقيقة، إن المُنتحِل الثاني جذب انتباهي أكثر من المُنتحِل الأول بكثير.

وإذا كان أهالي روملي قد اسـتهجنوا في الأيام الأولى وجود ذاك المحتال الذي يكبر من يوم إلى آخر، فهم سـرعان ما بـدأوا يرون الأمر شبيهاً بحادثة السلطان سـليم الجبار، ومالت قلوبهم إلى التمرد. هذا ما سـيكون، فقد صعب عليهم جداً تصديق وفاة مصطفى خان، وتسعدهم جداً معرفتهـم الآن أن كل مـا حدث مجرد وهـم كابوس سـيئ، وأنهم سيجتمعون تحت راية ولي العهد.

كان الوضع على هذا النحو حين نزلت إلى البر في ميناء سيلانيك مع السيدين عمر فهمي وإرطغرول ذات ليلة صيفية. وحسبما علمنا، إن وهيمي المُنتحل شـوهد في النواحـي ظهر ذلك اليوم يتـردد على موقع قيادة الجيش في ريف سـيلانيك، ويقدم لمصطفـى معلومات حول بناء التنظيم السـريع، ولا يفوّت لحظة في سـبيل ردف أنصار التمرد بعناصر جديد.

سألت الذين استقبلونا: «كيف يبدو وهيمي هذا؟».

قالوا: «يبدو ضئيل الجسم مثلك، ولكن وجهه يبدو دائماً ظليلاً تحت عصابة عينه اليسرى وقبعته الخراسانية الضخمة. لم نستطع حتى نحن الاقتراب منه بمقدار كافٍ لرؤيته. ولكن، من المؤكد أنه أكثر شباباً منك».

سألت: «حسنٌ، وكيف يبدو شكل مصطفى المُزور؟».

قالوا: «إنه شاب حيوي كالأصل لا تستطيع العيون أن تشيح عنه».

حينئذ قدحت شرارة في رأسي يا أصحاب المعالي. لن أدهش أبداً إذا ظهر أن المُنتَحِل مجرد بيدق. حققت القوى المصممة على استغلال كل فرصة من أجل إيقاع الدولة العلية بوضع صعب نجاحاً بتفتيت الهلال الفولاذي الذي يعتبر القبضة الحديدية لحاكم العالم، ولكنها لم تُوفق بكل معنى الكلمة بإخماد مكانتي، وشعرت بغضب شديد من انتفاضي من رمادي.

إذا كان الأمر كما أعتقد، فسيكون الذين يقفون خلف هذه المؤامرة هم الذين رتبوا للعبة التي انتهت باستشهاد مصطفى خان. الحقيقة المرة بالنسبة إليهم هي أنني طالما بقيت حياً فسأُفشل الألعاب التي تلعب على سليمان خان، أو على الأقل سأُفشل قسماً منها. ينبغي أن يبقى سلطان السلاطين وحيداً تماماً لكي يتخذ قراراته من الآن فصاعداً تحت تأثير جماعة واحدة.

ولكن التفصيل الذي لم يحسبوه بشكل صحيح هو توقيت وهيمي المُنتحل المرافق لمصطفى المُنتحل. لأننا ونحن لا نزال في طريق العودة وصل لحاكم العالم أن قطاع طرق سيلانيك يقفون خلف وهيمي المزور. إيه، بما أنني لا يمكن أن أكون في مكانين منفصلين،

فلا يمكن إلا رؤية أن هذه لعبة بسيطة ولكنها مؤثرة.

عندما كلفني سليمان خان بهذه المهمة، قال: «انتظر لنرى إلى ما سنتعرض له في آخر سنوات حياتنا يا وهيمي.» وأضاف: «أرح نفسك أيها الشيخ، أنا أعرف أنك لا يمكن أن تعمل شيئاً ضدي. لو كنت ستفعل، لوقفت خلف مصطفى حين كان حياً وليس بعد أن مات. ولكنني أقلق من الروائح الكريهة التي تنبعث من هذه القضية عند العبث فيها. وقد أُحطنا بسلاسل من الخيانة، كلما كسرنا حلقة تضاف واحدة أخرى مكانها...».

نظرتُ إلى سيدي بابتسامة تشبه أثر السكين: «لا تشغلوا بالكم أبداً يا حاكم العالم. سأبحث بالأمر في مكانه، وأفهم أصله، وأرسل لكم الخبر فوراً».

سألني: «هل تعتقد أنها لعبة آل هابسبورغ؟».

أجبته بالسذاجة نفسها: «هذا ممكن... ولكنني لن أُدهش إذا قابلت عملاء الصفويين. إذ إنّ جيشاً يكبر يوماً بعد يوم قرب بيت العرش يسيّل لعاب الطرفين. لا بد من دعمهم. ولكن الجميع أعداء وأصدقاء يعرفون أن الكلمة النهائية سيقولها العثماني».

قال حاكم العالم فجأة: «كن حذراً يا وهيمي! ثمة غرابة في هذا الأمر. أشعر بأمور قذرة مختلطة تقلب معدتي...».

سأذكر هذه الكلمات في ما بعد، وأنتبه باستغراب إلى أن إحساسه أقوى من إحساسي بأضعاف مضاعفة.

أثناء تقدمنا نحو الجزء الداخلي من المدينة في الليلة الحارّة، قلت: «في هذه الحال، لنتنكر بسرعة، ولندخل مقر قيادة جيش مصطفى».

اعترض الجواسيس المحليون: «إنهم يتوقعون منك حركة يا وهيمي. لهذا سيكونون حذرين. لذا، من الأفضل أن نكون حذرين».

ضحكت: «لم يعد هناك من هو أكثر قلقاً مني، لا تشغلوا بالكم. لم يبق هناك من لم يسمع بأن الهلال سيزول تماماً، وقد انقسم، وفقد قوته السابقة، وتشتت».

«ماذا تعني يا آغا؟».

«ما أعنيه هو أن عناصر الهلال ما عادوا يخيفون أحداً. خاصة وأن لا أحد يخشى شيخاً عاجزاً مثلي».

«وماذا سنفعل في هذه الحال؟».

«في هذه الحال، سنذهب فوراً، وفي هذه الليلة إلى المُنتَحِل. لنرَ كم هو شجاع ليقدم على جنون كهذا. اعملوا اتصالاتكم مع روابطكم في المدينة، واجعلوهم يصطحبوننا من أحد الأحياء المتطرفة. ونحن سنتنكر جيداً، وسنرتدي لباس الجنود النظاميين. وأنا سأفك العصابة عن عيني، وسأغدو ظلاً في الظلام».

الدفتر السادس

ما رواه كبير الجواسيس الهرم وهيمي أورهون جلبي في الخامس والعشرين من جمادي الثاني بين صلاتي العشاء والفجر دون انقطاع نتيجة اهتمام حضرة سليم خان الثاني.

I

فُتّشـنا بدقة في نقاط المخافر؛ حيث إنني كدتُ أقع لو لم أتصرف بذكاء. كنـتُ مبعوثـاً يحمل رسـالة مختومة بطغـراء الأميـر بيازيد خان وعبـاءة ثمينة. شـكّوا بمظهري، وخاصة بحفـرة عيني التـي نُزعت عنها العصابـة، ولكن لـم يكـن بإمكانهـم أن يتأكـدوا أو يثبتوا شـيئاً. عملتُ مقابل المرآة بمهارة على رسـم أثر جرح في القسـم الأيسر من وجهي. واعتمدت على خبرتـي، ومهارة يديّ غيـر المرتجفتين علـى الرغم من تقدمي بالسن، وموهبتي بالتقمص، وارتديت درع التوكل غير المرئية.

اعترضتُ على بـطء الرجال. ينبغـي أن أمثل فـي حضرة مصطفى خان مـع رجالي دون إضاعـة أي وقـت؛ لأن التأخر بقضيـة على درجة كبيرة مـن الأهمية كهذه، يعني دحرجـة رأس من يمنع هـذا اللقاء، وفي الوقت نفسه ليس من العقلانية بشـيء أن يثيروا غضبَ أميرين عثمانيين عظيمين.

أسـس حراس القلعة في ما بينهم نظـامَ تخابر بدائـي ولكنه فعال. يُطلـقُ المرسـلُ سـهماً ناريـاً مـن قمـة تـل خفيـض، وإذا كان الجواب إيجابياً تُشـعلُ نارٌ علـى مرتفع قريب مـن المخافر. وخلال فتـرة يُحقق مع الضيوف بنبـرة تهديدية، وتُطرح أسـئلة متوّهة. فـي الحقيقة، إن هذا أسـلوب ألماني. وقد حـدث أن انهار ذوو النية السـيئة تحـت الضغط. ولكنني ورجالي تعتقنا في هذه الأمور.

بعد فترة قصيرة من رؤيتنا لهيب النار المشتعلة بين الأشجار، أُدخلنا طريقاً صاعداً قليلاً ومفروشاً بالرمل والحصى. بعد أن تقدمنا داخل غابة

تزداد أشجارها كثافة مدة ربع سـاعة، وصلنا إلى نقطة مخفر مخفيّة. عند منعطف درب يتلوى بين الأشجار، حاصرتنا مجموعة جنود نزلت من برج مراقبة خشـبي مموه جيداً. بعد التحقيق معنا ثانية، عصبوا أعيننا. أخذتُ بعين الاعتبار احتمالاً ليس لـدي إجراءٌ احترازي منـه. اكتفيت بالاعتماد على حظـي. كان أولئك الرجال محتاطين ومسـتعدين للحركـة أكثر مما توقعت.

سـرنا حوالى سـاعة، وأُوقفنا عند ثلاث مراكز أمـن، ولكن أحداً لم يسـألنا شـيئاً. فتشـوا سـراويلنا وأحزمتنا وقمصاننا مـرات ومرات. بعدئذ التقطـت روائح دخـان ولحم مشـوي وخيول متعرقـة مع هدير يرتفـع بشـكل خفيـف. كنـتُ صامتـاً، ولكنني أحـاول رصـف بعض الانطباعـات الصغيـرة حـول الطريـق فـي ذاكرتي بسـرعة، وأنـا واثق بأنني سـأنجح كما فعلـت عدة مرات مـن قبل. كنت أسـمع تدفق مياه جارية تقترب تارة، وتبتعد أخرى على جانبينا، وألتقطُ روائحَ منعشـة، ويمكننـي أن أتصـور بوضـوح القصـب والمسـتنقع من خـلال التربة الرخوة التي تحت قدمي.

خلال فترة قصيـرة وصلنا إلـى مقـر المتمردين الرئيـس. لم أفهم شـيئاً من كلمـات الاهتمـام الكثيرة، ولكـن الخلاصـة التي اسـتنتجتها مما جمعته من أجـزاء العبارات هـي أن مجيئنا أجج أمـلاً وانفعالاً. إذا كنت موفداً من قبل بيازيد خـان، فهناك احتمال كبير أنني أحمل بشـارة الإعداد لعملية واسـعة ضد إسـطنبول، وسـلطة عظيمة سـيتم تقاسمها. تقدمنا وسـط صيحات الفـرح والطبطبـة علـى ظهورنا، ولكننـا لا نزال معصوبي الأعين.

أستطيع سـماعَ صرير بكرات مزيّتة، وقرقعةِ مغارف في مراجل تغلي

على نار قوية، وطرقِ مطارق وأزيز ماء محمّل برائحة زيت ورماد وهباب الحدادين. سمعتُ ضحكات سكارى ونساء كثيرات. خليط الأصوات والروائح هذا، والأكثر منه ضحك الجنود المنفلت دليل على مدى ابتعاد المكان الذي نحن فيه عن الانضباط العسكري والنظام. أراهن بأن أكثر هؤلاء الرجال لم يروا مقراً عسكرياً حقيقياً في حياتهم.

بعد فترة قصيرة، فُكت عصابات أعيننا أمام خيمة فخمة جداً. نعم، يمكن القول إنها تشبه خيمة المرحوم مصطفى خان، ولكنها مفروشة بأسلوب فني غربي يحمل المبالغة. هناك أكوام من المفروشات غير الضرورية وسط الخيمة المنسوجة من قماش القنب الأفغاني المزوج. كانت أضواء المصابيح الكريستالية تتراقص بتأثير الريح الجافة والحارة؛ مما يجعل ظلال أكوام المفروشات أكثر قسوة وعمقاً. كل تفصيل يعتقدون أنه فخم، وكل نسيج مبالغ فيه هما نشاز. من رأى مقر قيادة جيش أمير عثماني حقيقي وخيمته مرة واحدة فسيفهم الفرق الرهيب بين هذا وذاك.

مثلاً، هناك صناديق ثلج من خشب الجوز معلقة بسلاسل ذهبية فوق النوافذ المفتوحة تحركها الريح الخفيفة. عند ذوبان الثلج داخلها، سيسيل ماء ويُصدر صوتاً ممتعاً، ويُبرد أقصى زاويا الخيمة في آن واحد. لم أر ترتيباً كهذا في خيمة حاكم العالم، ولا حتى في خيمة الصدر الأعظم المرحوم البرغالي الذي تجرأ على منافسته بالفخامة.

عدم المؤاخذة يا سيدي، لقد أطلتُ الكلام لكي تستطيعوا فهم ما بلغه هذا الوقح بشكل جيد. كان هناك شخصان ينتظراننا خلف ستارة رقيقة من الحرير في القسم الخلفي للخيمة. بحركة يد واحدة

من أحدهما فرغت الخيمة، وظهر مصطفى المُنتحل الذي قلب منطقة روملي رأساً على عقب بالأساطير تحت ضوء كهرماني. «أهلاً بكم أيها الأغوات. الله جل جلاله يرضى عن بيازيد خان! أخي وروحي...».

استعرضت السافل المدعي أنه مصطفى خان من فرقه إلى قدمه أولاً، ثم السافل الذي بجواره المدعي أنه وهيمي. التفا بقماش كتاني مطرز بخيوط ذهبية. كانت بشرة كل منهما شديدة الحمرة من وجهيهما حتى صدريهما الباديين من ياقتيهما بسبب شربهما الخمر على الرغم من محاولتهما إخفاء هذا. ثمة خنجران يمانيان تحت حزام كل منهما المصنوع من قماش لاهور، ولكن يبدو من خطوط الغبار الدقيقة على محفظتيهما أنهما لم يُستخدما منذ فترة طويلة.

كان وجهاهما غير مألوفين لي. هذا أمر جيد، ولكن على الرغم من هذا يجب أن نكون حذرين جداً. سيبدأ السيد إرطغرول الكلام حسب قرارنا في الطريق، ولن يطيل كثيراً. كنتُ قلقاً منذ شكّي باحتمال أن يكون كمال هو وهيمي المُنتحل، وبالتالي حدوث مشكلة. لأننا مهما فعلنا فلا بد له أن يعرفنا. ولكن، لم يحدث أن تراجعت ولو مرة في حياتي عن مهمة بدأت بها.

صحيح أن مصطفى المزيف يشبه سيدي المرحوم. حتى إنه يشبهه كثيراً إلى درجة أن الذين يعرفونه جيداً يمكن أن يُخدعوا به في النظرة الأولى. ولكن الشخص المدعي أنه أنا طويل القامة، وفتيّ أكثر مما يبدو عليّ. من ناحية أخرى، ستكون محاولة كمال بعينيه الزرقاوين وبشرته الفاتحة تقمص شخصيتي لمدة طويلة مضحكة. مع أن الأيام التي كان يغم فيها عينيه، ويضغط فيها رأسه بين كتفيه مقلداً إياي مما يجعلنا نضحك حتى تكاد خواصرنا تطق ليست بعيدة.

عرّفنا بأنفسنا باختصار. إرطغرول قائد مجموعتنا الصغيرة، واسمه حسن دلي أورمان. وحددنا أن اسم عمر فهمي هو علي التشانقيري. وأنا الأكبر سناً والأكثر تجربة قدمت نفسي باسم حسين جلبي فقط دون أن أضفي على وجهي أي تعبير.

ارتبك الرجلان، ولم يعرفا ما يفعلانه عندما لم نُقبّل أطراف ثوبيهما. خيّم على الخيمة صمت ثقيل متوتر. قال السيد إرطغرول بموقف متعالٍ وصوت مبحوح: «يسلّم عليكم الأمير بيازيد، وقد أمرني بألا أقبّل يدكم قبل تأكدي من أنكم مصطفى الحقيقي! وسيشق شفتي كما تُشق شفاه جمال الصحراء لو قبلتها قبل ذلك».

أشار مصطفى نحو وهيمي المُنتحل شخصيتي الذي بجانبه، وقال: «انظر يا حسن آغا، أترى هذا الرجل؟ إنه من يدعونه وهيمي أورهون جلبي. ليس هناك من لم يسمع به. إنه دليل صحة كلامي، لأن أورهون جلبي لا يقف مع الخطأ».

حين أدركت أن الرجلين بعيدان جداً عن معرفتنا، تدخلت بالحديث: «قيل لنا إنّ أورهون جلبي فقد قوته. وبعد فقدانه عينه وأذنه، فَقَدَ موهبته أيضاً بسبب شيخوخته. وقالوا إنه كلّف مساعده بقتل مصطفى لإدراكه أنه لا يستطيع تنفيذ الأمر...». نظرتُ بطرف عيني إلى وهيمي المُنتحل: «إذا كان هذا صحيحاً، فإن زمارتك لن تزمر بعد الآن يا سيد...».

عارض مصطفى المُنتحل: «انظر إلي يا سيد حسين، خاف مساعده المدعو كمال الغرناطي من غضب معلمه وهيمي، وهرب. أنا مدين بحياتي لهذا الرجل الشجاع الذي ترونه أمامكم الآن. لو أراد فهو لن يطوي صفحتي فقط، بل صفحات كل ملوك العالم. وقد تمرّد لأنه

يعرفني منذ طفولتي، ورفعني على الراحات. وهذه هي حقيقة الأمر بالضبط. أمّا ما تبقى فكلام فارغ لا تهتموا له».

أطرقت برأسي بشكل خفيف لكي لا أزيد التوتر، وقلت بنبرة هادئة: «بما أنكم تقولون هذا، فكما تريدون».

ضحك مصطفى المُنتحل: «لم تصدقوا، ولكنني لن أقف عند هذا الأمر. قولوا، ماذا يريد أخي بيازيد خان؟».

ألقيت نظرة نحو إرطغرول، وغمزت بعيني مشيراً له بالاستمرار.

«يُسلم عليكم بيازيد خان، وقد أرسل إليكم هذه الرسالة يا أميري».

«اقرأ، وأسمعنا!».

أخرجت الحافظة الفضية ذات طغراء بيازيد خان الذهبية اللامعة المزورة من زناري، وفتحتها بشكل استعراضي. رفعت أنفي بتكبر، وبدأت أقرأ:

«من الأمير بيازيد خان إلى أخي سمو الأمير حضرة مصطفى خان. عندما تصل هذه الرسالة إلى مقامكم اعلَموا، وأعلِموا أنني أتابع انتفاضة أخي المبجل المحقة الجريئة والمتخذة عبرة وأدعمها. أنهوا تحضيراتكم الآن، وسيروا باتجاه إسطنبول عبر روملي. وأنا سأنطلق عبر قرامان. يجب أن يكون استنفار الجيش النظامي من أولويات عملكم بواسطة الجاسوس الماهر وهيمي جلبي الموجود لديكم، لأن الجنود يحبونه. إذا تم تأمين دعم الجيش التام، فلا بد من تنازله عن عرش أجدادنا. بعدئذ نتقاسم البلد حسب التقاليد التركية. وبالتأكيد، سيدعم كل منا الآخر في أيامه الصعبة. أريد جوابكم بأسرع ما يمكن، وأحييكم بأجمل التحيات».

II

حملقت عيـون المُنتحلَيْن، ولم يعرفا ما سـيفعلانه فـي اللحظات الأولى من شـدة الفرح. حسـب تفكيرهما، سـيتمكنان مـن اقتطاع جزءٍ كبيرٍ نسـبياً من روملي بدعم من النمسـا؛ مسـتفيدين مـن الفوضى التي ستنشـب. سـيدرك بيازيد خـان حقيقـة الأمر لاحقـاً، ولكـن حتى ذلك الوقت سيكون الأمر قد انتهى.

بلى يا حضرة المفتي أفندي، لعلكم تسـمعون هـذا للمرة الأولى. هذه هي حقيقة القضيـة. هذا ما دفـع البعض ليدّعـوا أن بيازيد خان هو الـذي رتب لهـذا التمـرد. بالتأكيـد يا صوقولـو باشـا، بالتأكيـد لم تكن لبيازيد خان أي علاقـة بهذه السـفالة. إذا كان لأولاد المرحوم سـلطان سـلاطيننا بعض التصرفـات المتمادية، فـإن ولاءهم لوالدهـم ودولتهم غير قابل للنقاش برأي هذا العاجز لله الذي بين أيديكم.

يعـرف بيازيد خـان أن دعـم والدته السـلطانة حُـرم له تـام، وكان عائداً بكل راحة بال من منصـب قائد حرس أدرنة المؤقت إلى سـنجق قرامـان. ولكنني عندمـا حرقت أنفـاس المحتاليـن في تلـك الليلة، قام المقربون منهم تحت تأثيـر الألم الذي تذوقوه بحملـة افتراء رهيبة ضد بيازيد خان. ليفعلـوا. لا يمكنكم أن تُبقوا على حقيقـة مدفونة إلى ما لا نهاية. لا بد أن تجد طريقها لتطفو على السطح.

نعـم يا حضرة الدفتـردار خليل باشـا، هذه هـي المـرة الأولى التي يُحكى فيها عما حدث في تلك الليلة علناً. بدأ مصطفى المُنتحَل ووهيمي المزوَر يبديـان لنـا احترامـاً عظيمـاً منذ تلـك اللحظة. وصـارت طلباتنا تُلبى فوراً. جهزوا لنا مائدة شـهية عليها خروف تفور الزبدة على سطحه المحمّر، والأرز بالعصفر، ولسـان السـمك، والسـلمون الأرقط الكبير.

وعندما ختمنا الطعام بعسـل يفوح برائحة الربيع ولبـن جاموس، لم يعد بإمكانناتناول لقمة واحدة.

تجاوزنـا منتصـف الليـل على هـذه الحال. بـدأت الأصـوات في الخـارج تنقطـع، وأوى الغالبيـة إلى فرشـهم سـكارى، ودُفنـوا في نوم عميق. ولكن حديثنا المفعم بالسـعادة اسـتمر. كنت أروي حادثة تتعلق بمبعوث أجنبي لا أذكرها الآن بالضبط. في تلك اللحظة، توقفت وسط الحديث.

لم يسـتطيعوا تفسـير صمتي. ليس المنتحلان فقط، بل عمر فهمي وإرطغرول أيضاً. سـأل وهيمي، أي أنا الذي ليس أنا: «صمتَّ يا حسين أفندي، خير؟»..

فجأة، مسحتُ الابتسـامة عن وجهي، وقلت: «أنا، لضرورة مهنتي تقمصت الكثير من الشخصيات، وذهبتُ إلى الكثير من الأماكن...».

ارتسـم قلق واضح على وجه السـائل. تبـادل مع المنتحـل الثاني نظرات خاوية، والتفتا نحوي.

«كذبت على أناس كثيرين، وقرأت فرماناتِ إعـدامٍ كثيرة بتكليف من حاكم العالم. أعترف بـأن بعض تلك الفرمانـات كانت مزورة. لأن يدي المعتقة بالمهنة صارت ماهرة بتقليد الطغـراء والكتابة بقدر ما هي ماهرة باستخدام السلاح...».

«إلى أيـن تريـد الوصـول بهـذه الكلمـات يا حسـين آغـا؟». كان السـائل هـو السـافل المتقمـص شـخصية المرحـوم مصطفـى خـان. تشابكت خطوط وجه شبيه أميري بخوف لم أره في أي وقت على وجه المرحوم، ومُسح الوجه، وتبشّع.

«ولكنني أيها السادة طالما حرصت على ألا أقع بالخطأ...».

تبادل المُنتحلان النظر في ما بينهما مرة أخـرى، وتعابير وجهيهما تتغير تدريجياً، والدم يختفي منهما وهما ينظران بجمود.

«... هل تريدان أن تعرفا ما حدث؟».

بدأ كلب في مكان ما في الخارج ينبح بشكل حزين.

«... لم أتقمص شخصية إنسان لا أعرفه قط...».

سمعنا ضجيج طيور انقطع نومها، وطارت. سنونو...

«... لأن احتمـال لقائـي ذلك الرجل أثنـاء تأدية واجبـي ذات يوم يجعلني أرى كوابيس...».

صمت...

هواء مفعم برائحة الصعتر البري والطحالب والدخان...

«ليس هذا فقط، بل يجـب أن تكون لدي معلومـات عن المقربين من الرجل الذي أتقمص شخصيته...».

نخر وهيمـي المزور قائـلاً: «أمـا زالت تقول عنـا إننـا كاذبان؟». كانت يده علـى خنجره حينئـذ. أما يداي فظلتـا على ركبتـي المطويتين هادئتين كحيوانين أليفين. لا ترتجفان، ولا تنـزلقان، وتنتظران فقط.

قال مصطفى المُنتحل: «قف!». ومد يـده، والتقط وهيمي المزور من معصمه. «دع الرجل يكمل كلامه!».

مـددت سـبابتي مشيراً نحـو وجـه مصطفـى: «أنـت، أنت تشـبه المرحوم فعلاً. أما أنت أيها السافل فقد سرقت اسمي!». كانت إصبعي تشير الآن نحو وهيمي المزور. «أنت لم تسأل أو تستفسر عني قطّ؟ ألم يُخبرك أحد بعمري وملامحـي وبنيتي؟ هل يمكـن أن تكون أحمق إلى هذه الدرجة؟».

تجمد الاثنان. كان موقفـي مباشـراً وحازماً إلى درجـة أنه لم يبق

لديهما مجال للاعتراض. أعرف أن ما أخافهما هو مداهمة ثلاثة شيوخ أحدهم طاعن بالسن وعاجز. ما لم أستطع استيعابه حتى الآن هو أن الذين يأوون بذور الفتنة في قلوبهم يكتسبون جرأة بقدر ما تلين قبضة عناصر الهلال الحديدية لأسباب مختلفة.

انتفض المدعي أنه وهيمي بجرأة، وسحب خنجره اليماني. ولكن عمر فهمي قفز كالنمر قبل أن أحرك يدي، وبركلة على بطتي ساقيه، تشقلب على الأرض، وارتمى خنجره إلى زاوية بعيدة من الخيمة. على الرغم من ارتطام ظهر وهيمي المزور بالسجاد الناعم، فقد ارتجف حنكاه بتأثير الهواء المُفرغ من رئتيه. لم ينبس. انقطعت أنفاسه.

أذكر أنني ضحكت مقهقهاً، وقلت: «آه، انظر إلى الكلب المدعي أنه وهيمي!».

وقبل أن يلتقط مصطفى المُنتحل أنفاسه، ويطلق صرخته، كان إرطغرول قد ارتمى عليه، ورماه على بطنه، ودس في فمه الناموسية الحريرية التي كانت قد علقت تحته. خلال فترة قصيرة قسّم حزامه إلى أشرطة، وربط يديه وذراعيه، وكمّم فمه جيداً. بعدئذ خرج من الخيمة ليتفقد الحراس الواقفين أمام الباب.

نهضت على قدمي، وتوقفت بداية فوق رأس وهيمي المزور. يبدو أن بريق نظرتي الغاضب جعله ييأس، فتوسل: «لا تفعلها يا وهيمي آغا. أنا مجرد ستارة، لا تقتلني... لدي عائلة وأولاد... لم أحصل إلا على بعض الذهبيات والأعطيات...».

سألته: «ممن؟».

«أنا لا أعرف أصل القضية يا آغا، ولا أسأل أيضاً... معلومات كهذه بلية كبرى. هناك في الوسط الكثير من الآمرين والمأمورين».

ضغطت عليه: «أريد اسماً أو وصفاً لملامح فقط. يكفي اسم واحد فقط!».

«أنا لا أعرف يا آغا، لعل مصطفى يعرف... نعم، هو يعرف... اسألوه... رجاء اعفُ عن روحي... اتركني أذهب... أقسم إنك لن تسمع باسمي أو تراني ثانية...».

قلت بحدة: «اخرس! لا تتوسل... أنا أكره المتوسلين من أجل حياتهم...».

انقطع صوته تماماً... كان يعرف أنني سأقتله... كان واضحاً من عينيه أنه يكاد يرى كيف أسحبُ خنجره اليماني غير المزيّت، وأغرزه بوريد رقبته.

عندما عدت إلى مصطفى، حدث أمر غريب. فور فكي عصابة فم مصطفى المُنتحل بدأ يقسم الأيمان وهو يصبب الدموع. كان يقسم على كل ما يعتبره مقدساً أنه الأمير مصطفى بذاته.

قلت له بهدوء: «انظر إليّ. إذا قلت الحقيقة الآن، فسأطلق سراحكما معاً، وسأدعكما تذهبان. ولن أُخبر أحداً أنني وجدتك، وداهمت خيمتك. أقسم إنني سأفعل هذا. شرطي الوحيد أن تصرف جنودك والذين يعلقون آمالهم عليك إلى بيوتهم. من أدخلكم بهذا الأمر؟ أخبرني بالحقيقة. وإذا لم تقلع عن الكذب، فسأذبح رجلك هذا أولاً!».

قال: «لا تفعلها، لا تفعلها يا وهيمي، أنا مصطفى خان! يشهد الله أنني مصطفى... انظر إلى وجهي وإلى عينيّ... انظر، وافهم، أنا مصطفى ذاته. هل هناك من يعرفني أفضل منك!».

انتابني شعور غريب في تلك اللحظة، واقشعر بدني. شعرت

بالوحدة في تلك الساعة من الليل، وفي منطقة معادية. إما أن هذا الرجل الغريب يلعب لعبة معي، أو إنه مجنون بكل معنى الكلمة.

«انظر، انظر يا وهيمي، أليست هاتان العينان عيني مصطفى أيها الشيخ؟».

«سأضرب رقبتك فوراً أيها السافل، يكفي هذا!».

«كيفما كان سيضربون رقبتي يا وهيمي، أريد أن تفعل ذلك أنت أيها الذئب العجوز!».

الذئب العجوز... كأن عقلي طار من رأسي آنئذ. انتصب شعر جسدي. لم يكن هناك أحد على سطح الأرض يناديني بلقب الذئب العجوز سوى مصطفى خان، وقليلون جداً من يعرفون هذا. من المستحيل أن يعرف هذا الرجل بالأمر. حين انتبهت إلى طعم النحاس في فمي، فهمت أنني عضضت لساني، وبدأ ينزف. لم نعد نستطيع البقاء أكثر هناك.

أسندت رأس الخنجر اليماني الحاد على رقبته، وضغطت. سال خيط دم رفيع تحت رأسه المدبب. «احذر من أن تناديني بهذا أيها المحتال! احذر من أن تفعل هذا!».

III

نادى مصطفى المُنتحل حارسين من الواقفين عند الباب بأمر مني. كان الرجلان ثملين، وبلكمة لكل منهما فور دخولهما انهارا أرضاً. بعد أن أخذنا أسلحتهما، وكممنا فميهما، ربطنا أيديهما وسواعدهما وأرجلهما.

بعدئذ، أمسك عمر فهمي مصطفى، فيما أمسك إرطغرول وهيمي

المزور. فككنا لوحات معدنية من قسم البخار الواسع بجانب موقد حمام الخيمة مباشرة بسهولة، وفتحنا ثغرة يمكن أن تمرر رجلاً. في الحقيقة، كنا نستطيع الخروج من الباب الأمامي، ولكن يجب ألا يستخدم شخصٌ مشكوك بأمره المدخل نفسه مرتين مهما كلف الأمر. وأنا التزمت بهذه القاعدة طوال عمري؛ لأن الشخص الذي يُرى مرّة يُنسى، أمّا إن شوهد مرة ثانية فسيبقى في الذاكرة.

وجدنا الطريق بفضل إشارات أسيرينا؛ بحركات أعينهما وحواجبهما لأنهما كانا مكممين حتى ذلك الوقت، مع مقارنتها بما اختزنته في ذاكرتي الخبيرة. وصلنا إلى الميناء بثلاث ساعات – وهذه لا تعد مدة طويلة – دون أن نمر على أية نقطة تفتيش. وكان المركب بانتظارنا.

نعم يا سيدي، أُعدم المُنتحلان قبل إتمامهما أسبوعهما الأول في إسطنبول. بلى، أيام مرض سلطان سلاطيننا الشديد. صرت قريباً جداً من سليمان خان. أنام ليلاً أمام غرفته الخاصة، ولا أدع الطير يطير قربه في القصر أو عندما يخرج. وكان ثمة كابوس لا يبارحني في ذلك الوقت.

كان المرحوم مصطفى خان يدخل حلمي يا سيدي، ويقول لي: تركتني للموت مرة أخرى. ثم أنتبه إلى السهم المنير الذي يطلقه محمود زال في الهواء. يصرخ أميري قبل أن يصل السهم إلى مؤخر رأسه: هل تتركني مرة أخرى؟ لا تتركني أيها الذئب العجوز.. لا تتركني!».

إلى متى استمر؟ لم ينته يا سيدي. صرت أراه أقل فقط... ما المؤلم في هذه الدنيا أكثر من موت شهم في سن الشباب؟

نعم يا سيدي، هذا يعني أنكم تعرفون إذاً... الآن... عندما

سألتموني في هذه اللحظة بالضبط، هزتني قليلاً فجأة ذكرى كانت قد بهتت...

أثناء وجودي في سيلانيك، مر حضرة السلطان على تكية شقيقه بالرضاعة يحيى أفندي الذي يناديه أخي الكبير في بشكطاش، ولم تكفه هيبته التي خلعت أصعب أبواب قلاع العالم لفتح باب صديقه بالله الخشبي. لم يستقبل حضرة يحيى أفندي سيدنا ركيزة العالم. وكما تعرفون، استمر غضبه منه بسبب استشهاد مصطفى خان فترة طويلة.

إثر هذا، هُرع سليمان خان إلى حبيبه وأستاذه حضرة مركز أفندي الذي توفي قبل ذلك بعدة سنوات، وأمضى ساعات طويلة فوق قبره. لقد بكى كثيراً إلى درجة أن دمع عينيه المتراكم على لحيته تساقط كالمطر عندما نهض على قدميه فجأة.

كنتُ منتبهاً إلى أن ما جعل حالته تسوء هو صراعه الطويل مع التشاؤم والوهم، وليس مع مرضه الجسدي فقط. إذا كان الحزب الملتف حوله لم ينجح بإبعادي عنه، فقد كاد جرح بطة رجله الذي لا يُشفى، وألم مفاصله، وارتفاع حرارته ليلاً أن تحقق نجاحاً غير متوقع يدهشه هو نفسه بإبعادي عنه.

في الحقيقة، إنّ هذه النهاية لم تكن غائبة عن الطرفين. عَزَلَ سليمان خان نفسه بعد وفاة الأمير محمد خان، ولم يجد الطمأنينة سوى بجوار زوجته السلطانة حُرّم. لا يمكن أن يُدان رجل - وخاصة إذا كان عاشقاً - على هذا التصرف. ولكن، عندما تغدو أمراضه ميؤوساً من شفائها، تقوى علاقته بأم أولاده (الخاسكي) الكبرى أكثر.

لم تحرم السلطانة حُرّم السلطان من اهتمامها وشفقتها ولو لحظة. وكانت ترعى حاكم العالم كطفل، وتحاول أن تبعده عن القضايا التي

قد تُضايقه. تلك السنوات هي سنوات تحكّم السلطانة حُرّم بالسياسة الخارجية والداخلية تماماً.

كان الصدر الأعظم أحمد باشا قرة يُنهِك نفسه في سبيل قضايا الدولة، ويحاول صوقولو باشا الذي غدا أحد وزراء تحت القبة مساعدته، ولكنهما كانا يتعثران بعائق السلطانة حُرّم ورستم باشا المتابع لسياستهما بحزم لا يهدأ في كل خطوة يخطوانها.

وصلنا إلى خريف عام 962. كان هذا في أوائل ذي القعدة إن لم تخني الذاكرة. قرابة المساء، وعندما كانت الشمس ترسل أشعتها الحمراء من بين الستائر الزرقاء الداكنة على مرمرة، قال سليمان خان: «إبراهيم باشا ضروري لأوقات كهذه». وأعتقد أنني رأيت على وجهه تعبير خجل. لعلني كنت مخطئاً، من يعلم؟

تأملته وهو يرخي جذعه إلى الوسائد خلفه على المقعد الذي صرّت أخشابه بهدوء. ألقى نظرة غير مبالية متعبة إلى الفخامة المحيطة به. هربت بعيني. يبدو لي تحمّل رؤيته ضعيفاً ومريضاً مثل تحمّل الاستلقاء استعداداً للتعذيب تحت يد الجلاد. قلت له بقصد تشتيت تركيزي: «نعم، كان إبراهيم باشا على الرغم من كل شيء داهية؛ خاصة في السياسة الخارجية يا سلطاني. غير هذا، كان يستطيع التغلب على الأحزاب التي تعمل ضده براحة، ولا يطأطئ لأحد... في الحقيقة، عندما أمعن التفكير ببعض جوانب إبراهيم باشا التي كانت تبدو لي في ذلك الوقت مثيرة للتوتر، أدرك أنها كانت تستند إلى قوة نفسية كبيرة تثير الإعجاب».

تمتم السلطان وكأنه يحدث نفسه: «يمكن أن يكون الإنسان غير مبالٍ ومتهوراً جداً في شبابه!». ولكنني لم أفهم ما إذا كان قد قال هذا عن نفسه

أم عن البرغالي. تابع: «كان يقابل المبعوثين، ويهتم بسياسة البلد الداخلية والخارجية طوال النهار، وعندما نبقى وحدنا مساء، كان يدفن نفسه فجأة بحزن عميق وسط حديثنا الممتع. الآن أفهم أنه مدين لحالته النفسية تلك بنجاحه بالموسيقى. لأن النغمات المنبعثة من كمانه في تلك اللحظات تكون مؤثرة أكثر من أي نغمات تصدح في زمن آخر. ليتني ألححت عليه ليدوّن بعض ألحانه. كان يعزف بحساسية كبرى، وأذكر أن بعض الخدم ومشرفاتهم كانوا يبكون أحياناً».

تذكرت عبارة لأرسطو من كتاب قرأناه معاً ولا أذكر متى قرأناه. وتمتمت ببعض الكلمات في بداية الحديث، ولم أستطع إكماله. حينئذ ظهرت ابتسامة متفهمة على شفتيه، وقال: «أولى علامات القارئ الجيد هي استطاعته جمع شرارات الكلمات المتوهجة كهذه من ظلمات الذهن. أنت تفعل هذا جيداً، ولكنك إذا دوّنت العبارات التي تحبها فسترفع إلى درجة قارئ أعلى؛ هي درجة القارئ المتعلم بمتعة».

بعدئذ، بدأ يروي من البداية تفاصيل قصة عبارة أرسطو التي حاولتُ أن أقولها: «كان أرسطو ذات ليلة عائداً إلى بيته من مجلس أدهش فيه طالبه إسكندر المقدوني ضيوفه بفن الكلام شاعراً بالاعتزاز. نعم، كان متباهياً لأن الإسكندر كان منفعلاً ومتفتحَ الذهن وطليق اللسان إلى درجة لم يشهدها من قبل. إنها المرة الأولى التي تطغى فيها قوة روحه على دهائه العسكري، ويتسلل إلى داخل حدود متاهة الشعر والفلسفة. ولكن هناك مشكلة علقت في ذهن الفيلسوف، وهي تكبر باستمرار.

قرب انتهاء السهرة بدأ تألّق ذهن الإسكندر يخبو. برد تجاه القضايا، والتفّ بحالة من الحزن وكأنه لم يكن ذلك الذي جعل أستاذه

يفخر بذكائه وموهبته بالحديث؛ بإفحام خصومه، وإسعاد أصدقائه.

رأى أرسطو أن هذه قضية يجب أن تُقيّم وتحلل. أمضى تلك الليلة وهو يفكر ناظراً إلى تجمعات النجوم في سماء اليونان الكحلية. يقولون إنه توصل إلى هذا القرار الذي أملاه على طلابه عند السحر: كل من يحقق تقدماً في الفلسفة والسياسة والشعر وضروب الفن الأخرى ميال إلى السوداوية».

أخذتُ نفساً عميقاً، واستجمعت قوتي: «يا صاحب الحشمة، القليل من الحزن جيد ومقبول، ولكن الخسائر المتتالية والقلق من الانهيار تُدخل الإنسان في حالة من السوداوية؛ وهذا خطير حمانا الله منه. حزْنُ إبراهيم باشا الفطري لا يشبه حزنكم الذي انتابكم لاحقاً نتيجة الحوادث المتلاحقة التي تعرّضتم لها».

ظهر على محياه الجميل تعبير ينبئ بجديته بتناول الأمر، وقال: «كان يُعتقد أن السوداوية ناجمة عن سائل أسود تفرزه المرارة. زيادة إفراز هذه المادة تدخل المرء في حالة تشاؤم وانطواء وتفكير وشرود. قدمت الكنيسة الكاثوليكية في عصور الظلمات الوسطى الأوروبية تفسيراً جديداً للسوداوية والألم اللذين يقودان الإنسان إلى الغم والكسل بأنهما من إنتاج الشياطين. لدى ألبرت دورر لوحة باسم السوداوية».

«رأيتُ نسخة عنها في قصر بودين يا سيدي».

«بلى، والمرحوم البرغالي من هذا النوع. إنه إنسان فانٍ يندفع لحظةً، ويدفن نفسه بهموم عميقة لحظة أخرى».

«أنتم تسلّمون بالقدر يا سلطاني. إبراهيم باشا خسارة كبرى بالتأكيد، ولكن أحمد باشا قرة القائم بمهمة الصدارة العظمى رجل

دولة موثوق ومخلص وشاطر».

ظهر على وجهه تعبير لم أفهم معناه في البداية. شعرتُ بموجة جنون ثارت وهدأت في قلبي خلال لحظة. تعلقتْ عيناي بالقلق الوقور المهيب البادي في يديه؛ كأن أشعة الشمس الأخيرة المتسللة من زجاج النوافذ المعشق تزيد من ارتجاف يديه. «خير إن شاء الله يا سلطان سلاطيني؟».

«ذلك التمرد الذي بدأ باستشهاد مصطفى خان، وانتهى بعزل رستم باشا...».

«نعم!».

ركّز عينيه على عيني: «تناهت إلى سمعي بعض الأمور المتعلقة به».

«هلاّ تتلطفون علي بمصدر هذه الأمور يا سلطان سلاطيني».

«أبداً. سيبقى هذا سراً لدي إلى الأبد يا وهيمي. من يحمي أولئك المساكين من غضبك إذا متُّ غداً؟».

أطرقت برأسي باسماً. «أتوقع أنهم من تلك الأوساط المعروفة يا سيدي. ولا أعتقد أن أحداً منهم مسكين».

رأيته يلف جسده بقوة بقفطانه الحريري الأسود الموشى ذي الفراء الأحمر؛ مع أن الجو كان دافئاً، ونوافذ الغرفة الخاصة محكمة الإغلاق. «ليست القضية في مصدر الخبر يا وهيمي. القضية بمضمون الخبر، وازدياد احتمال أن يكون صحيحاً. وإلا فإن كل خبر يحوي القليل من الكذب، وكل كذبة تحوي القليل من الواقع».

«سلطاني، إذا كان ما تناهى إلى أذنكم يتعلق بقضية دخول عبدكم أحمد باشا ببعض الأمور السرية، فصدقوني حين أقول إنه لا يتقبل على نفسه أموراً من هذا النوع. وفي الوقت ذاته، هو فاشل جداً بهذا النوع

من الأعمال. من الخطأ مناقشة إخلاصه لكم... إنه لا يستطيع شرب كأس ماء دون علم محيطه... لا تغضبوا من بريء!».

صمتُّ عندما رفع يده بشكل خفيف، ثم ابتسم ابتسامة أشرقت بها بشرته الشاحبة. «يبدو أنك تشبِّهني بطغاة اليونان القدماء يا وهيمي».

«حاشاكم يا سلطان سلاطيني... رحماكم...».

محا الابتسامة. «إذا كان الموضوع متعلقاً بالظلم والموقع المكتسب من هذا الظلم يا وهيمي... إذا كان الأمر على هذا النحو، فما الذي يجب أن يفعله سلطان السلاطين برأيك؟».

«لا شك أنه سيؤسس للعدالة...».

«في هذه الحال أنا أيضاً أقوم بواجبي».

شعرت بأن قلبي قد هاج ثانية. «أنتم وُفِّقتم بالمحافظة على العدالة إلى اليوم بالتأني والتفكير والشورى يا سلطاني. أتمنى ألا تتخلوا عن مبدئكم هذا. فلتأمروني لكي أحقق بأصل القضية».

قال فجأة: «هناك خلاف جوهري بنظرتنا إلى الحياة يا وهيمي». وظهرت على وجهه ابتسامة رصينة وحزينة. «أنت تقسّم الناس إلى أبرياء ومذنبين. أنا لا أستهجن هذا. من الطبيعي أن يفرض عليك عملك النظر إلى جموع الناس من هذا المنظور. ولكن برأيي، إن كل شخص يحمل ولو القليل من الذنب في الجانب الذي يثير شكوكنا. ليس لأنهم سيئون... بل لأن طبيعتهم هكذا... عندما تنضج الظروف يمكن أن نكون طيبين أو أشراراً يا وهيمي... أعرف أنك لا تستخف بالناس، ولا تثق بهم أكثر من اللازم، ولكنك يجب أن تسأل نفسك عن سبب ميلك نحو تبرئة من تحب من الذنب تماماً».

«برأيي، إنّ الفرق بيننا يا سلطاني يكمن في معرفتي الناس بشكل

أعمق نتيجة لضرورة مهنتي. فأنا أرى أناساً كثيرين، وأضطر لتقييمهم. وأنا مضطر أيضاً لفصلهم بداية إلى موثوقين وغير موثوقين. ليس لدي حل آخر. لا يتركونني حياً بطريقة أخرى...».

«بما أنك هكذا، لماذا لم تضع بحسبانك أن يدوسك كمال، ويمر بعد أن رعيته سنين معتبراً إيّاه ابنك أيها الشيخ؟ انظر، صرتما في النهاية عدوين».

كنت مطرقاً بوجهي: «كمال حفرة مظلمة في حياتي يا سلطاني. نبتة جولق... أول أخطائي وأهمها. لن أتقبل تجاوزه لي في موضوع كهذا ما حييت».

رفع سليمان خان يده بحركة تمنح الثقة. «لا تحزن! اسمع! أنا كنت أعرف أنني أستطيع الوثوق بكمال، وبأنه سينفذ أمري دون أن يسربه لك يا وهيمي. فوق هذا، كان اللافت أكثر حيطته الزائدة بتخديرك».

هززت برأسي إلى الجانبين ببطء، وقلت وفي عيني تعبير توسل: «كيف؟ كيف فهمتم؟ من أين عرفتم؟».

«إنه يفتقر للجانب الشعوري الذي لديك. إنه خيالي وطموح. لهذا السبب، فهو ينفذ الأوامر دون أن يناقشها بطاعة كلب. هذا يجعله ناجحاً لفترة، ولكن تلك الفترة لا تطول كثيراً. ففي النهاية، سيبصق بالطبق الذي يتناول طعامه منه».

«أتقولون إنه يمكن أن يخونكم أيضاً؟».

اعتدل، ثم انحنى إلى الأمام. «أريد أن أقول إنك كنت على شفا خيانة أكبر...».

فجأة، ربض الخوف على معدتي كصخرة ثقيلة، وهمست بصوت

يُسمع بصعوبة: «كيف؟! أي خيانة؟».

«طلبت منه أن يقتلك...».

شعرت بأن السجادة العجمية الفريدة التي أجثو عليها تنزلق من تحتي. أثناء التفاتي، صَعدَت العصارة الصفراء المرة من معدتي إلى فمي.

«كان هدفي أن أعرف ما إذا كان سيطلب ذريعة لهذا الأمر أم لا يا وهيمي... اعتبرته عيّنة، عينة يمكن أن نجد فيها إجابات كثيرة حول جوانب الارتباط والحب...». كنت أستطيع معرفة صدق حاكم العالم المطلق من بريق بؤبؤي عينيه المألوف لي.

صار صوتي يتحشرج كأداء غنائي: «لا أريد أن أسأل...».

«أعرف...».

ابتلعتُ ريقي مصدراً صوتاً، وشعرت بأن خطوط وجهي قد تعقدت. سألت في ما بعد: «هل طلب؟».

كان يُدقق النظر بوجهي؛ لأنني كنت الرقم «واحد» بالنسبة إليه في التراجيدية الإنسانية آنئذ. الطرف الثاني من التجربة... ستنتهي لديه بعض الأسئلة المتشكلة في ذهنه من خلال موقفي. قال في ما بعد: «لا! وافق مباشرة».

تربع ذلك الألم القديم في قلبي من جديد. «هكذا إذاً...».

«هكذا...».

«ماذا كنتم ستقولون له لو طلب ذريعة؟».

صارت عيناه بحراً أخضر الآن؛ عميقتين ومخيفتين. «كنت سأقول له إنّ خلافاً سينشب بين أميرَيَّ الباقيين على قيد الحياة بعد فترة قصيرة، وأن الطرف الذي سيقف إلى جانبه سيكون المرجح للعرش...

وعليه أن ينهي هذا...».

«ولكنه لم ينجح بقتلي...».

كنت جالساً مقابله بالضبط. مد نفسه، ووضع يده - يد السعادة - على كتفي، وقال: «انظر، لعله لم يرغب بقتلك... ربّما قدّر بأن فظاعة المهمة التي سيقوم بها تجعل بقاءه على قيد الحياة لا قيمة له... أثناء مراقبته لنا، خاننا كلينا في اللحظة نفسها».

«قبل قليل قلتم: كل كذبة تحوي قليلاً من الحقيقة. ما هي نسبة الحقيقة في طلبكم هذا يا صاحب الحشمة؟ أي في موضوع موقفي من الصراع على العرش...».

قال: «إلى درجة لا يقبل النقاش فيها». واتكأ إلى الخلف من جديد. كلماته الغامضة هذه أدمت قلبي. هل كان ذلك تحذيراً صريحاً؟ هل كان يريد أن يقول لي: لا تتدخل في ما سيحدث؟ أم أنا سأحدد زمن تدخلك ووجهته؟

هز برأسه ببطء. «هذه هي قضية كمال الغرناطي يا وهيمي. من يبق في ظل اندفاعه ورِدّة فعله المفاجئة، يقع في الفخ الذي نصبه هو ذات يوم. فكّر يا وهيمي! هل حدث مرة أن وافقت على أمر من أوامري دون أن تناقشه؟».

لم أرفع رأسي.

«لأجيبك أنا. أنت تنقّب كثيراً بمبرر القضية، ولا تلاحقها إلا إذا اعتبرتها قضية حق. ولكن «كمال» ليس كذلك. فهو تلقى الأمر ونفذه، هذا كل شيء. أنت اعتبرته كابنك منذ البداية، وأنا استفدت من خبرتي بطبيعة الناس عموماً. أنت إنسان، أما هو فآلة. ما حاول الأوروبيون أن يتعلموه من المسلمين ويطوروه هو الأمور الخالية من الحس».

IV

في الثالث عشـر من ذي القعدة لعـام 962، خنقوا أحمد باشـا قرة في مدخـل الديوان. أثنـاء موته، كانت هنـاك غيمة بيضـاء كبيرة تجوب السـماء. أثناء وفاتـه، كان المسـاء يتدفق نحـو الأعماق كنهـر برونزي، ويجرف معه مدينة ببطء. ثم هطل المطر حين مات. برد الجو قليلاً عند موته، ومسح عن الأرض آخر ضوءٍ باقٍ من الصيف.

لم يقـاوم الباشـا. حـرك شـفتيه فقـط عندمـا كان الحبـل المزيّت يضغط علـى رقبته، ويسـحب روحه. هـل كان يدعو؟ انحنيـت بهدوء، ونظرت إلى عينيـه. حين لمس أحد أجـراء الجلاد كتفي لكـي يبعدني، ألقيته أرضاً بلكمة قويـة في منتصف وجهه. لم يتعرضـوا إلي ثانية. وأنا راقبت فقـط. نعم يا سـيدي، جحظت عينا أحمد باشـا ببـطء من وجهه المزرقّ وهو ينظـر إليّ. خنقتُ رجـالاً كثيرين، وشـاهدت كثيرين وهم يُخنقـون. يبـدو أن الخنـق بحـزام جلدي أرحـم مـن الشـنق، والغالبية يفضلون هذه الطريقة.

لماذا كنت أراقب؟ تـرى، هل أريحكم إذا قلـت إنني كنت أبحثُ عن دليل أو رأس خيط يثبت لي في اللحظة الأخيرة مـا إذا كان بريئاً أو مذنباً... حلّ على نفسـي ليل وحيد بارد وبائس أثناء موته. كنت مغروراً وسـافلاً وبائسـاً في الليل الرمادي الذي حـل على الأزقـة الفرعية أثناء موته...

رسـخت أمامي على وجه الباشـا النحيف صورة الهجاء والحزن، والضحك والـذكاء، وتعبير عدم إنجـازه عملاً بدأه. لم أسـأل أحداً عن أي شيء، بل أمسـكت بيد الباشـا الذي فقد روحه، وقبلتها، ثم ابتعدت من هناك.

هكذا بدأت المرحلة الثانية من صدارة رستم باشا. فقدان الأمل؟ كيف يفقد المؤمن الأمل يا باشا؟ كانت تلك المرحلة مرحلة رستم وفريقه القوي، وبقي الآخرون جميعاً عاطلين من ناحية الاسم والمكانة والنجاح.

انزوى حاكم العالم في أدرنة إثر هذا الإعدام. لا أعرف سبب عدم اصطحابه إياي معه. كان باسماً ومهيباً على حصانه كما هو عادة على طريق (ديوان) وخلفه ألف حفار أنفاق، ومئة مدفعي، وإلى الوراء قليلاً أربعة آلاف فارس. انخفضت حرارته قبل فترة قصيرة، والتأم جرح ساقه بطبقة جلد رقيقة.

زار جامعه الذي يعمل عليه المعماري سنان باندفاع كبير، ووصل إلى مراحله الأخيرة. شمر عن ذراعيه، وحمل عدة أحجار، وصعد إلى السقالة تحت نظرات مرافقيه والأهالي المجتمعين من الجوار، وتحدث مع العمال الذين يعملون في الأعلى، وحفّزهم.

بعدئذ ذهب. فقدت الشمس أشعتها بداية. كانت بقعةً شاحبةً وسط الكون. حلّ علي الثقل. إنه نعاس لا يقاوم مخلوط بتعب مميت... حاولت توقع ما سيحدث من بعدي، ولكنني شعرت بنفسي مغروزاً في قلب الحاضر المجرد من الماضي والمستقبل.

كانت تلك أفضل أيام رستم؛ فثمة إمبراطورية ضخمة يمكن نهبها بسهولة تحت يده. ماذا يريد أكثر؟ ولكنه على الرغم من كل شيء كان قلقاً من وجودي، فأرسلني إلى المجر بموجب قرار أصدره؛ لأن تحرك النمسا المتزايد يضع علي باشا المخصي الذي عُيّن سيد سادة بودين مكان طويغون باشا في وضع حرج. كان الباشا يفكر بالهجوم على سيكتوار، ويخطط لضبط سادة السناجق الذين صار كل منهم يتصرف

على هواه، ولكسر هيبة المجريين المدعومين من النمسا فور حلول الفصل المناسب.

بلى يا سيدي، كنت مشغول البال بحاكم العالم. وللزيادة في معاكسة الأمور، لم ينته حصار سيكتوار على خير. ترسّخ في داخلي شعور بالذنب في تلك الأيام. كأن شرودي وتشتتي كانا سبب انسحابنا، وليس دفاع القائد كرواتي الأصل الجنرال ميكلوس زريني الذكي. كانت تلك هي المرة الأولى التي أقف فيها عاجزاً أمام سيكتوار منذ بدأت مهنتي.

لم تكن جدران القلعة السميكة والمرتفعة المحكمة، والقصر الشبيه بعش الصقور داخلها ما ربّط يدي. فما أشعرني بانعدام الحيلة لأول مرة هو عدم إيجادي رجلاً موثوقاً يتسلل معي إلى داخل الأسوار. السبب هو أن الكثير من الرجال الذين أستخدمهم في المخابرات المضادة من الداخل سمعوا بانقسام الهلال الفولاذي في ذلك الوقت الحرج، فانتقلوا من جبهة إلى جبهة. وحين رأيت أن جهودي كلها انتهت عند فراغ كبير مظلم، غضبت وفقدت توازناتي الداخلية الحساسة.

في الحقيقة، حققنا نجاحات مهمة قبيل حصار سيكتوار. كان المجريون على وشك إلقاء أسلحتهم دون قيد أو شرط، ولكن الجواسيس الصفويين الذين يعملون مع عناصر الصليب الحديدي الهابسبورغي كانوا مؤثرين جداً، فقاموا بعمليات اغتيال ناجحة أدت إلى فقداننا الكثيرين من ضباطنا الموهوبين وهم نائمون في خيامهم ليلاً.

عندما عدنا في أواسط السنة التالية إلى إسطنبول وجدتُ فرصة لإعادة بناء تنظيمي، وبدأت أسلّط غضب عناصر الهلال على الذين يدّعون أن

قبضة العثمانيين الحديدية قد تفتت بانقسامها الداخلي. وخلال فترة قصيرة، استعدت احترامي الذي فقدته في الداخل والخارج، وشعرت كأنني بُعثت من رمادي، وهذا أمّن لي مكانة أفضل من مكانتي السابقة.

V

كانت صحة حاكم العالم المَهيب جيدة عندما عاد إلى إسطنبول في رجب من عام 963. كان يمتطي الجواد، ويطلق السهام من أقواس ثقيلة كما كان يفعل في شبابه؛ منافساً الرماة المحترفين. في الحقيقة، كان لا يزال يشعر بجرح بطة ساقه على الرغم من تحسنه. وهذا سبب عرجه الخفيف.

شعر بالضيق من فشل حصار سيكتوار، ولكن فتح وهران بقيادة بيالة باشا ريس الأسطول عدّل مزاجه. كانت وهران أهم القواعد الإسبانية المعيقة للفتح في شمال أفريقيا على الشاطئ الجزائري. لهذا السبب تم تبادل حكمها بين الأتراك والإسبان مرات عديدة. على الرغم من استعادتها عدة مرات على يد الريس أوروتش، والريس بربروس، والريس طورغوت، فقد تمكن الإسبان من العودة إليها في كل مرة.

بلى يا باشا. تمكن شارلكان من إقامة علاقة جيدة مع القادة المحليين. وكأنه وضع الذهب المستخرج من المناجم الأمريكية في خدمة البربر. هذه الظروف كانت تؤثر على النفوذ العثماني في المنطقة بالتأكيد. أنا يا سيدي؟ نعم، ذهبتُ إلى الجزائر مرتين لفترتين قصيرتين يا باشا. كانتا زيارتين قصيرتين بسبب الحركة الدائمة في الجغرافيتين الأوروبية والإيرانية، ولكن كلاً منهما كانت مؤثرة. يفضّل الأهالي المسلمون التفاهم معنا على التفاهم مع الإسبان. ولكن، لزمهم ما

يخرب علاقة أمرائهم مع الإسبان. يشهد الله عليّ أنني فعلت كل ما بوسعي أثناء مهمتي.

أُعتبر مقصراً بحقكم وحق تلك الأيام إذا لم أروِ لكم حادثة عشناها - حاكم العالم وأنا - أثناء نزولنا إلى الحديقة الخاصة لتدفئة عظامنا الهرمة في أحد أواخر أيام صيف عام 963 الحار. أنا واثق من أنكم ستذكرون هذه الحادثة التي لعلكم تسمعونها للمرة الأولى اليوم بالانفعال نفسه في السنوات القادمة.

كان عصر يوم جميل. وكنا نسير بخطوات بطيئة تحت سماء زرقاء تفتح الغيوم فيها أشرعتها. كانت روائح الورد وزهر العسل تملأ أنوفنا، وتزداد نشوة سليمان خان مع ابتعاد الشمس التي تُلبس أسوار القصر درعاً ذهبية.

توقفنا بين جذوع الأشجار العتيقة المعتنى بها في بعض الأحيان. وكان سليمان خان يشرح لي بعض المعلومات عن الأشجار؛ خاصة أشجار الجوز والكستناء، ويعطي الدلبَ حيزاً خاصاً من حديثه. مثلاً، كان يحب الحديث عن حلم عثمان غازي، ويروي بفخر عن خروج دب من حضن الشيخ أديب علي، ودخوله حضن عثمان غازي، وارتفاعه إلى صدره، وتحوّله إلى شجرة دلب تلف جذورها الأرض، وظلها السماء، ويُبْرِزُ أن الدلب مثله مثل الهلال؛ رمز من رموز الحكم التركي المسلم.

وصلنا إلى الساحل عبر طريق متلوٍ بين أحواض أزهار ملونة. رفع السلطان يده نحو الريح المُحمّلة برائحة الملح والطحالب مشيراً نحو شاطئ الأناضول: «الشاطئ المقابل لنا يشبه حقل أحلام تتراكم فيه ورود الخريف أكواماً يا وهيمي. الزنبق والورد؛ نوعان من الزهور اقترنا

بنا. الزنبق في الشتاء والربيع، والورد في الصيف والخريف...».

قلت باهتمام يحمل تباهياً: «نعم يا سيدي. حساب الجُمّل لكلمات زنبق، هلال، الله متساوي. كل منها يقابل ستاً وستين. لهذا السبب، إن للزنبق مكانةً فريدة في ثقافتنا. والورد بالطبع. فهو يرتبط في أذهاننا مباشرة بسيدنا الرسول:

... سألت الزهر ثانية

ماذا يكون الورد منكَ؟

قالت زهرة: قف أيها الدرويش

الورد عرق مُحَمَد».

قال: «ما أجمل صورة يونس أمره الفنية هنا!».

ضحكتُ. «بصل الزنبق الذي أرسلناه إلى هولندا، حوّل الجميع هناك إلى مجانين زنبق. أخشى أن يطمسوا جذره كما يفعلون عادة في العلم والفن والمواضيع كلها، وينسبوه لأنفسهم. سيأتي يوم يعتبر فيه أولئك القوم أن الحضارة بكل ما فيها عائدةٌ لهم».

هزّ كتفه بحركة غير المهتم. «ليكن، ليفعلوا ذلك، الحقائق تخفى لفترة فقط، وسيأتي يوم يظهر فيه من يكتب الحقائق، ويجعلها في كتاب، ويصدرها يا وهيمي. في النهاية، سيجد الذين كدحوا من أجل هذا أن جهودهم كلها ذهبت سدى. ما يكويهم أصلاً هو الخوف الذي في أعماقهم، ومجابهتهم الخجل. دع دول الفلمنك تلوّن نفسها قليلاً يا وهيمي، ماذا سينجم عن هذا؟ ماذا سينجم عن ادعائهم أن الزنبق لهم؟».

«انزعج آل هابسبورغ كثيراً من اهتمامنا الكبير بهولندا وإنكلترا، وخاصة بالبروتستانتية المنتشرة شمال بلادهم، إلى درجة أن عناصر الصليب

الحديدي عندما أبلغوا شارلكان بمنشأ الزنبق الذي حوّل بلدهم إلى حديقة تضج بالألوان، زاد الإمبراطور مقدار الضريبة على دول الفلمنك كلها. ويبدو أن تمرداً كبيراً ينطلق من هولندا يلوح في الأفق».

«في هذه الحالة، سرّع في إعادة بناء أوروبا يا وهيمي».

«اعتبروهـا منتهية يا حاكـم العالم. لم يبـقَ لدي أي نقـص تقريباً. اهتززنا، ولكننا لم ننهر والحمد لله».

«تعطلـت فعالياتنـا في قـارة أوروبـا الكبيـرة بسـبب صراعك مع كمـال. وهذا مـا جعـل شـارلكان يتجـرأ. تُشـاع عنكمـا أسـاطير كثيرة في قصـور مدريـد. كل يوم يداهـم أحدكما الآخـر، ويقطع له رؤوسـاً، ويجذب أصدقاءه المقربين، وفي النهاية تقتلون أولئك الأشخاص».

«إنها شائعات يا سيدي».

«شـائعات أو حقائق. انظر يا وهيمي، إذا كنت قـد تعبت وتريد أن تتوقف فأخبرني. الدولة العلية ليست عاجزة».

ظهرت تلك التشـققات القديمة التـي كانت على سـطح قلبي من جديد. «حاشا يا سيدنا. لا تقلقوا. القضية على وشك أن تُحل».

التفت إلـي بتعبيـر جـاد. «سـتكون أولى مهماتـك قطـع فعاليات طهماسـب كقطع السـكين. عملاؤه في كل مكان يتآمـرون ضدنا. حان وقت الاسـتعداد. لا يمكن التسـاهل بقضايا الدولة... ويجب أن تكون أعمال الاسـتخبارات فـي حالة حذر دائـم، وأنت أعـرف الجميع بهذا. أريدك أن تقطـع علاقات العمـلاء الصفويين وروابطهم بشـكل خاص. يجب أن تكون سريعاً وحاداً جداً، وبالمستوى نفسه أن تكون هادئاً!».

«أمركم يا صاحب الحشمة».

حل صمـت قصيـر. أدار وجهـه نحـو الريح التـي تحـفّ أغصان

الأشـجار. كانت بشـرته المحمرّة قليلاً بصحة جيدة، وأسـعدتني رؤيته على هذا النحو. قال بتعبير باسـم وناعم بهدوء: «انظر إلى هذه الأوراق المصفرّة يا صديقي وهيمي».

كررت في داخلي: صديقي... صديقي وهيمي... ألقيت مرسـاتي وسـط الزمان، وتوقفت حينئـذ. كان السـلطان كوكباً يدور فـي الفضاء، وأنا قمره الوحيد. لم يكن هناك في الكون أحد غيرنا...

انحنى نحو موج البحر، وأضاف: «في يـوم خريفي كهذا قبل عدة سنوات، كنا نتجول في هذه الحديقة أنا وصديقي الشاعر باقي، ونتبادل الحديث. قال لـي حينها إنه كتب عـدة أبيات لذكرى أيامنـا هذه، ويريد قراءتها إذا سمحتُ له».

«أفهم أنكم تتحدثون عـن الأبيات الغنائية التـي حفظتها في ذهني منذ اليوم الأول لسماعي لها وكأنها كنـز يا سيدنا».

«إذا كان الأمر على هذا النحو، فلتلقِها ولنسمع يا جلبي!».

شعرت فجأة بأنني أتعرق بشـكل خفيف. وكأن أنفاسي قد انقطعت. لا أدري لمـاذا انفعلت علـى هذا النحو، ولكـن هذا ما حـدث... رأيته يمد منديله... نعم يا أصحاب المعالي، لا كذب في هذا. هذه الأمانة العزيزة أيضاً في بيتي، يمكنكم أن تروهـا إلى جانب الأمانات الأخرى. لم أفهم السـبب بداية، ولكنني فهمت عندما سـالت إحدى القطرات المتشكلة على جبهتي نحو عيني. أذكر أنني شاهدت جسمي، وامتداد يدي نحو المنديل، ثم أخذي إياه من بين أصابعه، ونقله إلى وجهي وكأنني أراقب نفسي من بعيد بواسطة منظارمقلوب.

هذا القرب فتح الطريق نحو انفجار سـعادة جديدة ومفاجئة جداً. شعرتُ أن روحي طارت عبر شقوق عميقة في الغيوم البيضاء المتجولة

فوقنـا، واختفت. بعد ذلـك، قذفت ريـاح الأعالي العاتية جسـدي على سفوح جبال من غيوم.

تنهدتُ بشكل متقطع، وبدأت ألقي أبيات باقي الفريدة:

«لـم يبق من فصل الربيع اسـم أو أثر

سـقـطـتْ مـكـانـةُ أوراق الـشـجـر.

اسـتـأذنـتْ ريـحُ الـخـريـفِ الـدلـبَ

وجـرّدت أوراق أشـجـار البساتين

ذهب يتدفق تحت قدميك في كل مكان

وتطلب أشجار البساتين خيراً من النهر

خلعت الأشجار ثمارها وأوراقها وأحمالها

لترقص على نسيم الصبا في ساحة عشب

الأوراق متعبة جداً في السهل يا باقي

والـريـح تشتكي مـن التعب ذاتـه».

قال سلطان سلاطين العالم: «اسـمع أنت إذاً يا وهيمي!». وأخرج من حزامه لفة أوراق، واختار إحداها، وبدأ يقرأ:

«أيها المسافرون، لعلكم تذهبون

مشغولي البال بما ليس هنا

هل أنتم قادمون من مكان بعيد،

كما يبدو عليكم

تمرون من وسط هذه المدينة

وتغادرون دون أن تبكوا

كأناس يتظاهرون بعدم معرفة الألم؟

مع أنكم لو بقيتم، واستمعتم لها

يقول قلبي المتأوه

تذهبون من هنا باكين بالتأكيد.

فقدت مدينةُ بتريس سعادتها،

والعبارات التي تقال عنها

لها قوة تبكي الجميع».

قلت: «دانتي ألغييرا».

قال: «أحسنت!».

«هل تحبونه فعلاً إلى هذه الدرجة؟».

«دانتي؟».

لويت رقبتي.

بعدئذ سأل وكأنه يهمس لنفسه: «هل تعرف حضرة إبراهيم أدهم؟».

ابتسمت: «من لا يعرفه يا سيدنا؟».

عند ذكر إبراهيم أدهم شعرت بأن نور الحب داعب قلبي الهرم، وأنيرت السماء والأرض بنور أقوى وأعمق. وألقيتُ فوراً أبيات يونس بحق هذا الولي:

«لا تستخف بالأرض

كم هناك نيام فيها

كثير من أولياء الله الصالحين

ومئات آلاف الأنبياء

ينام فيها إبراهيم أدهم
الذي يرمي إبرته إلى الماء
ويُكرم السمك
تاركاً التاج والعرش»

قال: «إنه هو». ثم تابع: «كان إبراهيم أدهم من أهم سلاطين دولة مدينة بلخ الغنية الواقعة على طريق الحرير في شمال أفغانستان، وأكثرهم مهابة. لجام حصانه وحتى أطواق كلاب صيده ذهبية. هو أيضاً كان شغوفاً بالصيد... ولكنه ترك تاجه وعرشه، وانطلق في الطرق. بدأ يحطّب من الجبل، ويبيع في السوق من أجل كسر شهواته الجامحة، وعمل مكيّساً في الحمامات، ونام على الأرض، ورقّع ثيابه المهترئة. في النهاية، - هذه النهاية بعد عشر سنوات - عاد إلى مدينة بلخ محني الظهر دون اسم أو شهرة أو أوسمة».

«هل عاد؟».

«نعم، لا يُعرف هذا كثيراً يا وهيمي، ولكن إبراهيم أدهم عاد قبيل وفاته مباشرة إلى بلخ، وأراد أن يقضي الليلة الباردة الماطرة في الجامع الذي أمر ببنائه؛ لأنه كان مريضاً. كانت حرارته مرتفعة، ويكح، ولم يعرفه قيّم الجامع. أنّبه: إبراهيم أدهم أمر ببناء هذا الجامع، إذا أراد كل مشرد مثلك أن يقيم هنا، فسيغدو المكان خاناً! يقولون إن القيّم بعد ذلك سحب سلطان القلوب ذاك من ساقه، وجره على درجات الدرج، وأنزله. ارتطم رأسه بكل درجة، ولكنه لم ينبس بكلمة».

«لماذا لم يقل من يكون يا حاكم العالم؟».

«لم يقل... لأنه يريد أن يكون كما هو، ويهجر ما مضى. أمّا لو قال فسيلقى حفاوة، ويذهب كل ذلك العذاب هباء».

«هذا يعني أنه صمت...».

«صمت...».

«بعدئذ؟».

«بعدئذ، أثناء تجواله في الأزقة القفرة المظلمة وقعت عيناه على المكان الأفضل الذي يمكن أن يقضي فيه ليلته. موقد حمام ما زال مفتوحاً. دخل ورجا الوقاد. لم يرد الوقاد الهرم رجاء الرجل المقوس الظهر مثله، وأشار له نحو مكان دافئ وجاف. ولكنه لم يكلّم إبراهيم أدهم حتى انتهاء عمله. فاقترب منه بعد ذلك، وسأله عن أحواله. سأجلب لك ما تلبسه... لماذا أنت مبلّل إلى هذه الدرجة؟ ألم تجد مكاناً تأوي إليه؟ هنا ألقى إبراهيم أدهم هذه الأبيات التي لا تنسى:

لا عين لي بمآوٍ مؤقتة

أنا أحضّر مكان إقامتي الأبدية

أنا شغوف بالتخلص

ممن يضيع كلما انهمك بالعمل

فقال الوقاد صاحب الفراسة: هذه الكلمات ليست من النوع المحضر ليقال، أنتم السباقون ومن الأولياء!

ابتسم إبراهيم أدهم، وقال: بعضهم أولياء وبعضهم مجانين، اعتد على ما يقال منذ سنين... هل يمكنني أن أسألك سؤالاً يا وقاد؟

– تفضل؟

– عندما أتيتُ، استقبلتني، وقدمت لي مكاناً، ولكنك لم تهتم بغير هذا قطّ. والآن، ها أنت تبدي كل هذا الاهتمام. ترى، ما الحكمة في هذا؟

– نعم، لم أهتم، لأنني لو اهتممت بك قبل أن أنهي عملي،

فسأعتبر آكلاً حق المسؤول عن عملي.

فقال إبراهيم أدهم: مدهش، مدهش! حسنٌ، لدي سؤال آخر إذا سمحت.

- تفضل!

- هل حدث إلى اليوم أنك دعوت ولم يُقبل دُعاؤك؟

لوى الوقاد رقبته. ليس من المناسب الإجابة عن هذا السؤال، ولكنني وعدتك. لا، لم يُرفض لي دعاء إلى اليوم. ولكن لدي دعاء لم يتحقق بعد.

- هل من الممكن أن أعرف دعاءك هذا؟

- رؤية إبراهيم أدهم، والحديث معه...

انهار إبراهيم أدهم في مكانه عند سماعه هذا، ودهش الوقاد وارتبك. هُرع، ووضع رأس إبراهيم أدهم المرتطم بدرجات جامعه الرخامية في حضنه وسأله: ماذا جرى؟ ما بك؟

فقال إبراهيم أدهم: من أجل دعائك أنزل الله إبراهيم أدهم عن عرشه، وجلبه إليك جراً ليقبض روحه في حضنك...

وهكذا توفي حضرة إبراهيم أدهم... وكلما تذكرت هذه الحادثة يا وهيمي...». ارتجف صوته... «وكلما حاولت قراءة سيرة إبراهيم أدهم... لا أستطيع ضبط دموعي...».

الدفتر السابع

فقد كبير الجواسيس وهيمي أورهـون جلبي وعيه عندما روى قصة إبراهيم أدهم في الجلسة الأخيرة، وهذا ما رواه في الخامس من رجب عام 975 من بعد صلاة العشاء حتى وقت الإمساك. ربط بروايته ملحق بمسودة الفرمان الذي دوّنه الصدر الأعظم محمد باشا صوقولو ليقدمه للسلطان نتيجة الحقائق الفظيعة في الإفادة.

I

«بـدا أن سـليمان خـان قد اسـتجمع قوتـه قليـلاً عندما قـال هذا: إيه يا بني! أنت سـيد! بعـد هذا، نحـن الحانقـون، وأنت الوديـع. نحن الغاضبون وأنت المراضي.

نحن المتهمـون، وأنت المتحمّـل. نحن العاجـزون والمخطئون، وأنت المسـامح. نحـن المشاكسـون والتصادميـون والمختلفـون وغير المتفهميـن، وأنـت العـادل. نحـن الحاسـدون والباعثـون على الشـؤم والمخطئون بالفهم، وأنت المتسامح.

من الآن فصاعداً نحن المقسّمون، وأنت الموحد. نحن السئمون، وأنـت المنبّـه والمشـجع والمشـكّل... هـذا غايـة فـي الجمـال، أليس كذلك؟».

اشتداد مرض السلطانة حُرّم المفاجئ والمستمر منذ فترة جعله لا يسـتطيع أن يهدأ في مكانه، ولا يعرف ماذا يمكنه أن يفعل. وصار ينتقل من هنا إلى هناك فـي دهاليز القصر، وفي حديقتـه المثلجة نتيجة القلق. يكون ثمة كتـاب بيـده على الأغلـب. يتوقف فـي بعض الأحيـان ليقرأ بعض المقاطع التي تعجبه، وأنا أستمع إليه بكل جوارحي.

«... بعض النـاس يولدون عنـد الفجـر، ويموتون عنـد المغرب. العالـم ليس كبيـراً كمـا تـراه عينـاك. لكـن الجمـال غيـر المكتشـف والمجهول لن يُكتشـف إلا بفضيلتك وعدالتك. احترم والديك! اعرف أن الكبـار يجلبـون البركة! لا تقـل إنك رأيـت، وإنك تعـرف! لا تتردد كثيراً على المكان الذي تحبه لأن محبتك ومكانتك تتأثران...».

كانت حالة السلطانة حُرّم جيدة جداً في 9 شعبان 964، أي أثناء افتتاح جامع السليمانية، آخر آثار العبقري العظيم سنان. هكذا يجب أن تكون أصلاً... نعم، يجب أن تكون... تسألون عما أقصده؟ أنا أتحدث عن حقيقة لعلكم فهمتموها منذ زمن طويل، وتنتظرون سماعها من لساني يا باشا. بما أنني أنفض كل الأحجار المخبأة في عبّي، وطالما أن لساني النافث سماً يدور، سأنثر الحقائقَ التي بقيت سراً كالألماس الأسود طوال تلك السنين تحت أقدامكم. أصغوا يا أصحاب المعالي جيداً لما سأرويه، لأنني تعبت كثيراً من الحديث في هذه الأيام! نعم، أصغوا جيداً لأنني لن أعيد ما سأرويه ثانية مهما كلف الأمر. حتى تحت التعذيب...

تسألون لماذا اليوم، ولماذا الآن؟ أنتم وزراء القبة، لديكم مواهب عظيمة في السياسة يا سيدي. أنا أرى أنه من الأفضل ألا تسألوا عن هذا أبداً؛ لأنكم يجب أن تكونوا قد استشعرتم عدم وجود جواب. لعل السبب هو القلق من عدم استطاعتي تحمل هذا الحمل أكثر من ذلك في أيام حياتي الأخيرة. فالشعورُ الهدّام نادر في الحياة يا سيدي؛ كالشعور بالذنب، وهو نادرٌ جداً...

أفكر على هذا النحو أيضاً؛ ما سأرويه سيكون بمثابة دليل إثبات على صحة ما رويته طوال هذا الوقت... نعم، سيذهلكم ما سأرويه... سيشوش عقولكم، ويؤدي إلى تضارب في أنفسكم، ولكنكم ستفهمون سبب عدم كذب هذا الشيخ غير المبالي نهائياً لحياته في موضوع هدف هذا التحقيق الأساسي.

لم تمرض السلطانة حُرّم فجأة يا أصحاب المعالي. على العكس تماماً، أضيفوا إلى اعترافاتي أنني على مدى أشهر صيف عام 964

وخريفه بذلت جهداً كبيراً لكي تشعر بأنها في حالة جيدة. ولكن الأصعب هو العمل على ألا نتفتت أثناء حدوث كل هذا. نعم، هكذا... ثمة شيء بارد جداً يلمسني يا أصحاب المعالي... يد ثلجية أو جليدية تلمس روحي، وتبتعد... تلتقطني في أكثر لحظاتي شعوراً بالراحة... لم تبق لدي أي ذريعة يا سادتي... جفّت في داخلي دموعي التي لم أستطع ذرفها...

على الرغم من ملازمتي لحاكم العالم، لا يمكن القول إنني كنت أقابل السلطانة خُرّم كثيراً. بكل الأحوال، الأكثر صواباً القول إن أحدنا كان يتجنب الآخر. هذا ما كان عليه حالنا. عندما كنا نلتقي في بعض الأحيان، كنا نتبادل نظرات متعبة، ونمر. أعرف أنها تكرهني كثيراً، ولكنني أشعر بأنها تخشاني.

بات التحالف المؤقت الذي عقدته مع إبراهيم باشا يشبه حلماً بعيداً. كنتُ واثقاً من أنني أدخل كوابيسها بوجهي الذي لا يفضح انتمائي، وعيني العوراء التي أُثبّت فيها كرة زجاجية من صنع زجّاج ماهر والمغطاة بعصابة أحياناً، وحدبتي الخفيفة. ولكنني يجب أن أقول هذا أيضاً: إنها ما زالت تدخل كوابيسي بقبعتها المخروطية البرّاقة دائماً بالذهب فوق شعرها الأحمر كاللهب، ومعطفها الأسود المفتوح من الأمام، والذي داومت على لبسه في أيامها الأخيرة.

كانت دائماً متقدمة عليّ بخطوة في صراعنا على السلطة المستمر سنين طويلة. لم أستغرب هذا بالتأكيد، لأنه ليس من الصعب على رجل أن يفهم الحالة النفسية لرجل عاشق آخر. خاصة إذا كان الرجل موضوع حديثنا يحمل على كتفيه عبء إمبراطورية عظمى، ومسؤوليات المسلمين، وقلبه مفطور ومحطم.

ظهر الانهيار العاطفي الحقيقي الأول على حاكم العالم عند إعدام إبراهيم باشا البرغالي، وأعرف أنه كان يشعر بندم عميق يخفيه. بعد وفاة محمد خان المفاجئة، فَقَدَ استقرار صحته الجسدية. فجأة، ظهر عليه مرض «النقرس» الذي أصاب أجداده، وقد أتلفت أعصابه معرفته مدى خطورة هذا المرض. أما الانهيار الذي أحدثته خسارة مصطفى خان، وبعدها مباشرة خسارة جيهان غير خان، فلا يمكن أن تعبر عنه أي وثيقة سلطانية أو عمل أدبي مهما بلغ جماله.

في فترات مرضه يكون شبه يائس، وشبه مكدر، وسوداوياً تماماً في بعض الأحيان. وبات معلوماً للنخبة السياسية كلها أن السلطانة حُرّم لا تريد الابتعاد عنه في تلك الأوقات. وهو لا يألو جهداً لكي يبتعد عن المسؤوليات المالية والعسكرية والمصاعب كلها، وعلى الأغلب ينزوي في قصر أدرنة.

أعرف أنه لم يكن في بعض الأحيان يريد أن يسمع كلمة واحدة حول الصراع الذي لا ينتهي مع الهابسبورغيين والصفويين. وكان يُغيّر الموضوع مباشرة إذا لم يكن مهماً، ولا يحتمل الإعادة المملة. في تلك الأوقات، لم يكن يسقط من يده كتاب أحمد بيجان؛ تلميذ حضرة الحاج أحمد ولي الموسوم **أنوار العاشقين**. وكان يقوم الليل كله دون أن ينام أحياناً، وخلال استراحاته القصيرة من العبادة كان يتابع قراءة الكتاب وهو يصبب الدمع. كم كنت أتمنى أن أبكي مثله... كانت قطراتُ ندى زهرية صغيرة تنزل على خديه كالأقحوان الذي يلمع عند السحر.

ازدادت حساسيته تجاه الدين. يعرف حضرة «أبو السعود» أفندي جيداً أنه لم يكن يدخل عملاً دون استشارته. وقوي جانبه

المتعلق بعالمه الداخلي تدريجياً؛ مثل كل تقيّ. لهذا السبب، كان يستغل كل فرصة متاحة من أجل الحديث عن الآخرة. كنت واثقاً من أن حضرة يحيى أفندي سيجد طريقة يهدئ فيها حزنه. وهذا ما حصل بالنتيجة. لقد حظي الأخوان بالرضاعة بحديث بددا فيه شوق أحدهما للآخر.

وكنتُ أوسّع رغبتي بالانتقام التي أنمّيها في داخلي. وكبر كثيراً حقدي الذي أكنّه لوالدة السلطان سليم الثاني عندما أكون قرب سليمان خان. ذكرتُ عدة مرات أنني اشتقت لمنطقة روملي، وأريد الذهاب إلى هناك بمهمة، ولكنني كنت أتراجع في كل مرة؛ مع أنه قال لي: «يمكنك الذهاب متى شئت. هذه الأمة بحاجة إليك يا وهيمي، اذهب...».

ولكنني لم أستطع... هل نبرة التأكيد الناعمة في صوته هي التي أوقفتني؟ أم إنها حساسيتي المرضيّة التي نميتها قليلاً في ذهني؟ كنتُ أريد أن أكون هناك بمتناول يده عندما يطلبني... كنت أود أن أسنده عندما يتعثر، وأن ألبي حاجته عندما يريد... كنت أتشتت، وأريد أن أستجمع نفسي بواسطته، وأن أمسح دمي النازف من قلبي بتأنيبه... من يحتاج إلى الآخر أكثر؟ كنت أريد أن أكون هناك عندما يبكي، وأريد أن أساعده على الطيران من جديد عندما يسقط... بقيت طفلاً، وأريد أن أكبر عبره... بعد كل تلك السنين... كلانا فقط أمام ذلك الفراغ العظيم... يحطمني ويفتتني اعتقادي أنه الشيء الوحيد الذي أمتلكه... لعل الأفضل هو الصمت... كأبطال الأساطير... أصمت صمتاً يجعل الكائنات تصمت معي... ليذهب الخجل كله... ولكن ذلك لم يحدث...

لا أعرف يا أصحاب المعالي، لا أعرف، وبتُّ متعباً من البحث عن إجابة. مهما يكن، النتيجة، إن ذلك الحقد والغضب كانا يكبران

من يوم إلى آخر مثل انهيار ثلجي. إذا أردتم الحقيقة، إن السلطانة حُرّم لم تكن قضيتي بشكل مباشر. إنها في النهاية أم منهمكة بحياة أولادها ومستقبلهم. حقيقة الأمر، كنت غاضباً ممن يحضّر لنهاية السلطان سليمان خان بهدوء ومهارة، ومن محاولة إقدام السلطانة حُرّم باعتبارها واحدة من قتلة مصطفى خان الحقيقيين على عمل مماثل، وتحوّل هذا الغضب إلى حقد...

لا أدري، هل سلطاننا هنا الآن؟ هل يستمع إلينا من خلف شبك قصر العدل؟ إذا كان هنا، فأنا أرجوه أن يستمع إلى كلامي هذا بانتباه: أنا هنا يا سلطاني... ولأنني كللت من حمل لوحة ارتكابي جريمة الانتقام لوالدكم وإخوتكم سراً برقبتي، فقد قررت أن أعترف اليوم في هذه الجلسة بكل شيء.

II

وجاء الحل هذه المرة من ولاية كارناتاكا الهندية. نزل غوغليلمو داليسيو إلى ميناء قرة كوي من سفينة عالية جسمها مغطى بطحالب شديدة السواد ومحار، وكنت أعرفه من أنكونا؛ إحدى أكبر مدن موانئ الأدرياتيك. تعرفت عليه في إحدى حملاتي ضد الصليب الحديدي اللاتيني من أجل تحقيق أمن مقاطعتنا التجارية في المنطقة. كان داليسيو يعمل ما بوسعه ليساعدني ويساعد رجالي بعد أن عرف موقعي مقابل أمن مستودعاته في إسطنبول.

كان الهلال الفولاذي مسيطراً على طريق البندقية - أنكونا - فلورنسا - راغوزا - أدرنة - إسطنبول - بورصة كما كان في السابق، ولكن التجارة لم تعد كما كانت منذ قفزة الغرب في صناعة النسيج. وإذا أردتم الحقيقة،

كان هذا الأمر إحدى القضايا التي أحزنت سليمان خان. لقد كان الغرب عملاقاً ينهض ببطء أمام أعيننا. ما زالت سكرة النوم في عينيه، ويخاف منا، ولكن استيقاظه لن يستغرق وقتاً طويلاً إذا سارت أموره على هذا النحو. بدأ يقوى في داخلنا شعور بالتخلف. لم نكن نعرف سبب ذلك الشعور بالضبط، وهو غريب عنا تماماً، ولكنه كان حاضراً. كان ينز دماً مثل جرح قديم منسي.

كان داليسيو تاجراً بكل معنى الكلمة؛ مثل جميع الإيطاليين الذين التقيتهم. يجلس في مكتبه الصغير المطل على البحر، وتفوح منه رائحة العفن والرطوبة، ويصارع حساباته وقوائم بضائعه وأختامه الشمعية الملونة وأوراق بياناته التجارية وفواتير شَحْنِه البحري، ولا بد له بذكائه التجاري العظيم الفريد أن يُقيم ارتباطات تجارية جديدة أثناء انتظاره عودة الشحنة القادمة.

بقدر ما كنت كابوساً ثقيلاً على الكاثوليك خارج الوطن، فأنا لا أتوانى عن دعم الطائفة الكاثوليكية المتناقص عددها في الداخل باسم المحافظة على التوازنات؛ لذلك كانت علاقتي بداليسيو جيدة دائماً.

بماذا تفضلتم يا سيدي؟ بالتأكيد لا يمكن لأحد أن يعرف بما فعلته من أجل الكاثوليك. ولكن الجميع كانوا يعتبرون أنني خططتُ للفعاليات المضادة للروم الأرثوذكس والأرمن في أرصفة (قرة كوي) وجوارها.

كنتُ مندهشاً من عدم وجود ما هو جدي في حياة هذا الإيطالي الضئيل والضعيف غير التجارة والاستثمار، وأستخدم هذا الجانب للسخرية منه. نعم يا سيدي، سحبتموها من لساني. في الحقيقة، كنتُ مخطئاً بتقديري حياة صديقي داليسيو التي تبدو أحادية. بعد فترة، لم

يعد يحتمل سخريتي منه، واعترف أن لديه مجالَ اهتمامٍ غريباً وخطيراً، ولا يعد محايداً.

كان داليسيو شغوفاً بالسموم. كان شغوفاً بأنواع السموم المختلفة التي كان كل نوع منها أشد سمية من الآخر بشكل مَرَضي، كما كان جامعاً لها... ويرش على محاربي الطليعة التتار الذهب أكياساً لكي يجلبوا له بعض المواد القاتلة التي تنبت في أحواض أعماق آسيا الوسطى ولا يعرفها أحدٌ تقريباً غير السحرة، ويحفظها في مستودع بيته الحجري الكائن في حي أسفل البرج كما يحفظ محب للفن قطعاً فنية.

بعد ظهر يوم ربيعي ماطر، سألته عن السم الأكثر ندرة والأغلى ثمناً والأكثر فتكاً في العالم. فقال: «كورار»، وغمّ بعينيه الضعيفتين وهو ينظر إلى وجهي. «إنه هدية العالم اللاتيني من أمريكا الجنوبية إلى أوروبا. يقول فاتح المكسيك الإسباني إرنان كورتيس إنّ السكان المحليين يستخدمون هذا السم بصيد الحيوانات الكبيرة. وقد رصد قبله الجنوي كريستوف كولومبُس ما يشبه ذلك، وكتب عنه في مذكراته».

ثم غم عينيه بتعبير العالم. «إذا وَلج جسم الإنسان يا وهيمي، فستشل عضلاتُه بداية، وسيغدو كالميت، ولكن وعيه متفتح. يبقى فترة على هذا النحو، بعدئذ يوقف السم عضلة القلب فجأة. وهو أفضل الأساليب المستخدمة لقتل الملوك لأنه لا لون له ولا رائحة يا صديقي. أقترحه عليك». بعد أن قال هذا، غمزني بتعبير ماكر. «ولكنني أفضل شخصياً مشتقات البلادونا. رائحتها فقط تنقل الإنسان إلى عوالم أخرى. أما حالتها المقطرة فتعني موتَ الإنسان بقدر ما تنقله إلى أحلام جميلة».

جاء دوري حينئذ بالتقاط فرصة الضحك ولكن بشكل ماكر وموحٍ: «من المحتمل أنك تشرح ما أخفيته عني من هذه الخواص لعملاء الصليب الحديدي. مهما يكن، فأنتم من الملة نفسها...».

تغيّرت ملامح وجهه فجأة. «كيف تقول هذا يا وهيمي؟ أنا لا أبيع أصدقائي. من ناحية أخرى، أنا أهتم بتجارتي، ولا أقف مع طرف في أي صراع. والحقيقة أن عملاء الصليب الحديدي لا يمكنهم أن يتجولوا هنا إلا في أحلامهم. إنهم لا يجرؤون على النزول إلى إسطنبول».

قلت له مبدياً التردد: «كما تريد، ولكنني أسأل عن سُم أقوى. ما تحدّثت عنه يعرفه الجميع حتى الأولاد يا غوغليلمو، وأنا أسأل عما يجعل حتى دمك أنت يتجمد من الخوف... سم قوي وخطير لا يرحم لم يُسمع به من قبل؛ مثلاً تماس بسيط به يعني موتاً مؤكداً، حتى إن استنشاق القليل جداً من بخاره يقتل أناساً يملأون غرفة.

توقف حينئذ، ونظر إلى وجهي بجدية. «حدث لعقلك شيء ما يا وهيمي. هناك نوع من السم الذي تسأل عنه، ولكنني أحذرك... لا يمكن إلا لخبير أن يستخدم شيئاً كهذا. مثلاً هناك دم سلحفاة تعيش على ضفاف مستنقعات جنوب آسيا الداخلية تحت أشجار لم تر أشعة الشمس قط. وهناك زهرة ذات تويجات حمراء صغيرة، وسوداء من الأسفل كالقطران. رائحتها تشبه رائحة الطحينة لديكم. وهناك أزهار من النوع الذي تريده بالتأكيد، أي إذا وقعتَ بخطأ لمسها، فستجد نفسك تنازع الروح متلوياً من الألم مهما بلغت قوتك. فيها سم فظيع يتسرب من الجلد، ويهاجم الأعصاب.

هناك أنواع أخرى أيضاً بالتأكيد. هناك أنواع كثيرة من السموم

تسـبب صداعـاً يجعـل الإنسـان يلعن اليـوم الـذي وُلـد فيه، وإسـهالاً دامياً، وقيئاً لا يتوقف، وتشـققاً في عروق الدم، وتوقفـاً مفاجئاً للقلب، وانتفاخاً للسـان في الفم كرغيف خبز، وشـللاً لبؤبؤ العين يبقيه مفتوحاً إلى ما لا نهايـة، وعمى، وجنونـاً. حتى إن هناك ما يسـبب الموت خنقاً نتيجة ضحك لا يمكن توقيفه بعد أن يبدأ يا وهيمي...».

قلت لـه دون أن أمحو ابتسـامتي الحادة عن شـفتي: «ولكن هناك نوعاً لـم تخبرني به. نعـم، أفهم مـن وجهك أن هنـاك نوعاً لـم تذكره. هناك نوع تعرفه، ولا تذكره، ولكنك تدور حولـه. أنت تهين ذكائي. مع أنك بتهربك تفضح أنه في جعبتك. أم إنك تخشى أن آخذه منك بالقوة يا صديقي القديم؟».

هـز التاجر رأسـه إلـى الجانبيـن. «لسـت خائفاً مـن هـذا بالتأكيد يا وهيمـي. بإمكانـك أن تفعلهـا إن أردت بالطبع. ولكنك سـيد محترم حقيقي، وأنت لا توسخ صلاحياتك الواسعة بأعمال سلب بائسة».

«في هذه الحال؟».

«يمكن أن تؤذي نفسك... تعريف استخدامه مفصل إلى درجة أنه يتحول إلى أداة انتحار باليد غير الخبيرة».

ألححت عليه قائلاً: «قل، اشرح، ولا علاقة لك بما تبقى!».

«بما أنك مصمم، تعال في منتصف هـذه الليلة إلى بيتي. صدقني، إنني لا أفعل هذا لأحد يا أخي، لأي أحد... لا للصليب الحديدي، ولا حتى للبابا ذاته».

«اتفقنا!».

تسـألون متى حدث هـذا؟ قبـل 25 جمـادي الثانـي 965؛ أي قبل تاريخ وفاة السـلطانة حُرّم بسـنة بالضبط، أي عندما دخل حضرة حاكم

العالم الثالثة والستين من عمره.

ذهبت في منتصف تلك الليلة، وأنا أشعر بأن عقلي مشغول تماماً أثناء عبوري بين أبنية قاسية ومظلمة في بيرا التي تشبه مدينة إيطالية متوسطة. كنتُ منقطعاً عن المكان والزمان إلى درجة اعتقادي أنني في إحدى مهماتي الأوروبية لولا الخطوط الشرقية العميقة للتربة أو المدرسة الدينية التي ظهرت أمامي فجأة.

تقدمت حتى موقع التقاطع الذي شهد تمرداً دموياً للعصابات التي يغذيها اليهود المميزون بطرابيشهم الحمر، والتجار الروم المعروفين بسترات الفراء السوداء، ودعم الأرمن الكاثوليك السري قبل فترة، وما زالت آثاره حتى الآن. كأنني سمعت هديراً ينبعث من بين اللحود الرخامية في المقبرة الكاثوليكية القريبة. ارتعشت... أدركت أن الوقت قد حل حين أُغلق باب دار عبادة سانت فرانسوا الثقيل بصخب. بعدئذ غيّرت طريقي مرة ثانية، وعدت متجهاً نحو برج غلاطة الذي أستطيع أن أراه عندما أرفع رأسي.

كان داليسيو يقطن في بيت مجاور لثكنة جنود الأعمال الثقيلة عند منعطف يطل على نهر كاغتهانة الواقع على الطريق الممتد إلى باب عذاب. وصلت إلى بيت الإيطالي عند سماعي حركات تبديل حراس أبراج حوض إسطنبول لبناء السفن.

استقبلني خلف باب حديقة بيته الصغير الذي يصدر صريراً، وقادني حاملاً قنديلاً نحو المستودع الواقع في طرف الحديقة. نزلنا عدة درجات، فوصلنا إلى جناح داليسيو للموت. كان يشبه أمكنة الشؤم السرية التي ينفّذ فيها السحرة سحرهم الشرير. هناك كتبٌ أغلفتها سميكة مغطاة بشباك العناكب، وطاولات مرصوفة تماماً بقوارير ومطربانات مليئة بسوائل لا يُعرَف ما هي، وأرضية خشبية مغطاة

بالغبار الكثيف، تصدر صريراً وكأنها ستنهار كلما خطونا خطوة... غير هذا، كانت هناك شمعدانات ذات لهيب في كل زاوية من الزوايا؛ كأن المكان رُتِّب على هذا النحو بشكل خاص. كان المكان معداً بجهود خارقة من أجل إخافة أحد ما، أو التظاهر بالخبرة في هذا المجال من أجل رفع السعر. كان داليسيو يكذب عليّ. كان يجب عليّ أن أراقب المكان لمعرفة من يتردد إليه.

كانت ثمة طاولة ضخمة مصنوعة من خشب الجوز وسط الغرفة، وعليها كتب لاتينية وعربية ذات أغلفة سميكة، وعدسة كبيرة لها قاعدة رصاصية، ونموذج للكواكب من زجاج قابل للتشكيل، وقطع زجاج ملون. ثمة أدوات علمية قديمة أيضاً في الداخل. رأيت ساعة شمسية تنبه لوقت الظهيرة، وساعة مائية غريبة جداً تُسقط كرة زجاجية في كوب معدني كل ساعة. شاهدت الأبراج التي تراقب منها الأفلاك مثبتة على لوحات غريبة وأنا شارد. رأيتُ مرايا معلقة بالسقف تدور، محددة تحول يوم نصف الشهر الساعة الثانية عشرة تماماً ببريق متتابع.

عندما انتبه إلى الدهشة البادية على وجهي، قال: «هذه كلها أدوات علمية اكتشفها علماء المسلمين في العصور الوسطى».

دهشت: «كلها؟».

«نعم يا وهيمي، كلها. وبجهودي المتواضعة جمعتُها من الأمكنة التي تشتت إليها. هل ترى هذه؟». وأشار إلى أدوات جراحية متنوعة في خزانة زجاجية.

«رائعة...».

«بعض الأدوات التي تراها هنا عمرها أكثر من ثلاثمائة عام...».

شعرت وكأن أنفاسي قد انقطعت. مررت أصابعي المتعرقة على زجاج الخزانة المغبرّ، ثم التفتُ إليه وعلى وجهي تعبير شك يبث الرعب في نفس مخاطبي دائماً. «هل تجمع هذه الآلات الغريبة لكي تحتفظ بها فقط؟».

قال بصوت مفعم بالأسرار أجّج فضولي: «من يعلم؟». ثم أدار ظهره، واتجه إلى أحد الرفوف.

ضحكت. «هل أنت جزء من تلك اللعبة القذرة؟».

هز برأسه إلى الجانبين، وضحك، ولكنه لم يجب. أخرج من داخل أحد الكتب مفتاحاً، ونظر إليه وهو يفكر.

أعرف أن التجار الأوروبيين الأغنياء يجمعون الكتب والآلات العلمية، ويبيعونها بمبالغ ضخمة لجامعات المدن الأوروبية الكبرى، وأن العلماء ينظمون وثائق مزورة تثبت أن تلك الأعمال والأدوات من تاريخهم الماضي. إذا أمد الله بعمري فقد حان الوقت لأمد يدي لهذا الأمر.

بدت لي بعض عناوين الكتب الموضوعة على طاولة اهترأ نصفها مألوفة. منها «De Vermis Mysteriis» لدوفيغ برين، «الإطلاق» لسعد نجار المصري، ونيكرونوميكون لعبد الحضرة.

في تلك الأثناء، رأيتُ تفصيلاً لم أره للوهلة الأولى. ثمة عش فوق جدار البيت الغربي أمام نافذة صغيرة فيه بومة عيناها صفراوان منيرتان تنظران إلي. هذا ما أغضبني. «ماذا تريد من هذا الطائر المسكين يا زعيم؟ أطلقه...».

«لديه مهمة يا وهيمي، وهي مهمة هامة جداً. وقد أحبك. وإلا لما توقف عن إزعاجنا بصوته».

«بماذا يمكن أن يفيدك طائر مسكين أيها التائه؟».

تلفت حوله بقلق، ووضع إصبعه على فمه: «هس، أخفض صوتك! نحن في منتصف الليل. وظيفة فرانكو عظيمة إلى درجة أنك لا تستطيع استيعابها. إنه ينتبه إلى اهتزازات جو الغرفة، ويبلغني بها».

«ما الذي يعنيه هذا الآن؟».

«تحدثُ أمور ما أثناء قراءة تلك الكتب... مهما يكن، دعك الآن من هذه الأمور يا وهيمي، وانتظر قليلاً...». وأخرج الإيطالي مفتاحاً آخر من سترته المصنوعة من قماش كشميري، وفتح أحد أدراج الطاولة المقفولة، ولكن الدرج كان فارغاً. مد يده بعدئذ، وأخرج علبة صغيرة رقيقة مثبتة أسفل الدُرج الأعلى.

قلت متهماً: «لقد رأيت بعض تلك الكتب؛ كتب السحر الأسود... إنها مليئة بمعلومات عن العالم السفلي، وتحاول خلخلة توازنات الطبيعة مقابل قرابين دامية...».

رفع يده، وقال بهدوء: «يكفي أيها الصديق القديم. لا تتدخل بعملي».

هززت كتفي. «هذه حياتك. ولكنك رجل محتاط يا غوغليلمو، أهنئك».

«هكذا ينبغي أن أكون يا وهيمي. في الحقيقة، ليس من الصواب أن أريك هذا المكان، لأنه من الصعب أن تجد مثيلاً للمجموعة التي لدي هنا في أي مكان في العالم. ولكنني أثق بك...».

فتح الإيطالي الصندوق الصغير بالمفتاح الذي أخذه قبل قليل من الكتاب، وأخرج منه كيساً جلدياً ينثر بريقاً زيتياً ناعماً، وبدأ عرضه الفظيع.

III

أخذ ذرة غبار من الكيس الذي بيده بواسطة ملقط طويل ورفيع، ووضعها على كوارتز كريستالي. «جُلب هذا الغبار من سهل لينغ الشهير في الصين يا وهيمي».

اقشعرّ بدني فور سماعي كلمة لينغ. أعرف أن طلائع المحاربين التتار وصلوا إلى تلك النواحي، ولكنهم يحرصون على الابتعاد عن تلك المنطقة الرهيبة والسهول المحيطة بها. أنا أدرك أن الشائعات والأساطير المحلية ساهمت بنشر حالة الرعب، ولكنني عرفت اثنين من طلائع المحاربين اضطرا للمبيت في تلك الهضبة.

من المستحيل إيجاد تفسير منطقي للرهبة التي عاشاها طوال الليل. أبسط ما يعاش في تلك المرتفعات المجمّدة يجعل أبدان الناس العاديين تقشعر. أنا واحد من قلائل يعرفون أن مجموعة من الجن تحاول جذب المسافرين إليها أثناء خوضهم صراع البقاء على قيد الحياة قرب نار ضعيفة يغذونها بالحطب باستمرار. أما النوم فهو أسوأ، لأن تلك الكائنات تستطيع أن تُنهض النائمين بحالة تشبه فقدان الوعي، وتسيرهم في نومهم، وتبعدهم عن رفاقهم، حتى إنني سمعت أنها تجعلهم يهاجمون رفاقهم، ويقتلونهم.

«انتبه يا جلبي! جُلبت ذرات الغبار هذه من قمة تين؛ أعلى مرتفعات هضبة لينغ. تبدو الذرّات أليفة جداً أليس كذلك؟ ولكن هذه البراءة تتحول إلى شيطنة مذهلة في حال تماسها مع أي سائل. إنّ ملامستها قطرة عرق دقيقة جداً أو طبقة رقيقة من دهن الشعر تُدخلها حيّز الفاعلية... أتتساءل عما يمكن أن تفعله؟ أصغِ إلي تماماً إذاً، وافهم جيداً ما سأقوله وطبقه بالضبط».

ملأ كأسَ ماء من إبريق كان في الزاوية، ووضعها على الطاولة،

وقال: «سألقي في الماء الآن ثلاثاً من هذه الذرات. لا تأخذ شهيقاً أو ترف بأجفانك لمدة دقيقتين، هل تفهمني؟».

هززت رأسي بمعنى الموافقة.

«سيتصاعد دخان شديدُ البياض لا نستطيع رؤيته في الظروف الطبيعية، ولا يمكننا أن نراه إلا من خلف زجاج عليه هباب. إذا أخذت شهيقاً أو رففت بأجفانك فإن الدخان سيلتصق برئتيك أو تحت أجفانك. وخلال ساعة ستنفجر كرة العين، وبعد عدة دقائق ستموت في مكانك منهاراً. ويجب أن أخبرك بعدم وجود ترياق له».

في الحقيقة، إنّ تلك الكلمات تُذهل عقل رجل يتمتع بأقوى الأعصاب. كما أنّ عدم وجود ترياق مخيف بشكل مستقل. على الرغم من هذا، أغلقت فمي، ونفّذت ما قاله بالضبط. لم يُر أي تغيير على الماء في الكأس. على الرغم من هذا، انتابتني موجة قلق نتيجة المظهر البريء؛ رغم معرفة التحول الذي تم.

وعندما قال: «بإمكانك أن تأخذَ نفساً الآن». لم أثق به، وانتظرتُ نصف دقيقة أخرى من باب الاحتياط.

سألته: «الآن، يحمل هذا الماء أقوى سمّ في الدنيا، أليس كذلك؟».

قال: «نعم». وسحبَ بواسطة قطارة عدة قطرات. «الآن، انظر جيداً يا صديقي!». قطّر من القطارة قطرة على الطاولة، فبدأ الخشب يغلي، ثم ثُقب في ذلك المكان. ثم أخرج قطعة معدنية، ووضع عليها قطرة أخرى، وخلال ثانية واحدة ذاب المعدن في تلك النقطة، وثُقب. وضع طاستي ماء تحت المكانين اللذين حفر فيهما السم ثقبين. «السائل يجعل السم فعالاً، ولكن تلك الفعالية تتوقف مباشرة عند اختلاط مزيج السائل والسم بسائل آخر، ويصبح عندها عديم ضرر.

يمكنك أن تشرب من ذلك الماء».

قلت كما لو أنني أشعر بالملل: «إذا كان أثره هو نفسه على الإنسان، فهذا يعني أنه يسبب له آلاماً شديدة؛ ممّا يثير الشكوك بالتسمم فوراً...».

قال: «لا!». ورف بأجفان عينيه الصغيرتين ضعيفتي النظر كعيني الخلد. «ليس هناك أي ألم يا وهيمي... وليس المهم أن يشرب الإنسان قطرة أو كأساً من هذا السائل، بل المهم أن يدخل هذا المحلول بطريقة ما إلى الجسم. على العكس تماماً، تشعر الضحية على مدى أسبوع أنها في حالة جيدة جداً. ولا تفهم أن تلك الحرارة اللذيذة والرغبة بالحركة التي تشعر فيها بجسدها وروحها نابعة من كون القلب يُشوى على نار هادئة. بعدئذ...».

«سكتة قلبية؟».

هز رأسه موافقاً: «أثناء النوم في الليل. في الدقائق التي يكون الجسم فيها في أبطأِ حالاته. لا أحد يشك، ولا يخطر ببال أحد مجرد خاطر...».

أرجوكم، أرجو أن تهدأوا يا أصحاب المعالي... سأجيب على الأسئلة كلها، ولكن اهدأوا قليلاً... نعم، نعم طبقت خطتي بلؤم. ها هو القسم الأكثر إدهاشاً من إفادتي يا أصحاب المعالي! أرسلت السم في كأس حليب فاتر اعتادت السلطانة حرم على شربه ليلاً. أنا أسألكم عمّا إذا كان هذا صعباً على محارب قائد يستطيع الدخول إلى حيث يريد، والخروج من أي مكان، ويعتبرني الكثيرون منكم فأرة قصر؟ وما الذي يدفعكم إلى التفكير بأنني سأنفذ العملية بيدي يا أصحاب المعالي؟ أبداً... لن أعطي اسم أحد... لا تطلبوا مني هذا نهائياً... أنا أتحمل مسؤولية الجريمة... آه، ألستُ من يجلب الجلادين لمعاليكم؟

كان هذا في 19 جمادي الثاني. شربت السلطانة حُرّم كأس حليب كما تفعل كل ليلة. وتوفيت بشكل مفاجئ في السادس والعشرين منه. لم يشعر أحد بأي شيء. لعل الخاسكي السلطانة عاشت أجمل أيامها خلال ذلك الأسبوع. قضت فترة جميلة مع سليمان خان لم تعشها منذ فترة طويلة، وبعدئذ خيّم صمت عميق على العالم...

ولكن، بعد هذا - أي بعد سنة تقريباً - علمتُ أن السلطانة حُرّم تساعد عشرة آلاف فقير في إسطنبول لوجه الله. وتؤمّن لهم حاجات المسكن والطعام، وتقدم لهم مساعدات نقدية في تعليم أبنائهم وبناتهم وزوجاتهم. حسنٌ، كيف يستطيع الإنسان أن يجمع في بنيته كل هذا الطيب والخبث معاً؟ أم إنني كنتُ مخطئاً؟ أرفض البحث عن إجابة لهذين السؤالين طالما تقف أمامي قضية قتل مصطفى خان دون وجه حق...

ملحق الدفتر السابع

ما دوّنه الصدر الأعظم صوقولو باشا لتوضيح ما وقع أثناء أخذ إفادة كبير الجواسيس المدعو وهيمي أورهون جلبي ليلة 5 رجب 975.

لقد غضب حاكم العالم سلطان السلاطين حضرة سليم الثاني بشدة من إفادة كبير الجواسيس وهيمي أورهون جلبي التي استمع إلى جزء منها مع اقترابها من نهايتها، أثناء إدلائه بها في الجلسات المعتادة، وأكد حضرة المفتي «أبو السعود» أفندي أن الشاهد تحول إلى متهم بهذه الإفادة، وأحال قاضي دار السعادة السيد محمود شاه وكبير العسس الجاويش حسن أمراً خطياً لوضعه بالزنزانة، وربط أثقال بقدمه.

وجرت محاكمته غيابياً في جلسة واحدة عقدت بتاريخ 12 رجب 975، وتقرر أن إفادته صحيحة، وبالتالي فجرمه ثابت، وصدر بحقه

حكم الإعـدام بقطع رقبتـه بالسـيف، وإراقة دمـه حتى المـوت، وقُرئ الحكـم وجاهياً فـي الزنزانـة المنفردة التـي أدخـل إليها في سـجن بابا جعفر. ولكن، نتيجة لطلب سلطان السـلاطين واعتماداً على صلاحياته العليا، قرر الديوان بالإجماع تأجيل تنفيذ الحكم حتى نهاية إفادته.

عندما اشـتكى أورهون جلبي من تركـه دون طعام وشـراب مدة ثمانٍ وأربعيـن سـاعة، وتعرضه للضـرب مـرات عديـدة على يـد حارسـه وبقية السـجانين، تم تغيير زنزانته في اليـوم الثالث لوضعه فيها قبل الظهر بسـاعة بإشراف السيد علي رضا أحد أبناء باشاوات مدرسة القصر وكتّاب قائم مقامية دار السعادة، وشُددت الإجراءات الأمنية. وبأخذ عمر المتهم ووضعه الصحي بعين الاعتبار تقرر وضعه تحت الإشراف الطبي المستمر حتى موعد إعدامه.

صدر الأمر بمتابعة أخذ إفادته بعد صلاة الجمعة بتاريخ 16 رجب 975. وقـد نقل كبيـر العسـس الجاويش حسـن الأمـر العالـي موضوع القضية إلى الشخص المذكور.

الوضع العام

زرت أورهـون جلبي ليلة 15 رجـب 975 كما يبدو فـي المحضر. وقد كُسـر خاتم زنزانته بالإشـراف السـامي لحضرة السـيد محمد شـاه قاضي إسطنبول، وتم الدخول. بدا وهيمي أورهون جلبي منهكاً، ولكنه مطمئن. تصرفت معه بشـكل جيد لمعرفتي بمقدار محبته واحترامه لي، وسـألته عمـا إذا كانت هنـاك تفاصيل أخرى مـن المفـروض أن تعرفها الهيئة ويريد أن يضيفها.

أكّد بتعبير باسـم وحيوي أن ما رواه شديد الوضوح. وقف مقابلي هادئـاً ومتـوكلاً ومرتاحـاً بعد إنـزال حمـل هـذه الحقيقة الفظيـع الذي

كان يسحقه طوال تلك السنين عن كاهله، وتم توثيق أقواله بحضور الشهود، وتدوين كاتبين في الوقت نفسه: «فرضت عليّ مهنتي قتل الكثير من الناس يا باشا. قلت لكم منذ بداية التحقيق إنني لست بريئاً، ولكنني بريء من قضية وفاة سليمان خان التي تحققون فيها. اعلموا أن الذين قتلتُهم جميعاً أعداء الألِدّةُ للدولة العلية وآل عثمان.

كان خطئي الكبير هو اعتباري السلطانة حُرّم واحدة منهم. أنا لم أرد إلا الأفضل، واعتقدت أن هذا هو الأفضل... أطال الله عمر عظيمنا ركيزة العالم وحاكمه سلطان السلاطين سليم الثاني. الجبال لا تحتمل فرمانه، وسيفه لا يقطع إلا من أجل العدالة! أريد أن يعرف أنني لم أقتل السلطان العاشر للدولة العثمانية، وخليفة المسلمين الخامس والسبعين حفيد صاحب الحكمة السلطان ولي بيازيد وابن صاحب الحشمة السلطان سليم الصاعقة، والمشهور بلقب القانوني، والمعروف في أوروبا بلقبي التركي العظيم وسليمان المدهش، والمُعترف به سلطان البر والبحر الوحيد حضرة سليمان خان. اعلموا أنتم أيضاً أن وفاته طبيعية، وسليم خان الثاني بعيد عن هذه الافتراءات القذرة. وأنا أضمن صواب كلماتي وما وافقت عليه واعترفت به سابقاً والسلام...».

IV

لم أنتظر حباً من أحد قط أثناء تنفيذي مهماتي يا أصحاب المعالي! يمنح جناب الحق كلَّ إنسان مهمة في الدنيا تكون مبرر استمراره بحياته. وهذه هي مهمتي. إذا لم أنفذها أنا، فسينفذها غيري.

نعم يا سيدي، سمعت مرثية سليم خان للمرحومة والدته.

«نحن بلابل تشرب رحيق ورد حديقة الفراق الحارق

حتى نسيم الصبا يغدو ناراً لدى مروره بورد حديقتنا».

حقيقة إنه بيت قوي. أطال الله تعالى عمر سلطاننا، وبارك فيه.

نعم، أنا مدرك أنني محكوم بالإعدام، وسيُقطع عنقي يا أصحاب المعالي. لا أعترض على هذا. ولكنني لن أطيل الكلام، وإلا فإنكم ستعتقدون أنني خائف من الموت، مثلما تعتقدون أنني أريد أن أخفي بعض الحقائق المتعلقة بوفاة والد سليم الثاني خان لو لم يؤجل إعدامي.

بلى يا صاحب المعالي، انتقل سليمان خان إلى أدرنة فوراً إثر وفاة زوجته الحبيبة المفاجئة، وأمر بالتحضير لحملة على المجر. كان هذا في أشهر الصيف من عام 965. تسألون كيف كان وضعه؟ بدا لي وكأن الجراحين استأصلوا مشاعره بعملية جراحية. بدأ يوجه قوته كلها لكي يسود أهل السنة على بقية المذاهب والأديان. وكان هذا عملاً لم يُر مثله في تاريخ الدولة العثمانية وحتى في زمن بيازيد خان.

وإذا كان هذا الوضع بعيداً عن مذهب جده السلطان محمد خان الفاتح، فهو لا يعني أنه ظلم الطوائف الأخرى. كان ناضجاً وعادلاً. بدأ علماء السنة يطلقون عليه لقب مجدّد القرن العاشر في هذه المرحلة. لم أره مفوّتاً التهجّد مرة واحدة حتى نهاية حياته.

ذات صباح خريفي دافئ من تلك الأيام، وقبل أن يُشرّف رستم باشا القادم من إسطنبول إثر كسر شوكته السابقة إلى غرفة العرض، ألقى عليّ سليمان خان إحدى قصائده الغنائية. وبدا لي أن تلك الأبيات هي الأبيات الأكثر نضجاً بين ما كتبه إلى ذاك اليوم. كانت مدهشة وصادمة. إنها القصيدة التي أثق أنكم جميعاً تعرفونها، وهي:

ليس ثمة مكانة لدى الشعب كمكانة الدولة

وليس ثمة سعادة في الدنيا كسعادة أنفاس الصحة

ما تدعى سلطة ليست سوى صراع دنيوي

وليس ثمة سعادة كسعادة الوحدة

دعك من مجالس اللهو فنهايتها سيئة

ليس ثمة صديق أبدي أفضل من العبادة إن أردت

إذا لم تعتبر سني عمرك المتسربة كرمل الساعة

فالمهم هو تلك الساعة التي تدور داخل الزجاجة

غادر يا محب صخب الحياة إن أردت طمأنينة

لأنه لا طمأنينة كالاعتكاف وحيداً

بدا رستم قلقاً ومذهولاً حين دخل غرفة العرض. أبلغنا بموت شارلكان الذي كان أصلاً قد تنازل عن لقب إمبراطور روما الجرمانية المقدسة لشقيقه فرديناند، وتخلى عن تاج إسبانيا لابنه فيليب. كان في الثامنة والخمسين من عمره. وهب حياته للحرب ضد الأتراك؛ وبالتالي ضد المسلمين. وعلى الرغم من هذا، لم يستطع إيقاف تقدم الأتراك، والحيلولة دون فقدان الكنيسة الكاثوليكية مكانتها، وإيقاف الصراع بين الأمراء الألمان.

تنمو فرنسا وإنكلترا وهولندا أمام عينيه الطموحتين بدعم العثمانيين الصريح، اضطر لمراقبتها فقط وهو يتألم بشكل غير محدود. كان حقده على البروتستانت أكبر من حقده على المسلمين أضعافاً مضاعفة. قام بحملة تطهير كبرى ضد السكان المحليين في أمريكا لم يشهد التاريخ مثيلاً لها. واستعبد من لم يستطع إزالته.

لم يحظَ أولئك المساكين حتى بمعاملة أسرى الحرب. وتم اصطيادهم كالحيوانات، وأجبروا على العيش مثلها، واعتُبروا قوة عاملة

رخيصة جداً. غدت هذه القضية في المرحلة الأولى جرحاً نازفاً في الضمير الجمعي، ولكنها نزلت إلى أبعاد مقبولة في أذهان الشعوب الأوروبية عندما ازدادت الرفاهية. بفضل هذا، جعل شارلكان المعادن الثمينة وعلى رأسها الذهب تتدفق إلى المناطق الجغرافية التي حكمها. وبفضله انتفضت أوروبا، واغتنت، وشمخت برأسها. استمدت الحركة الأخيرة لعصر النهضة قوتها من النقود الدامية واليد العاملة الرخيصة التي أمنها.

كان مؤسس الصليب الحديدي وراعيه المادي والمعنوي، ولكن وجهه بقي حزيناً في هذا الجانب. لم يستطع الصليب الحديدي التماسك أمامه. ووجه قوته كلها نحو الأقليات والطائفتين البروتستانتية والأرثوذكسية اللتين رعاهما العثمانيون، وبشكل خاص نحو قياداتهما. ونظراً إلى كوني شخصاً جابه عناصر الصليب الحديدي الغدارين مرات عديدة يمكنني أن أقول لكم يا أصحاب المعالي إننا كنا دائماً الطرف الأفضل والأشد حزماً. لأننا آمنا بإعلاء كلمة الله، وملأنا قلوبنا بها، وأحطنا نفسنا بعقيدة عدم اليأس أمام الصعوبات. وكنا مدركين أننا لن نستطيع الصمود بطريقة أخرى. وأشكر ربي لأن الوحشية اللاتينية لم تجد لها قوة على هذه الأرض.

V

بلى يا صاحب المعالي، مع بروز الصراع بين ولدَي السلطان إثر وفاة السلطانة حُرّم ازداد ترفّع سليمان خان على شؤون الدنيا، وقد بدا هذا واضحاً عليه. صار في عالم مختلف. كان يريد أن يكون محايداً أمام ولدَيه بشكل خاص، وقد أبدى حزماً في موضوع حصول الأفضل على العرش.

بدّل مكاني سنجقي ابنيه من أجل إثبات هذا فقط. وبقصد أن يبدو

على مسافة واحدة من الاثنين حمّل كلاً منهما ثلاثمائة ألف ذهبية، ونقل «سليم» خان من مانيسا إلى قونية، وبيازيد خان من كوتاهية إلى أماصيا.

تقريبه «سليم» خان، وإبعاده بيازيد خان ولّدا إشارة استفهام في قضية حياديته، ولكنني وجدت أنه من المناسب ألا أسأل أي سؤال في هذا الموضوع.

في الحقيقة، كان مدركاً عدم تقبّل بيازيد خان الذهاب إلى أماصيا. ولكنني فهمت أن السلطان انتظر إخلاص ولديه في هذا الموضوع. على الرغم من شَبَهِ الأمير بيازيد بوالده من ناحية الوجه والبنية، ولكن سلطان السلاطين لم يكن معجباً بتعنّته.

أخيراً، شعر بيازيد خان - كما توقعنا جميعاً - أن «سليم» خان مفضّل عليه. أدهشتنا جميعاً رسالته المؤرخة 26 جمادي الأول 966. كان يتهم والده بالكذب صراحة.

«... عزيزي الوالد الذي يتوّج الملوك والسلاطين، وحامي المؤمنين جميعاً في الأرض، وبطل الأبطال خادم الحرمين. المؤكد أنه لا يمكن إدانة حيادكم. ولكن، ما هذا الموقف الآن؟ ألم يتوضح موقفكم حين اختلقتم ذريعة لإبعادي عنكم، وتقريب أخي منكم؟ أرسلتم لي وزيركم الرابع برتف باشا وسيطاً. وصل ذلك الثرثار الذي يذكر اسمكم في كل كذبة كبرى إلى بابي. أيليق بحاكم عالم مثلكم أن يكذب؟ كان من الممكن أن أحترم إبلاغكم لي بخياركم أكثر من طرقكم باباً كهذا...».

هزت هذه الرسالة سليمان خان بقوة؛ مما جعله يعلن موقفه المؤيد لسليم خان. محمد باشا صوقولو هنا، وهو يشهد أن «سليم» خان حظي بتقدير والده الدائم لطاعته ومواقفه التصالحية. وهذا ما

حدث أيضاً. التزم بنصيحة صوقولو باشا، ولم يبدِ موقفاً حازماً من شقيقه، ولكنه بدأ باتخاذ جانب الحيطة لمواجهة محتملة.

أثناء استمرار تلك المراسلات، سمعنا في ربيع 966 أن بيازيد خان بدأ بجمع المرتزقة رماة البنادق الذين يدعون مؤقتين. كل ما فعلناه لم يهدئ من غضب بيازيد خان. في هذه الأثناء، كان كمال الغرناطي الذي يعمل بأمره حتى ذلك الوقت ينظّم قطّاع الطرق المدعوين الجلاليين، ويعمل بكل طاقته من أجل تأمين قوة مسلحة نامية لبيازيد خان.

تاريخ 22 شعبان 966 هو تاريخ انقطاع الخيوط تماماً كما تعلمون. باءت التنبيهات وجهود الوساطة بالفشل، ولم يتراجع بيازيد خان عن موقفه المتعنت من والده، وانطلق مع جيشه من أماصيا. كان ذلك تمرداً واضحاً. ولكنني كنت أستطيع إنهاء قسم كبير من تلك الجرائم. وبعون الله، كانت تلك هي المرحلة الأخيرة في حياتي الوظيفية.

أنا مدرك أنكم تعرفون عمّا أتحدث يا أصحاب المعالي. ولكنني لن أتخلص من الشعور بوجود نقص في ما رويته عن سلطاني إذا لم أعرّج على حادثة رائعة وقعت قبل هذا بفترة قصيرة. يشهد على ما سأرويه محمد باشا صوقولو؛ وهي الحادثة التي بقينا طيلة السنوات التالية نتحدث عنها، ونناقشها. كنا عائدين للتو من نزهة في البوسفور. كانت تلك النزهة في أجمل أيام الربيع. وكنا نستنشق النسمات الباردة المفعمة برائحة الأزهار المنحدرة من قمم البوسفور، ونشاهد ذوبان نور الربيع القاسي على قباب مدينتنا البيضاء بمتعة مشاهدة منظر خلقٍ خارق. كنتُ سعيداً في ذلك اليوم... لعل فرادة تلك اللحظات ناجمة عن شعوري أنني أعيش آخر لحظات السعادة في عمري.

علماً أن أمثالي لا يحبون الضوء، وخاصة ضوء الشمس البرّاق كذاك الضوء. ليتكم تدركون ما يضحي به الجاسوس من أجل التخفي من الضوء؛ لا سيما واحد مثلي يتقدم بسرعة نحو العقد السادس من عمره وإن كان يبدو حيوياً... لهذا السبب، إن الشمس تحرق عيني الجاسوس أكثر من أي شخص آخر.

ثم حل وقت سقوط ألوان السماء الأرجوانية عند الغروب. بدأنا نصعد نحو طرف الحديقة الخاصة العلوي وسط صوت تلاطم الأمواج، وحفيف الأشجار التي يسري النسغ في جذوعها، وأنين المد إلى ما لا نهاية. كان صوقولو باشا يسير بجوار سليمان خان متخلفاً عنه مسافة خطوة. تطفح عيناي عندما أذكر الآن أننا كنا تحت غيمة مذهّبة ومحاطة بإطار عقيقي. في الحقيقة، إن تلك الغيمة كانت كسدٍ رقيقٍ يوازن المساء فوق رؤوسنا... انهار السد بعد قليل، وحلّ علينا الليل بألوانه النفطية...

انتبهت إلى أن سليمان خان توقف ذات لحظة، ومد يده نحو أوراق مجعدة ومسودة في إحدى فسائل الدلب التي يحبها كثيراً. هبّت ريح هفهفت أطراف قفطانه الجميل الفيروزي ذي الأزرار الدقيقة اللامعة. لا أدري لماذا انقبض قلبي حين رأيت أن البرد قد قرص خديه الشاحبين دائماً، وحمّرهما. إنه لون شقائق أواخر الربيع الزهري في أول تفتحها... وعيناه! نعم، كانت عيناه داميتين... كانتا داميتين...

التفتَ، ونظرَ إليّ بداية، ثم إلى صوقولو باشا: «يجب أن تعالج هذه الأشجار، أليس كذلك؟».

أشرت بهدوء إلى كبير البستانيين. وعندما اقترب مني، همست له: «أليس هذا وقتها؟ لماذا لم تُطلَ هذه بالكلس؟ سيكون أول عمل لك في

الصباح معالجة هذه الأشجار».

كان كبير البستانيين مطرقاً، وحين فتح فمه ليقول شيئاً ما، سمعنا السلطان يقول: «انتظروا. انتظروا الآن يا أغوات... لقد قتل كل هذا العدد من النمل! انتظروا لكي نستشير العلماء...».

هل أنا مخطئ يا حضرة الأفندي المفتي؟ أما أجبتم بظرافة موازية على السؤال المطروح عليكم حول تلك القضية في تلك الليلة ببيت شعر ظريف؟

إذا لف النمل الشجرة / فهل هناك حرج من قتلها؟

وهذا كان جوابكم الرائع يا حضرة الأفندي المفتي:

عند المثول بين يدي الحق غدا / سيحاسب النمل سليمانَ

لا أعتقد أن هناك مثالاً أجمل من هذا يعبر عن إيمان سليمان خان.

VI

نزلت وحدات بيازيد خان في نواحي أنقرة في أوائل شعبان. كان ذاك ربيعاً هطلت فيه الأمطار دون انقطاع، وتدفقت السيول في الوديان، وغاصت الأرجل في الوحل إلى الركب. الحملة الكبيرة تحتاج إلى وحدات هندسية محترفة توازيها بالكبر، وتعمل دون انقطاع. ولكن، لم تكن لدى جيش بيازيد المجمّع من هنا وهناك إمكانية كهذه. فقد نفقت الكثير من حيواناته في الطريق، وفَقَدَ بعضاً من قوافل المؤن واللوازم، وحاول المغامرون الوحشيون الذين يتبعون الجيش أن يعودوا من منتصف الطريق.

ولكن نية الأمير بيازيد خان واضحة. إنه يخوض معركة موتٍ أو

حياةٍ، ويعرف أنه لن يحقق النصر بهذا الجيش إلا إذا حالفه الحظ. عند خروجه من أماصيا، سمع بفتوى حضرة الأفندي المفتي التي تقول: إنه متمرد تجاوز حدوده. وجاء في الفتوى أيضاً: وقتل من يشارك معه واجب. علمنا حينئذ أن غضباً فظيعاً انتابه إضافة إلى إحباطه وشعوره بانهيار كبير، وبات يقضي الليل حتى الصباح وهو يذرف الدمع. من المحتمل أن عقله لم يستوعب سبب انهياره بهذه الطريقة.

لم يبق أمامه حل سوى التغلب على شقيقه سليم خان، والارتقاء إلى مرتبة ولي العهد، وإجبار والده على التخلي عن العرش. بماذا تفضلتم؟ أنا آسف، ظرف الزنزانة الصعب، والعصي التي انهالت عليّ أصابت أذني السليمة أيضاً بالصمم. التقيت «كمال» الغرناطي قبيل تحرك جيش بيازيد خان من أنقرة بقليل. لأن سليمان خان أرسلني إلى قونية، بعد ذهاب صوقولو باشا بشهر.

تسللنا ذات عصر من مخيم الغجر غير المنفكين عن ملاحقة جيش بيازيد خان إلى موقع قيادة الجيش بزيّ درويشين يحمل كل منهما عصا، ويعلّق برقبته ماعوناً لكي أقوم بآخر عملية كبرى. كأن السماء قد ثُقبت. لم أشهد مطراً كذاك من قبل سوى مرة أو مرتين. كنا ضيفين على مطعم الغجر. استضافونا بشكل جيد في خيامهم التي تسرّب الماء من كل طرف، واحترمونا بشكل لم نكن نتوقعه. حتى إن بعضهم اقتنعوا بأننا درويشان، فسألونا عن بعض الأحكام الفقهية.

من المفروض أن تترك هذه المجموعات الطفيلية على مسافة ميل على الأقل بعيداً عن الجيش. ولكن عدم التزام جيش الأمير بالنظام أدخله بجو الفوضى الطبيعي. على الرغم من ذلك، يمكنني القول إن التدابير الأمنية كانت جيدة، ولكن الذين ينفذون تلك التدابير ويشرفون عليها

متراخون، وهـذا واضح إلى درجـة أن أقل العيون خبـرة يمكن أن تلاحظه فور الاقتراب من الموقـع. كان عمر فهمي أفندي معي. كـم كان عمره في تلك الأثناء؟ خمسة وستون؟... لم أعد أذكر. على الرغم من بياض لحيته وانحناء ظهره فقد كان قاسـياً وحاداً كسكين مشـحوذة استُلت من غمدها للتو.

لن يقـع الغرناطي في الفـخ مهما كلـف الأمر لأنه تلميـذي. على الرغم من كل شـيء، إنه رجلُ مخابـرات برتبة رفيعة، وقـد بلغ الحادية والخمسـين من عمـره. لا بد لي مـن التذكير بـأن الشـيء الوحيد الذي يمكن أن يؤدي إلـى التغلب عليه هو اندفاعه المتهـور. هل كنت أخاف منـه؟ لا، يا صاحب المعالـي، يمكننـي أن أقـول إنني كنت أحـذر منه، ولكنني لا أقبل باستخدام كلمة الخوف البتة.

بلى يا سـيدي. في الحقيقة، إن الجـواب يكمن في السـؤال الذي طرحتموه. كنـا واثقيـن أننا سـنجد «كمال» بجـوار بيازيد خـان. ولكن عمر فهمي كان قلقاً جداً حـول الطريقة التي سـنلتقطه فيها وحده؛ لأننا لم نقل كلمة واحدة حول هـذا الأمر منذ انطلاقنا في الطريق. أتسـألون لماذا؟ طبعاً لأنه سـيحاول منعي من تنفيـذ ما كنت أفكر فيـه. أنا أوافق على أن الأمر الذي خطّطت له يعتبر جنوناً؛ حتى بمقاييسه هو.

رأيت بيازيد خان قبيل صـلاة العصر. كانت عيناه الشـبيهتان بليلة شـتوية باردة مكدرتين. بدا أنه متردد، ويحاول التظاهـر بالمرح للتغطية على نقطة ضعفه تلك. دخل صراعه للتو، ولكن مظهره لا يختلف كثيراً عن الأسـير. رفع رأسـه مرة، ونظر بامتعاض إلى الغيوم. أشـعره المطر بالسـأم. في الحقيقـة، إنّ نظرتـه تلك كانت نظرة شـخص يـرى أن كل شـيء يعمل ضده. ثم أطرق بوجهه بتعبير باسـم. مـاذا رأى هناك؟ هل

جاءه من بين الغيوم خبرُ أعجوبة سرية تسحبه من قلب هذه التعقيدات؟

تسللنا إلى قلب مقر الجيش عند صلاة العشاء، ودخلنا وسط مجموعة تصلي. كان الغرناطي واقفاً قرب المحراب يستعرض الزحام بانتباه، وهو ملتف بالحرير والمخمل بأناقة لم أره عليها من قبل. من الواضح تماماً أنه يتوقع مني القيام بعملية ما إلى درجة أن قلقه أعمى عينيه. لأننا كنا في الصفوف الأولى. في الحقيقة، لم يكن يتوقع تسللي إلى هذه النقطة مغامراً ومخاطراً بعد ذلك العمر، وفي ذلك الطقس السيئ. ولكن أمهر الخصوم هو الذي يفاجئ خصمه في النقطة التي لا يتوقعها. وقد حذرته مرات عديدة من الاستهانة بعدوه.

ينتصب كمال مبرزاً خطورته. يضع يده على مقبض خنجره اليماني المطعم بالصدف مخيفاً أعداءه المحتملين. وفي الحقيقة، إنه لا يرى أننا ننظر إليه. مرّت عيناه علي مرتين بعد الصلاة. أحنيت رأسي الملفوف بلفة الملا البيضاء قليلاً، وانشغلت بسبحتي. أصلاً، صرت على حافة قبري. لقد أحيط وجهي الأسمر بلحية بيضاء تجعله يبدو أشد اسمراراً مما هو عليه. كنتُ أغمّ عيني لكي لا تلمع الكرة الزجاجية التي أثبّتها في حفرتها عندما أرفع العصابة.

تقدمنا وسط معية بيازيد خان، وسرنا خلفه في الدقائق الأولى لانهمار المطر البارد. كان عمر فهمي على وشك الجنون من شدة القلق. وكان يهز ذراعي كل برهة، ويقول لي: «إلى أين؟ إلى أين نذهب هكذا؟ إنهم على وشك أن يتعرفوا علينا...».

ولكنني لا أقول شيئاً، وأكتفي بالابتسام والصمت. عندما وصلنا إلى فسحة خيمة بيازيد خان، حيّاه الجميع، وانحنوا له. ونحن أيضاً كنا ضمن المحيين. رمقنا كمال بعينين غافلتين، وعاد للاهتمام بسيده.

كان بيازيد خان في الثالثة والثلاثين من عمره. وضع يده على مقبض سيفه المعلق بحزام مشغول بشكل رائع، وقطّب حاجبيه الحادين فوق عينيه الناظرتين نظرة صقر، وخاطب أركانه: «سلمتم أيها الأصدقاء والرفاق المخلصون، رضي الله عنكم جميعاً! سننطلق غداً وقت السحر إن شاء الله. أشكر إخوتي جميعاً الذين لم يحرموني من تأييدهم الصادق في هذا الطريق الذي جعلني أصنّف ظالماً وأنا على حق، وأعتبر متمرداً وأنا أمير وولي عهد. لستم مضطرين للحاق بي ورمي أنفسكم إلى التهلكة. يكفي ما فعلتموه إلى اليوم. أنا راضٍ عنكم يا أعزائي. أتمنى أن نتسامح الليلة، ولينسحب من يريد الانسحاب بصمت؛ لأننا سننطلق غداً في طريق أصعب، وأمامنا حرب نهايتها الموت. أنا مصمم على السير في طريق جدي السلطان سليم خان الجبار. لهذا السبب لن أتراجع، وسأهزم أخي «سليم» خان، وأحظى بالعرش الذي هو حقّ لي. وبفضل هذا العمل، سأجلب إلى البلد الرفاهية والرخاء والبركة بإذن الله بعد أن بدأت أوضاعه الاقتصادية والاجتماعية تسوء من يوم إلى آخر. كل الأولياء معنا على هذا الطريق. ليلة مباركة!».

في تلك الأثناء، حدث ما لم يتوقعه أحد...

أعرف أن بريق أعينكم صادر عن فضول قاتل ومتلف للأعصاب يا أصحاب المعالي! ولكنكم على درجة من الوعي، ويمكنكم أن تتوقعوا مني الإقدام على حركة أخيرة تحمل ملامح ملحمية.

انسحبت من بين الآخرين، وقلت بهدوء وأنا أتكئ على عصاي: «يا بيازيد خان!». التفت إليّ، وتأجج نورٌ أقوى في عينيه الجميلتين وفي المشاعل التي حوله.

«تفضل أيها الدرويش!».

«هل عرفتموني؟».

قطب حاجبيه، وانقطعت كل الأصوات المحيطة به حينئذ.

«هل يجب أن أعرفك أيها الدرويش؟».

نزعت لفتي بداية، ثم الكرة الزجاجية من حفرة عيني. أصبحتُ معروفاً له تماماً الآن بشعري الخفيف المنتصب مثل ديك منتوف، وبحفرة عيني الفارغة. لفّ محيطنا هدير طافح بالخوف. خرج حراسه فوراً أمامي، ولفّ بهو خيمته رجالٌ مدرعون من رؤوسهم إلى أقدامهم ومدججون بالسلاح.

رأيت «كمال» وقد استل سيفه مع صيحات الاستغراب والغضب. ولكن، يبدو أنه بقي خارج الستارة الحديدية.

كان بيازيد خان هادئاً. خاطب الزمر التي برزت عن يمينه ويساره لكي يهدئها، وحاول تهدئة كل منها على حدة. قال: «أهلا وسهلا يا وهيمي آغا». واقترب مني دون وجل.

قبّلت يده، فأمسك كتفي بحركة مهذبة، وسحبني، وقبلني من جبيني أيضاً. قال ضاحكاً: «لو كنت قد أتيت بنية قتلي، فأنا أعرف أنني كنتُ سأصبح الآن في عداد الأموات».

قلت بكل احترام: «حاشا يا أميري. لا يجوز تنفيذ اغتيال بأحد أمراء آل عثمان، كما لا يجوز إراقة دمهم. لا يجوز إعدامهم إلا بموجب حكم يقرأ عليهم وجاهياً، وتؤخذ كلمتهم الأخيرة، ودون إراقة دمهم».

«في هذه الحال، قل ما تريده. لأنك إذا كنت قادماً بحكم الإعدام، فلن أطيع؛ سواء أقرأته أم لم تقرأه. إذا أردت الانضمام إلى

صفوفي، فمكانك على رأسي، وسأسلّمك كل أعمالي، وأصلح بينك وبين ابنك كمال. أما إذا كنت قادماً من أجل تقديم نصيحة، فاحتفظ بالنصيحة لنفسك. وأنت حرٌ بالذهاب أو البقاء».

قلت: «يا أميري، أنتم قررتم. ولا يبلغ من مقام عبد عاجز نصحكم. ولكن، اعلموا أنني أتمنى لكم الصحة والسعادة الدائمة. أعرفكم منذ كنتم طفلاً صغيراً. قضينا أوقاتٍ كثيرة معاً، ولعبنا كثيراً معاً. لهذا السبب حاشا أن يكون إعدامكم من عملي».

وضع يده على كتفي مبتسماً بحب. «أنت أول من أعطانا درس القتال بالسلاح ومن دون سلاح أيها الشيخ».

أجبته بالمحبة ذاتها: «كان واضحاً منذ ذلك اليوم أنكم ستغدون محاربين جيدين».

«ما أجملها! ما أجمل تلك الأيام عندما كنا أطفالاً، وكنت شاباً...».

أطرقت برأسي إلى الأمام. «لا يبقى أي شيء كما كان في عالم الخراب والانحلال».

«تغيّر الزمن، أليس كذلك يا وهيمي؟».

«تغير كل شيء يا أميري... تغيرت الدنيا...».

تنهد بعمق، ثم سأل: «قل أيها الشيخ، لا تتردد، هل أنت هنا من أجل ما أتوقعه؟».

«ما أريده منكم هو أن تسلموني «كمال» كرمى للأيام الماضية! فتوى حضرة الأفندي المفتي في جيبي، فقد اعتُبر رأس الفتنة، وهو من أخرجكم عن طريق الصواب، وصار من الواجب قتله. عليه ألا يقاوم، لأن رفض أمر سلطان السلاطين يجلب غضب الله».

قطب الأمير حاجبيه، وتحولت عيناه المتعبتان إلى خطين صغيرين. «أما كان من الممكن أن يأتي شخصٌ آخر من أجل هذا؟».

«ممكن، ولكن بيننا خبز وملح. ولا يقبل قلبي أن تكون نهايته على يد رجل آخر».

هز برأسه إلى الجانبين مبتسماً، وقال «كمال هنا ليس أسيراً أو لاجئاً يا وهيمي. لهذا السبب، لا معنى لطلبك مني تسليمه. جاء الغرناطي إلينا بإرادته، ولكنه إذا طلب اللجوء فسيحظى بحمايتي بالتأكيد. وفي هذه الحالة، لا يمكن لعناصر الهلال أن يلمسوه، وليس أنت فقط. أنت تعرف جيداً أن آل عثمان لا يسلمون من يلجأ إليهم لعدوهم. أفادني كمال كثيراً، ولكن أبناء عثمان لا يعدمون الحيلة بإذن الله». ثم نادى نحو الحشد المتجمع خلفه: «كمال!».

انسل كمال من وسط الزحام وعيناه الياقوتيتان السماويتان تلتهبان في وجهه الأشقر. كأنه صار أكثر بدانةً وشباباً، وازدادت هيبته. لم يكن يبدو عليه أنه جاسوس متدرب، بل بدا وزيراً مهيباً. «أمركم يا أميري!».

«انظر، جاء معلمك. لماذا تقف؟ قبّل يده!».

تحرك كمال مطيعاً دون رغبة، ولكنني سحبت يدي. «لا أريد! مشكوك باحترام من يعصى سلطان سلاطينه، ويدوس معلمه، ويخون تقاليد المعلم والمتدرب المستمرة من خمسة آلاف سنة».

اقترب الأمير منا. «تراجع يا وهيمي. لا تتسبب بذبح شهم كهذا. إذا وقفتما معاً في صفي، فإن مكانكما سيكون الذروة في النظام الجديد. إذا أردتما يمكنكما الحصول على قطعة أرض وملك. وسنسمي مدينتين باسميكما... وستحفران شهرتكما في التاريخ... لأن المستقبل لنا يا وهيمي... روح السلطان سليم الجبار رفيقتنا!».

«الاسم والوسـام والتبجيل تليق بالسادة السـامين أمثالكم أنتم آل عثمان يا أميري. يكفيني أن أكون من رعاياكم. ولكن سليمان خان ولي نعمتي. ولا يليق بي القيام بعمل خارج إرادته. لو عاش اليوم سليم خان الجبار لعمل ما يُعمـل اليوم. أتوقع منكـم أن تقيّموا اختـلاف الظروف والسرعة».

مـال برقبته بشـكل خفيف. «كمـا تريـد يا عزيزي وهيمـي! ها هو كمال أمامك، قل لـه ما تريد. أنا لا آمـره، وأكثر ما يمكننـي فعله هو أن أرجوه؛ لأنه خدمني كثيراً».

قـال كمـال دون أن يحيـد بنظـره قيد شـعرة عـن عيني السـليمة: «سـمعت ما يريده الآغا يا أميري. يعتقد وهيمي كما تفضلتم أنني خفت فلجأت إليكم. عمره معروف. لـم أعد أفاجأ بتصرفاته. إيـه، أما أنا فقد وصلت إلى سنّ الكمال منذ زمن. ليفعل ما يريد أن يفعله الآن؛ هنا وأنا أمامه بالضبط. لأنني لا أتوقـع حماية منكم أو مـن أيّ أحد آخر. عندما جُلبت إلـى هذه الأرض عبـداً كنت وحيـداً. وعندما عشـتُ كرجلٍ حرٍّ كنت وحيداً أيضاً. وعند الضرورة أموت وحيداً. لا يمكن أن يثقل علينا الموت».

VII

تغطي بعض الذكريـات في أذهاننا طبقـة ترابٍ جـافٍ لا بريق له. هذا أمرٌ جيـد، ولكن أبسـط عاصفة تهـب في حياتنـا تبدد تلـك الطبقة بسـرعة. وفجأة، يخرج إلى ضوء الشـمس مـا يُعتقد أنه قد نُسـي. وهذا وضع مشـابه يا أصحاب المعالـي! كأنني عرفت الكثيريـن ممن يدعون «كمال» بشخص كمال، وكأن «كمال» ذاك الشاخص أمامي حينها بعينيه

الزرقاوين الداكنتيـن أحدُهم، ولكنه ليس كمالي... لهذا السـبب، كان يتكاثر بالانشطار أمام عيني ألف انطباع وانطباع أو ذكرى.

انظروا، الآن تذكرت أنني وقفت مندهشـاً وجامداً... كيف نسيت ذلـك طـوال ذاك الوقـت؟! سـأل: «مـاذا أيهـا الشـيخ؟». لا، لا، ليس كذلـك... قال: «مـاذا تريد؟». أو قال شـيئاً آخر مشـابهاً لهـذا... ولكن عقلي يئن مفكراً... تذكيركم لي بهذه الأمور بعد بذلي جهدي كي أنسى طوال هذا الزمـن أكبر عقوبـة تعاقبوننـي إياهـا... لا يهمني أبداً سيف جلادكم بعد هذا...

أتسـألون عمّا حصل بعدئـذ؟ بعدئذ... نعـم... بدأنـا صراعاً على ذلك التـراب المظلم والرطب وسـط سـاحة تلعب فيهـا الريح، وتحت مئات بل آلاف النظرات الوحشية التي تراقب من خلف مشاعل لهب... هل كانت تلك نيتـي الحقيقية؟ كان لا بُدَّ من إزالـة كمال... ألا يمكنني أن أفعل ذلك بصمـت؟ ولكن دمه سـيكون آخر مكاسـب مكانتي التي وجه إليها ضربة... دم ابني...

سُحِقت بنيتي الهرمة تحت ضرباته القاسـية بداية. أذكر أنني ملت مصـدراً طقطقـة كجذع شـجرة دلب عجـوز تلقـى ضربة صاعقـة. كأن الشعور بالاسـتهلاك والسـرعة اللازمة من أجل حماية عيني السليمة قد جرفني. انهرت على ركبتيّ قبل مرور زمـن طويل... كان وجهي مغطى برطوبة دافئة ثقيلة. أعرف، إنه دمي.

ذات لحظـة، رأيتُ عمر وسـط الزحام ينظـر إلي بقلق. كان يشـبه شـبحاً بعينيه المحملقتين، وجفاف دمـه من وجهه، ودقة شـفتيه. كانت إحدى يديه على خنجره السري في زناره. هززت برأسي بمعنى لا.

غطى العالـم لون الرمان الزهري بنظري... نزلت سـتارة لتنسـيني

اللحظة التي أعيشها. رأيت المرحوم مصطفى خان على تلك الستارة... كان هناك أشخاص يخنقونه... كان بلعومه يصدر شخيراً أثناء رص الحزام الجلدي المزيّت عليه، ويسيل الدم من فتحتي منخريه، وأنا كنتُ نائماً بعيداً... كنت نائماً...

ثم عشت حالة. التف كمال خلفي بسرعة، ولف ذراعه التي لا يمكن ليّها حول رقبتي، وأثناء خنقه لي... عشت حالة... حالة عجيبة لا مثيل لها... كان يضغط على رقبتي، ولكن نفسي لا ينقطع. لم يبقَ في بدني الذي انهار تحت ضرباته وركلاته أي ألم... كنتُ هناك، ولكنني لست أنا... كانت نفسي تشعر برعشة القرب والخلاص اللذيذة... تبدل تعبي بتوازن لذيذ. كنت أشم رائحة أشعة الشمس، وضوء القمر، وأزهار السهول، وغبار القمر والنجوم، وروائح عوالم مجهولة تماماً. كنت أموت...

في تلك اللحظة، انتفض وهيمي من نوم ألف عام، وانحنى نحو مصطفى وهو يسلم روحه أمامه. تمتمت بقوتي كلها: «ها هو الذئب العجوز هنا!». أو هذا ما بدا لي... «أموت أنا يا أميري... انهضوا، علينا ألا نموت على هذا النحو! لا يليق بنا هذا!».

في تلك الأثناء، رمى وهيمي أورهون جلبي الذي تتوقون لمعرفته رَجُلَهُ القوي ذاك أمامه يا سيدي. التقطتُ قميصَ كمال من ياقته أثناء ركوبه ظهري ببنيته الضخمة تلك، وعصْرِه رقبتي، وفي اللحظة نفسها أحنيت حدبة ظهري أكثر، وشقلبتُ جسم كمال الطويل الذي ازداد وزنه أمامي. ومع أنني لعبت معه اللعبة نفسها مرات عديدة بظهري هذا، إلاّ أنه كان يلهث وراء نصر سهل.

لم أكن أتوقع أن تصيب وجهه الصفعة التي كلتها له أثناء نهوضه،

ولا حتى أن تمر قربه. ولكن يدي المعتادة شوّشت عقله التائه المندفع أكثر، ونجحت بتفجير صفعة ثقيلة على وجهه.

جحظت عيناه من محجريهما. تجنبت لكمته بانحناءة خفيفة، ثم كلته صفعة متوازنة اعتماداً على علمي وخبرتي وليس على حظي. لم أميّز في تلك اللحظة ما إذا كان صوت الانفجار قد صدر عن إطلاق بندقية أم عن راحة كفي التي بدأت حينها أشعر بأنها آلمتني. طرحتُ «كمال» أرضاً بركلة قوية على صدره حين حاول النهوض... لم يكن تلميذاً جيداً، وأنا معلم جيدٌ... لأن التلميذ الجيد يفهم درس معلمه بكل معنى الكلمة، ويتجاوزه بالتأكيد...

أتسألون عما حدث بعدئذ؟ بعدئذ موت وصمت أصم...

الدفتر الثامن

ساءت حالة كبير الجواسيس الهرم في الزنزانة بعد أن قدم إفادته الأخيرة بتاريخ السادس عشر من رجب عام 975، وهذا ما رواه في السابع والعشرين من رجب عام 975 في جلسات منفصلة مدة كل منها ساعة.

I

كنت موقناً أن الفترة التالية لانتصار الأسطول الحربي بقيادة قبطان البحر بيالة باشا على اتحاد أساطيل الصليبيين أمام شواطئ جزيرة جربة في شعبان من عام 967، وفتحها في الأشهر الأخيرة من الصيف ستكون فترة هادئة نسبياً بالنسبة إليّ. نعم، لقد حللت مشكلة الغرناطي، ولكنني دُفنت إلى جانب سليمان خان بصمت عميق مفاجئ ناجم عن شعور بالانكسار. مثلاً، كنت كثيراً ما أرتّب لرحلات صيد معتمداً على جهود كبير الصيادين، وأتجوّل دون توقف بين الغابات الخصبة والوديان يانعة الخضرة بين إسطنبول وأدرنة، وأنصبُ خيمتي بجوار خيمة حاكم العالم السلطانية في الأماكن التي ننزل فيها.

كانت صحة سليمان خان جيدة بشكل أنعشنا جميعاً. فهو يركب الحصان، ويرمي السهام، وفي بعض الأحيان التي تكون فيها حالته أفضل ينظّم مسابقات بالسيوف الخشبية في فُسَح الغابة حيث ننصبُ الخيام، ويُشارك شخصياً بالمسابقات. لعلكم تتساءلون في داخلكم عما إذا كان قد استطاع نسيان من فقدهم، وخاصة السلطانة حُرّم. لم ينسَ بالتأكيد... لم يستطع أن ينسى:

لا تنس أيها الحبيب مرضي / لا تنس أنك دواء لكل داء

لا تنس قَسَم العهد بيننا / لا تنس قَطُّ أنني أحبك كثيراً

ضحك وجهك كالبنفسج / لا تنس أن للبلبل الذي يشم لسانا

طرحت القلب على الأرض / الذكريات معلقة بخصلة شعرك

العاشق يائس يريد حلاً / لا تنس أنك الحل يا حبيب

ولجتُ أحد المقاهي التي لفّت إسطنبول كالعليق في تلك الأيام. غدا ذلك المشروب العجيب الذي يجلي المخ ويشطف العينين شَغَف ظرفاء إسطنبول. كنتُ أفضل مقهى حاكم الحلبي وشمس الشامي في طهطة قلعة، وقد ذهبت ذات مرة بصحبة سليمان خان متنكرَيْن. جلسنا على الكراسي الخفيضة حول صينية صغيرة. كانت تهب من البحر ريحٌ دافئة. جلسنا فترة ونحن ننظر إلى الشواطئ المقابلة ومرمرة. تعلّقت عيوننا بسطح الغيوم الصقيل الذي ينثر ذرات ذهب على التلال في الأسفل مثل منمنمات الشرق. لسبب ما، قلق السلطان ذات لحظة، فاضطررنا للنهوض قبل إحضار قهوتنا.

ما كان يقلقه حقيقة هو الغموض الذي تلا هزيمة بيازيد خان أمام سليم خان في سهل قونية. كانت لديه رغبة بكسب الأمير بيازيد بطريقة ما. ولكن الأمير المهزوم وكسير القلب لم يستطع الاقتراب من أبيه بسبب الفتوى الصادرة بحقه، ورد كل مبادرات النوايا الحسنة.

ذات صباح مشمس في نهاية الخريف، عشنا الحادثة الأكثر جمالاً التي أضحكت وجهينا في تلك الأيام. عبر قبطان البحر بيالة باشا بأسطوله الحربي من أمام قصر طوب قاب مطلقاً مئة طلقة مدفعية، ورافعاً الرايات والشارات كلها، ودخل الخليج بأبهة مذهلة. وكان الدون دييغو كويلي، وجين دي لاجاردة، والدون ألفارة دي ساندة من أميرالات العدو المشاهير مقيدين بالأثقال الحديدية في مؤخر طراده الرئيس.

ولكن ما يحمل الأهمية الرمزية الكبرى هو الصندوق المعلق بمؤخر الطرّاد. وقد أُخذ من سفينة قائد الأسطول الأميرال جيوفاني أندريا دوريا الذي نجح بالفرار في اللحظة الأخيرة، وهذا كما تعلمون ابن شقيق أندريا دوريا الشهير. لن يخرج ذلك المشهد من ذاكرة الإسطنبوليين لفترة طويلة.

كان ذاك بريقاً ارتسم على أيام العثمانيين وزمنهم الأبهى بكل أبعاده، وقصة ختمت أعماق أسطورة، ومشهد نهايةِ عملٍ من الأعمال الرئيسة.

كنا جميعنا سعداء... صمتٌ مطبقٌ غطى المراكز الكاثوليكية كلها وعلى رأسها الفاتيكان. المدهش أنه حتى ملك فرنسا هنري الثاني بدا غاضباً قليلاً من هذا النصر. فقد قرر تمديد السلام المزعوم المستمر مع آل هابسبورغ، ووُقعت اتفاقية جديدة على مستوى المبعوثين.

لماذا؟ لماذا تنظرون إليّ هكذا يا سيدي؟ ما هذا الانتظار المؤلم في عينيكم؟ بلى، أنتم محقون! مهما حاولت الالتفاف على الأمر، فسيصل الكلام إليه في النهاية مع الأسف. وقعت معركة قونية أيام الربيع تلك التي صادفت فترة النصر في معركة جربة البحرية.

لا ضرورة لأن يكون الإنسان متبصّراً ليتوقع هزيمة بيازيد خان. رأيتُ واقع جيشه الململم البعيد عن الانضباط في مكانه، وأبلغتُ سلطانَ سلاطيني بذلك. تغلّب سليم خان بسهولة على جيش بيازيد الذي لم يستطع استجماع صفوفه بعد الهجوم الأول. ولكن الأهالي لم يبالوا لانتصار سليم خان، ولا لانسحاب بيازيد خان بسرعة إلى أماصيا تحت تأثير نصر جربة المستمر طويلاً.

ولكن بيازيد خان أقدم على حركة لم نتوقعها نهائياً نتيجة قلقه من شن والده هجوماً عليه في أية لحظة. فقد لجأ إلى الدولة الصفوية. أشعر الآن وأنا أقول هذا أن لساني يثقل وعقلي يتخدر. ليس بينكم من يذكر هذه الواقعة الأليمة والمخجلة ولا يشعر بالاهتزاز نفسه يا أصحاب المعالي. كأن ملاءة حزن وخجل قد فتحت فوق الإمبراطورية الكبرى. غدا هذا الأمر هو الموضوع الوحيد الذي يتم تداوله في الأسواق والبازارات والمقاهي. ولم يكن طهماسب من النوع الذي لا يستغل هذه الفرصة إلى

النهاية. ولكن، كيف قام بيازيد خان بهذا العمل؟

بدأ عناصر الهلال الجدد في تلك الأيام بتقديم أولى نتائج عملهم الحثيث. وجاءت رسالة من الجاويش محمد دلي أورمانلي أحد الجواسيس الذين أرسلتهم إلى عند بيازيد خان في أماصيا، وجاء فيها أن الجواسيس الصفويين أقنعوا بيازيد خان في ليلة واحدة. نعم، لم تسمعوا خطأ، في ليلة واحدة... لقد تصرفوا بذكاء وسرعة كبرى، حيث إنهم نجحوا بالتملص من جواسيس الهلال الذين كانوا لا يزالون قليلي التجربة نسبياً.

II

ينبغي أن يتمكن الإنسان من إسدال ستارة بينه وبين الماضي على الرغم من كل شيء. لا أقول إنه ينبغي أن ينسى... إذ يمكن أن يكون النسيان بداية حالة أخطر، وأشد مرضاً. إذا نجح الأمس بالتسلل بطريقة ما إلى الحاضر، فسيُسيطر على غدنا بشكل سلبي. أنا هنا لا أقدّم تشخيصاً يا أصحاب المعالي... بل أحاول تحليل ما حدث لنا؛ حتى إن كان مضراً. كنت واثقاً بشكل مطلق من صدق سليمان خان. ولكنني واثق بالقدر نفسه من أن بيازيد خان لم يتخلص من عظمة ماضيه، ولم يقبل الوضع الجديد بأي شكل. لأنه كان عديم الخبرة... فهو شاب يافع، وصار وحيداً...

كانت وفاة رستم باشا بتاريخ 26 شوال 968 بشرى فترة أكثر إشراقاً بالنسبة إليّ بعد كل ما حدث. حل محله علي باشا سميز صاحب الجسم الهائل إلى درجة أننا لم نجد حصاناً يستطيع حمله كما هو معروف. وكان مخلصاً جداً لسلطان سلاطينه. أعمال السر والخفاء

تتناقـض مـع طبيعتـه. كان شـخصاً مرحـاً وذا حديـث ممتـع. يجلجـل الضحك من مجلسـه، وفي نهاية ولائمه تدور الطرائف حول اسـتطاعته تناول كل تلـك الكميات مـن الطعام، ولكنـه لم يكن يغضـب أو يجرح أحداً.

إذا كان غير ناجح في الشؤون المالية كرستم باشا، فهو على الأقل لا يبعث على القلق، ولا يلاحق طموحاً شـخصياً. في الحقيقة، شعرتُ بالراحة. مـع هـذا، إن المعلومـات الاسـتخبارية المتعلقـة ببايزيد خان طوال ذلك الشـتاء ضايقت حاكـم العالم كثيراً. كان الأمير وطهماسـب يعملان على تأسيس جيش كبير بدعم من آل هابسـبورغ. غير هذا، كانا على وشك إشعال فتنة شيعية كبرى تحرق الأناضول.

قدمنا لحاكم العالم وثائقَ حول بعض علاقات الأمير المشـبوهة. وكما توقعنـا، كانـت ردة فعل سـليمان خان أنـه أوقـف كل مداخلات العفـو عـن بايزيد خـان. بلـى يا حضرة الصـدر الأعظـم، كمـا تعلمون حضرتكم جيداً، يمكنني القول إن الأمير حضّـر لنهايته بيديه اعتباراً من هذه النقطة.

سُـرِّعت اللقاءات مـع إيران فـوراً. كانـت الهيئات تذهـب وتعود تباعاً، وكنا نغلي من الداخل بانتظار نتيجة يمكن أن تظهر في أي لحظة. لم نكن نتحـرك... وأنا أيضـاً... لم يكن أحد ينبس بكلمة بسـبب جدية سـليمان خان، وتخليه عـن تسـامحه إزاء المبادرات فـي قضية العرش. ولم تعد السلطانة حرّم التي تمنعه في اللحظة الأخيرة موجودة.

أخيـراً، علمنا بأسـى أن أيـام سـلطنة الأمير قـد انتهت فـي أواخر الصيف. أُلقي بايزيد خان مع أولاده في سـجن قلعة قزوين. وأصبحت حلـل البـروكار المزركشـة، والأسـقف الملونـة المحفـورة والمذهبة،

والـزوارق المرصعـة ذات أزواج المجاديـف الثمانيـة، والبوسـفور، وإسـطنبول، وموائد الولائم، ووقوف الأمراء باسـتعداد عاقدي الأيدي فـي حضرتـه... كلّهـا بعيـدة عنـه. وحـلّ عليـه وعلـى أولاده مـا حـل بالكثير من الأمـراء الذين فقـدوا انضباطهم في التاريخ علـى الرغم من معلوماتهم التاريخية الغزيرة وتعليمهم. كنا جميعاً حزانى.

ومـع أن الإدارة الصفويـة هـي التـي خدعتـه، وأمطرتـه بسـلال المجوهـرات حيـن دخـل بلدهـا، وذبحـت لـه عشـرات القرابيـن، وخصصت له واردات قزويـن ومئات القرى حولهـا، إلاّ أن المباحثاتِ والمسـاوماتِ القويـةَ التـي اسـتمرت حوالى ثلاث سـنوات وشـاركتُ بجزء منها، جعلت طهماسب يتخلى عن الأمير مع مخططات المستقبل العظمى مقابل 1200000 ذهبية وتسليم قارص.

لم أُدهش قطّ حين سـمعت هـذا. تخيلتُ بيازيد خان فـي الزنزانة الرطبـة المظلمة التـي ألقي فيها وقـد قبض قلبـه فضـول، وتجمّد على خطي تقاطـع الخوف والأمـل غير المرئييـن. وعند انهيار جسـمه الذي سقط ضعيفاً، وتكسُّر الأغصان التي حاول التمسك بها، وسقوطها كلها - نعم، عندئذ - لا يبقى سوى الصديق الحقيقي.

حسـب الاتفاقية، سيُسـلّم بيازيد خان مع أولاده في قزوين للهيئة العثمانية. أعتقد أحيانـاً أن الكثير من التفاصيـل المتعلقة بتلك الأيام قد ضاعت واختفت. أعتقد أنها ذكرياتٌ سـيئة من النـوع الذي يغطيه ذهننا كما ذكرت...

نعم أيها الباشـا، توقعكم صحيح. رأيت أميري مرة أخرى أخيرة، ولكـن هذه لـم تتم بطريقة غير رسـمية، بـل علـى العكس، فقـد قمت بهـا بموجـب إذن من طهماسـب. كانت هنـاك فترة سـبعة أشـهر لنهاية

المباحثات. كنا في أوائل الشتاء، وقد وصلنا إلى قزوين تحت عاصفة ثلجية رهيبة غطت معابر الجبال بستائر من الجليد. استقبلنا والي قزوين خسرو الكوفي من باب المجاملة، وعندما قدّمتُ له طلبي دون أن أضيّع أي وقت، أبلغني بأنه يمكن أن يسمح لي بمقابلة الأمير مدة نصف ساعة مقابل ألف دوقة بندقية لكل رجل رفيع المستوى مثلي في البعثة. طبعاً، كان المبلغ ثروة، ولم يكن لدى أي منا سوى الهدايا التي جلبناها للشاه.

غير هذا، كنتُ واثقاً من أن قضية الآلاف الخمسة تلك خرجت من رأس الوالي الذي تزين الأحجار الكريمة لحيته المدهونة بزيت القرفة. حتى لو كان الأمر على هذا النحو، فإن مواجهتنا لوالٍ قوي في مدينة معادية تعني خسارتنا ما لدينا من إمكانات.

ما أراده الوالي هو الحصول على قسم من الهدايا التي جلبناها للشاه، والتي لا تقدر بثمن، وقد شعرت بهذا دون شك. إذا أتيحت لي فرصة اللقاء به ثانية سراً أو علانية، فلا بد لي من محاسبته على هذا... نعم يا سيدي، غضبتُ كثيراً، ولكن الأسوأ هو اضطراري لابتلاع غضبي بشكل لم أعتد عليه.

لم يكن أمامنا حلّ سوى تدبير المبلغ. وأخيراً، مثلتُ في حضرة أميري عندما كانت شمس المساء تلمع في سماء مجمِّدة بشكل هالات حمراء على جدران الزنزانة. كان جو الزنزانة كالجليد، وتفوح منها رائحة كريهة... فور اتكائي على قضبان الحديد في زنزانة أميري الصدئة، رأيت تحت ضوء المشعل المجاور لرأسي مباشرة جسماً قوياً يتحرك، وينهض ببطء. واقترب مني بهدوء.

كان ثمة تعبير عدم تصديق بعينيه الخضراوين الغائرتين في

محجريهمـا. فـور رؤيتـي له شـعرت بـأن صلابتـه أصيبت بصـدع مثل ذلك الصدع الـذي في الجدار. ما كـواه هو رؤيته لي أمامـه زائراً وليس مخلّصاً. هذا يعني أن كل شيء قد انتهى...

قال: «وهيمـي... لقد أحببت أبـي وإخوتي». وقد غـدت مفاصل أصابعه القذرة الممسكة بالسلاسل شديدة البياض.

قلت: «أعرف يا أميري». وقبّلت يده التي أمسـكتها، وشددتها من بين القضبان. «تماسكوا، ولن يقع إلا ما هو مقدر».

«حاولت أن أحافظ على من أحب والسـلطة فقـط... اعتقدتُ أن هذا ممكـن يا وهيمي... ولكننـي الآن... أسـير على هـذا النحو. لتكن حالتي درسـاً للكافرين بالنعمة على مـدى الحياة...». وأثنـاء إزالته آثار الدمـع عـن خديـه المغبرين، سـأل: «كيـف خُدعـت يا وهيمـي؟ كيف وقعت بهذه اللعبة أيها الشـيخ؟». توقف فجأة، ثم ابتسـم: «عندما كنتُ صغيراً، قلتَ إنني فريد...».

«بلى، قلت ذلك».

«كنتَ تقول إنني ولدٌ رائع...».

«بلى، قلت».

«ولكن أبي لم يفكر على هذا النحو في أي وقت. مع أنني لم أكن أريد سوى أن يُدفئني حبه المنير كالشمس دون توقف... شغفي الشديد بـه أدى إلـى غيرتـي، والغيـرة أدت إلـى هلاكـي... كتبتُ في رسـائلي يا وهيمـي... وما زلـت أدعو ربـي ليلاً ونهـاراً من أجـل أن تعطي تلك الرسائل فائدة».

«إن شاء الله يا أميري».

«لا تتـرك الحيـاة ياقـة الإنسـان دون أن تذيقـه ثنائيـة النهـوض

والسقوط».

«إنها لا تتركها يا أميري».

«الحياة قاسية جداً يا وهيمي».

ابتسمت. «وسريعة جداً أيضاً».

«السنوات تفلت في حلمي مثل حبات سبحة ينقطع خيطها. أنظر مذهولاً...».

«الحياة كُلها مجرد حلم يا أميري... كل ما نعيشه...».

«حلم...».

«ليتك تستطيع البقاء لفترة أطول قليلاً...».

«لا أستطيع البقاء...».

«وهيمي!».

«أمركم يا أميري».

«ألا تستطيع إخراجي... إخراجنا من هنا؟».

«لا أستطيع... هذه المرّة هذا مستحيل... لأنّه يؤثر على علاقات البلدين المستقبلية حسب ما توصلت إليه المباحثات... لا أستطيع!».

هز رأسه بتفهم، وابتسم ثانية. «حسنٌ أنك أتيت يا وهيمي، كنتُ حراً وأنت قربي...».

III

كيف تفضلتم؟ آه، نعم يا سيدي. أنتم أيضاً تعرفون مضمون غالبية الرسائل التي أرسلها بيازيد خان. عندما أَدركَ أنه لم يعد هناك مخرج، كتب بأمل أخير رسالة طافحة بالمشاعر، وقسمٌ منها منظوم، ولكنها كانت آخر ما أرسله.

كان يمكن لوهيمي البائس والسافل والغدار أن يُقدِّم أي شيء، بما في ذلك روحه يا سيدي... كل شيء لديه... مقابل أن يعيش أمراء بني عثمان؛ أمل الدولة... لو أنهم أداروا الإمبراطورية، وقادوا الجيوش، وفتحوا دولاً جديدة... أو لو أن الموت أخذني أبكر، ولم تحمل كتفاي الضعيفتان كل هذا الثقل... ولم تر عينايَ أبناء آل عثمان الأسرة العظيمة وقد تُركوا بين أيدي الغدر في هذه الحياة وهم لا يزالون شباباً...

تسألون عن الرسائل الأخيرة؟ هذا ليس تفصيلاً خاصاً بي يا أصحاب المعالي... ولكن الأشطر التي رماها أغلبكم في بئر النسيان العميقة ما زالت في ذهني.

«يا والدي سلطان سلاطين العالم كله سليمان،

والدي روح جسدي، وشغف روحي،

هل تضحي ببيازيدك يا روحي يا والدي؟

أنا بريء، ويشهدُ الحق يا أبي دولة سلطاني

بحق آدم المدون اسمه في رأس دفتر الأنبياء

وبحق موسى وعيسى ومريم

بحق النبي الأعظم محب الكائنات

أنا بريء، ويشهد الحق يا أبي دولة سلطاني

همت على رؤوس الجبال كمجنون ليلى

انفصلت، وسقطت بعيداً عن الملك والمال

وها أنذا أصبب دموع الحسرة والفراق

أنا بريء، ويشهد الحق يا أبي دولة سلطاني

من سيرثي لك حالي

أنا اليتيم الذي فصلته عن إخوانه أيها السلطان الكريم

ليست لدي ذرة عصيان لك

يعلم الحق أني بريء، ويشهد الحق يا أبي دولة سلطاني

ألا تعرف أنني بريء أيها السلطان؟

ألا تتأذى من تسلل الذكريات إلى دمك؟

أم إنك لن تقف معي أنا عبدك في حضرة الحق؟

أنا بريء ويشهد الحق يا أبي دولة سلطاني

الله تعالى جعلك سلطان العالم

لا تقتلني أنا عبدك لتفرح العدو يا سلطاني

لا تبعد نور عيني عن أبنائي

أنا بريء ويشهد الحق يا أبي دولة سلطاني

أمسك بيديّ؛ حتى إن كانتا مغطوطتين بالدم

في هذه القضية يقال: اطلب يا عبدي وتمنّ!

اعفُ عن ذنب بيازيد، ولا تضحِّ بهذا العبد

أنا بريء ويشهد الحق يا أبي دولة سلطاني».

والأشطر التي كتبها حاكم العالم في رسالته الجوابية الأخيرة:

«يا بني المتمرد بمظهر الطغيان دون تردد،

يا بني الذي لم يُعلق برقبته فرمان قط،

هل أضحي بك يا بني بيازيد خان؟

لا تقل إنك بريء، وقل إنك تائب يا بني وروحي
بحق أرواح الأنبياء والأولياء العظماء،
بحق نوح وإبراهيم وموسى وابن مريم،
بحق خاتم الأنبياء فخر العالم،
لا تقل إنك بريء، وقل إنك تائب يا بني وروحي
لم ينفع المجنون اسم آدم فاتخذ الصحراء مسكنا،
فكلُ من يهرب من الطاعة يسقط بعيدا
«يا حسرة الفراق» إذا لم تستغرب هذا،
لا تقل إنك بريء، وقل إنك تائب يا بني وروحي
من ينشد الحق من الأبوة يكن مطيعاً كريماً
ومن ينكر «ولا تقل لهما أف» يبقَ يتيماً
يعلم الله العظيم بالتمرد والعصيان،
لا تقل إنك بريء، وقل إنك تائب يا بني وروحي
طاعة الرعية من طاعة الله،
أريد قتل الذئب الذي يهاجم رعيتي،
ومعاذ الله أن أقتل بريئاً دون سبب،
لا تقل إنك بريء، وقل إنك تائب يا بني وروحي
ألا نعرف أن الرحمة والشفقة زينة الإيمان،
ألا تخشى إراقة دم البريء،
ألن تمثل بين يدي الحق كعبده الحر
لا تقل إنك بريء، وقل إنك تائب يا بني وروحي

أمسك بيديّ؛ حتى إن كانتا مغطوطتين بالدم

لو استغفرت وسامحناك، فماذا سيحدث؟

كنت سأسامح بيازيدي على ذنبه لو استقام،

لا تقل إنك بريء، وقل إنك تائب يا بني وروحي

IV

حسب ما نقله لي جواسيسي، سُلِّم أميري الوسيم مقيدَ اليدين بالسلاسل للجاويش رئيس حرس سليم خان صباح 21 ذي القعدة 969. كان معه أبناؤه الأربعة أيضاً. كانوا هادئين ومسلّمين. قرئ الحكم وجاهياً، وأثناء إعدام الأب وُضع الأمراء أورخان البالغ التاسعة عشرة، وعثمان البالغ السابعة عشرة، وعبد الله البالغ الرابعة عشرة، ومحمود البالغ العاشرة من أعمارهم تحت سقيفة في الجوار بانتظار أدوارهم. تعانقوا مخففين عن بعضهم بعضاً، ولم يَدْعوا على أحد، والأهم أنهم لم يتوسلوا لكي يعيشوا. هكذا يستسلم العثماني الحقيقي لقدره.

نعم... أذكر أنني شعرت بالراحة لعدم وجود ما يُكسر أو ينهار في داخلي عندما عرض علي كل شيء بوضوح. باعتباري شخصاً مرّ بكلّ أنواع تلك المساوئ، كنتُ مدركاً أن الجزء الذي لم يتصلب في قلبي مخصصٌ لمن أحب، وأنني في النهاية يجب أن أضرب القفل على هذا القسم. نظرتُ إلى عيني حاكم العالم عندما مثلت في حضرته، وقد كان على علم بالأمر من قبل.

رمق أحدنا الآخر لفترة كشيخين لم يبق لأحدهما سوى الآخر. لم ننبس بأي كلمة. لم يعد الدم يؤثر بنا... أنا صرتُ رجلاً بائساً فَقَدَ

مهاراتـه ومكشـوفاً للنـاس جميعـاً ومحـطَ سـخريتهم. ولكـن فقداني موهبتي لـم يَحُلْ دون بذلي التضحيات في سـبيل مـن أحميهم والحمد لله، وهذا ما كان يُسليني.

كنت أسـتيقظُ في منتصف الليل أحيانـاً، وأصغي للظـلام بأذني ذات الحساسية المفرطة لنَفَسٍ واحد غير طبيعي يتنفسه سلطاني. وكنتُ أنهضُ من فراشي الممدود عند عتبة بابه أحياناً، وأواربُ بابَهُ بهدوء، أو ألج غرفته الخاصة في خيمته، وأصغي لأنفاسه. ليلة بلغني خبر وفاة بيازيد خان، تسللت بهدوء إلى غرفته التي ينام فيها وحيداً منذ وفاة السلطانة حُرّم.

اقتربت على رؤوس أصابع قدميّ من سريره المصنوع من خشب الورد على الطراز الإفرنجي. كان بدنُه عبارة عن انتفاخ خلف الناموسية المشـدودة بين أعمدة ذات زخرفة نباتية، ولكن قلبي ارتجف من مجرد معرفة أنه نائم هناك.

كان يرتعش بشكل خفيف أثناء نومه. كان نفسـه عميقاً ومصحوباً بحشرجة خفيفة خاصة بالمسنين. ابتسمتُ. بيازيد خان أيضاً ينام هكذا مثل والده... تدفقت أمام عيني ألف ذكرى وذكرى بسـرعة منذ أن كنت أحملهما هو وجيهان غير على ظهري، وألاعبهمـا في الحديقة الخاصة عابراً سنين طويلة. واربْتُ الناموسية.

سـحب نفسـاً عميقاً تقطعه حشـرجة بلعومه. همسـتُ: «هل ترى حلماً يا سليمان؟». ارتعش ثانية، ولكنه استمر بالنوم... «أعرف أن كل شيء من أجل سـلامة الدولة العلية، وطمأنينة الرعية. ولكن المعرفة لا تُسـهل عملي. كيف تسـتطيع أن تحترق هكـذا دون أن تصـدر أي أزيز مثل يونس؟ كيف تحتمل وحدتك؟ من أين تستمد هذه القوة؟ ما الذي تحمله فـي قلبك حقيقة؟ ليتني أسـتطيع أن أسـألك هذه الأسـئلة وأنت

مستيقظ، وتجيبني بكل صدق... انظر إلى حالي! أنا أعيش من أجلك، ولكنني ميتٌ أيضاً... ليتني أستطيع القيام بمناورة أخيرة قبل أن أُهدر... من الذي يكذب في داخلي، ويتوق للهرب، ولا تجف دموعه؟ لديك ما لم أستطع تفكيكه أو بلوغ سره... إنه عمق لن أستطيع الوصول إليه أبداً... لهذا السبب اختارك الله...».

نعم يا سيدي، فرغت محابر كتّابكم لكثرة ما كتبوا، وتكوّم الورق أمامهم، ولكنني وصلت إلى نهاية كلامي. كحلم، نعم، ما حصل بعد ذلك كان شبيهاً بحلم قصير... لعله تفصيلٌ من التفاصيل المدهشة... تفصيلٌ قوي يوضِّح لكم قربي من سليمان خان...

أتحدث عن حادثة لجوئنا إلى قصر إسكندر جلبي القريب من آيا ستيفانوس (يشيل كوي) عندما فاجأنا مطر شديد الغزارة أثناء رحلة صيد في منطقة حلقة لي في الأول من محرم عام 971. بدأ المطر بالهطول فجأة، واشتدت غزارته، وصعبت الريح التي عصفت معه علينا نصب الخيمة السلطانية في موقع حصين. بداية، اعتقدنا أنه مهما طال وقت انهمار المطر فسيهدأ خلال عدة ساعات لأنه بالنتيجة مطرٌ صيفي. ولكنه لم يتوقف، ولم يهدأ، بل على العكس، استمر هطوله، واشتدّ شيئاً فشيئاً.

مساء ذلك اليوم، وقع ما خفنا من وقوعه. جرف سيل الماء الأشجار المعمرة قرناً من الجوار، وألقاها في وادي حلقة لي. بصعوبة بالغة ألقينا بأنفسنا في قصر إسكندر جلبي الواقع على أرض مرتفعة نسبياً. خفّ هطول المطر طوال الليل. ولكن هديراً رهيباً لف الأرض قرابة الصباح. هناك سيلٌ قادم. اشتد المطر ثانية، وحوّل مجاري المياه الصغيرة والكبيرة كلها إلى أنهار هائجة.

حتى إنّ الحراس من جنود الأعمال الثقيلة الذين يضحون بأرواحهم من أجل سلطان سلاطينهم ارتبكوا، وأصيبوا أمام ذلك المنظر الرهيب بالهلع وتراكضوا لإنقاذ أرواحهم. بدأت حالة انفلات فظيعة لم تشهدها حتى ساحات الحرب. تشابكت طوابير الصيادين في ما بينها، وامتزجت أصوات الناس بأصوات الحيوانات. لم يجد الجنود وقتاً من أجل فك الخيول من معالفها المتنقلة بعد أن طاشت من الهياج، فكيف سيجدون وقتاً من أجل فك الخيام، وجمعها؟

كانت وجوه حملة البلطات والحرس الخاص شاحبة، وعيونُهم ثقوباً سوداء صغيرة شاخصة نحو شرفة القصر حيث حاكم العالم البالغ الثامنة والستين من عمره وأنا البالغ الثامنة والسبعين من عمري، وينتظرون عوناً. انتفضتُ فجأة، وبدأت أمطر الأوامر يميناً ويساراً. ليسد الحراس نوافذ الطابق الأول والمنافذ التي يمكن أن يدخل الماء منها كلها، وليحموا سلطانهم حتى لو كلفهم هذا حياتهم. بدأ الحراس بالعمل بكل ما لديهم من طاقة، ولكن التضحية الأساسية قدمها المهندسون العسكريون بحفر طريقٍ للماء بسرعة من أجل تغيير وجهة السيل.

وقبل أن يكملوا متراً من الخندق الذي يحفرونه حول القصر، ضربَ السيل بكل قوته. انجرف الجنود كلهم تقريباً بالماء، وغابوا عن الأنظار. أما الذين كانوا في الطابق الأول فقد أنهوا عملهم بسرعة، ولكن هذا لم يكن كافياً. فقد اقتلعت المياه الهادرة ألواح خشب الكستناء التي سُدت بها النوافذ على عجل، وقذفتها. انهال الماء شديد السواد بثقله على أرضية القصر المصنوعة من الخشب الثمين، وجرف ما عليها بدءاً من الطاولات الصغيرة النادرة الخفيفة، ووصولاً إلى

الخزائن الثقيلة، وألقى بها على الجدران المذهبة، وحطمها، ونثرها في الطابق الأول كله.

وسط ذلك الهدير الذي يفوق هدير ألف زلزال صرخت: «سلطاني! تمسكوا جيداً لأن الماء سيرتفع إلى الأعلى...».

كان ما قلته هذا مجرد تحذير من خطر محتمل في تلك اللحظة. إذا أردتم الحقيقة، فأنا لم أتوقع وصول الأمر إلى هذه الدرجة. لأننا اخترنا تلك الأرض المرتفعة من أجل حماية أنفسنا من وادي حلقة لي. ولكن، ظهر منذ البداية أن خيارنا كان خاطئاً.

في اللحظة ذاتها، ارتفعت المياه مع من تبقى من الحراس إلى الأعلى. انتقلنا - سليمان خان وأنا - إلى طرف النافذة المطلة على الفسحة. حوصرنا مع حوالى مئة من الحراس في الطابق الثاني. عندما نظرتُ من النافذة، وجدتُ طابور الحرس الذين في الخارج يكافحون من أجل إنقاذ أرواحهم، وهم يبتعدون بأقصى سرعة نحو المرتفعات القريبة، والكثيرون منهم يغطون في الماء، ويطفون مع خيولهم وكلاب صيدهم.

كان سليمان خان واقفاً بصلابة كالصخر، وكان أول من أعطاني إشارة بأنّ أسس البيت تخلخلت. فقد كانت الطقطقة التي تقبض القلب تتعالى من الأطراف كافة. سمعته يقول: «وهيمي، سينهار القصر أيها الشيخ! إذا لم نخرج من هنا فوراً فإن القصر لن يحتمل كل هذا العدد من الناس!».

قلت: «لا تقلقوا أبداً يا سلطاني. سيعود الشجعان بسرعة. سيعمل المهندسون العسكريون ما بوسعهم لكي يعودوا خلال ساعة. لن يتركوا حاكم العالم...».

«يلزمنا حصان يا وهيمي...».

فجأة، قدحت شرارة في ذهني. «صحيح ما قلتموه يا سلطاني... سأجد حصاناً خلال فترة قصيرة. انتظروا هنا، ولا تذهبوا إلى أي مكان...».

صرخ سليمان خان: «هل جُننت يا وهيمي؟ القصر كلّه بما فيه الدرج والممرات وهذه الغرفة؛ كلها مليئة بالجنود. هل تعتقد أنني سأتركهم وأذهب؟ أنا قصدت: يحتاج كل منا إلى حصان».

«لا يمكننا إيجاد خيول لكل هذا العدد يا سلطاني... وليس أمامنا طريق آخر... الآن، هذا أملنا الوحيد... إذا تمكنا من الوصول إلى تلك القمم، فسننقذ أنفسنا...».

«لا يا وهيمي! لن أترك أبنائي... اسمع أيها الشيخ! هل تذكر قصة النبي إبراهيم؟».

«تلك التي قرأناها من أنوار العاشقين؟».

«نعم هي!».

«أذكرها يا سلطاني...».

«هذا يعني أنك تذكر كيف رد على جبريل حين سأله عما إذا كان يريد مساعدة عندما ألقي إلى نار نمرود».

«أذكر يا سلطاني...».

«قال لجبريل: أنا لا أريد شيئاً منك! قال له الملاك العظيم هذه المرة: اطلب من الله! فرد عليه: الله يراني، ماذا أطلب منه؟».

«أذكرها كلها يا سلطاني...».

«حينئذ تحولت النار إلى برد وسلام على إبراهيم...».

«هل سنصبح مثل حضرة إبراهيم؟».

ضحك: «إذا لم نصبح، فسنحاول يا صديقي وهيمي... كالنملة التي حملت رشفة ماء إلى النار...».

«كالنملة، أليس كذلك؟».

«نعم يا صديقي! ».

بدأت المياه تبلل أقدامنا، وتُميل القصر ببطء. أذكر الآن أنني اعتقدت للحظة أن ما يحدث قد أراحه. هل كان يعتقد أنه سيتخلص من أعباء ضميره المتراكمة طوال تلك السنين إذا كانت نهايته كئيبة على هذا النحو؟

نظرتُ بطرف عيني إلى المياه التي تفور، وإلى انهمار المطر المستمر في الخارج، وقلت له: «النفس أمارة بالسوء يا سلطاني! النفس تعرف أنها أمارة بالسوء، وتخاف على الدوام... ومساوئها تزيد من خوفها...».

«ليكن... لا تيأس أيها الشيخ، وتأمل أفضل الآمال! يرى العبدُ اللهَ بعد وفاته كما يأمل أن يراه».

«ولكن، أليس على الإنسان أن يعرف نفسه جيداً من أجل تحقيق هذا؟ انظروا إلى هذا السيل، وهذه الفوضى، وهذا القصر الذي يتأرجح مصدراً طقطقة... أنا هربت، وصرت كبش فداء لأنني لم أعرف نفسي ولم أستطع تحليلها، وارتبطت بكم... بطواعية وخنوع... ولكنني سعيدٌ، وبالقدر نفسه مطمئن قربكم...».

«ألهذا لا تخاف من الموت يا وهيمي؟».

«لا أخاف يا سلطاني... آه، أرجوكم تمسكوا جيداً... كنت خائفاً على الدوام يا سلطاني... لِمَ الكذب؟ وجه الموت بارد... أحياناً...».

خف الاهتزاز، وهدأت الطقطقة ذات لحظة أثناء تمسكه بقوة

بإطار النافذة، وقـال: «تابع يا وهيمـي، لا تتوقف، احـكِ... يمكنك أن تخبرني بكل شيء في هذه اللحظة؛ اللحظة الأخيرة!».

«عندما أستيقظ أحياناً في الظلام الدامس، يسيطر عليّ شعور بأن النائم مكاني رجل آخر... حينئـذ أخاف من ذلك الرجل الذي يصبح أنا في النهار، وآخر في الليل يا سلطاني...».

اعتـرض بتعبير باسـم: «هـذا لا يـدلّ على عـدم معرفتك نفسـك يا وهيمي... هذا الذي تشـرحه يمكن أن يكون معرفتك نفسـك بطريقة لم يصل إليها أحـد...». كأن القصر انتفخ كتنهد شيخ. ثم بدأ سـليمان خان يلقي أشـطر قصيـدة حضرة الحاج بيرم ولي أسـتاذ أجـداده بهدوء على الرغم من فظاعة اللحظة التي كنا نعيشها:

«إذا أردت أن تعرف نفسك

ابحث عن روحك في روحك

وتعال جِد الجمال في روحك

اعرف نفسك أنت، اعرف نفسك

من عرف أفعالك

يعرف صفاتك

ويرى في الجمال نفسك

اعرف نفسك أنت، اعرف نفسك

تظهر صفاتك

نفسك ترى الذكرى

ما حاجتك لغير هذا،

اعرف نفسك أنت، اعرف نفسك

بعضهم وصل إلى الإعجاب

واستغرق بالنور

ووجد ذا الوحدانية

اعرف نفسك أنت، اعرف نفسك

عارف كلمة العيد

وجد عارف الذكرى

كن أنت عارف نفسك

اعرف نفسك أنت، اعرف نفسك».

ابتسمتُ لسلطاني بإعجاب. بعدئذ ناديت الحرس: «هدأ الاهتزاز يا أبنائي! ولكننا لا نستطيع الوثوق بهذا! يجب أن نُصعِد السلطان إلى الأعلى، فإذا انهار القصر يجب أن يكون في الأعلى! يا قائد الحرس!».

«سمعت يا وهيمي آغا! اصبر قليلاً. رأيتُ غطاءً يُفتح إلى السطح في الممر!».

لم يستغرق الحرس وقائدهم وقتاً طويلاً بفتح الغطاء، ورفعنا السلطان على سلّم وجدوه في إحدى الغرف. ولكنني سمعت السلطان يقول في الدقائق الأولى لإصدار القصر طقطقة، وبدئه بالانهيار: «رجلي! لم تبقَ لدي قوة تمكنني من الصعود إلى السطح يا وهيمي!».

«اصمد يا سلطاني!.. لنصعد، ولنصل إلى السطح أولاً...».

«لا أستطيع يا وهيمي! أنقذ نفسك أنت يا وهيمي!».

كانت تلك هي المرة الأولى التي أبديت فيها جرأة التماس بسلطاني إلى تلك الدرجة؛ فقد أمسكته، وحملته على ظهري دون إذنه،

وصعدتُ السلم المؤدي إلى السطح بقوة جنونية تفجرت فجأة في عضلاتي. نشكر الله أن القصر مال نحو اليمين، وعلقت المياه في نقطة ما فخف ضغطها فجأة.

بلى يا سيدي، لم يتعرض حضرة سلطاننا لخطر كهذا حتى في ساحات الحرب؛ ما عدا معركة موهاتش، ولكن هذا ما حصل في ذلك اليوم. بعد فقدان السيل غزارته، أخرجنا سليمان خان من الخطر بعبّارة أعدها المهندسون العسكريون والحمد لله. ولن أمرّ على ما حصل دون القول إنني لم أخف في حياتي كلها كما خفت عند إنزاله عن قرميد السطح.

عندما كان ممسكاً يدي بقوة في اللحظة الأخيرة، وعدد كبير من الحراس ينتظرون في الأسفل بانتباه شديد، قال: «انظر حولك يا وهيمي! انظر إلى هذا الخراب... إنه يشبه رسوم سيراميك بومبي... كل شيء أحمر وترابي... ما أفظع احتمال أن يذهب كل ما تبذل جهدك من أجله في لحظة كهذه... أبنائي... وما أُنجز من أجلهم...».

قلت: «هذا ليس الوقت المناسب يا سلطاني».

قال: «كانوا ظلي!». وأرخى نفسه للجنود. فور إنزاله إلى العبارة، نادى: «هل يوثق بإخلاص ظلالك المؤقت يا وهيمي؟».

V

لا أعرف كم يختار كُتّابكم من كلماتي، وكم يكتبون منها، ولا كيف تغربلون هذه المحاضر، ولكنني أريد أن أنبهكم في الوقت المناسب لأهمية ما سأرويه في القسم الأخير يا أصحاب المعالي. تعرفون أن الأسطول الإسباني تعطل بكامله نتيجة هزيمته

في جزيـرة جربة، وتعرفـون أيضـاً أن هذا ما أشـعل التمـرد المنتظر في هولنـدا. يبـدو أن الحـرب التي بـدأت بيـن إسـبانيا وهولندا منـذ ذلك اليـوم، والتـي اتخـذت منهـا الدولـة العثمانيـة موقفـاً صريحـاً سـتدوم سنوات طويلة.

إثر هزيمة جربة، بدأ ابن شـارلكان الشـرعي الوحيد فيليب الثاني ملك إسبانيا بدعم من ابن عمه ماكسـيمليان الثاني الذي مات في السنة الماضية ببناء أسـطول لـم يعرف التاريـخ أكبر منه في أمريكا الإسـبانية. ومهما أظهـر أن هدفه هـو غـرب المتوسـط، إلاّ أنّ هدفـه الحقيقي هو السيطرة المطلقة لآل هابسبورغ على شرق المتوسط.

في تلك السـنوات، تـم البدء ببناء سـفن حربيـة هائلـة ذات ثلاثة عنابر وتسـتطيع حمل أكثر من مئة وعشـرين مدفعـاً، وتتحمل عواصف المحيـط. ترتد السـبطانات الممتدة من جدران السـفن مـع مدفعها إلى الخلف إثر كل طلقة، وتُغلَق الفتحة مانعة دخول الماء المالح إلى فوهة المدفع. مع الأسـف، إنّ هذا التحديث إضافة إلـى التحديثات الأخرى عملية كبرى يمكنها أن تغيّر موازين القوى من طرف واحد.

ونتيجة فعاليـة الهـلال الفولاذي الـذي أعيد بنـاؤه كنـا نُبلّغ بهذه التدابير كلهـا يوماً بيوم، ولكن هذا لـم يخفف من قلقنـا؛ لأننا علمنا أن فيليـب الثاني شـمّر عـن ذراعيـه لتشـكيل أسـطول صليبـيّ ضخم من أساطيل البابوية وجنوة والبرتغال ومالطا وتوسكانا يقوده هو.

الشـاب المدعـو فيليب عـدو لـدود للبروتسـتانتية، وخلال تسـع سنوات من تاريخ جلوسـه على العرش سـنة 963، حدد أكثر من ثمانية عشر ألف بروتستانتي في بلده وقتلهم، وأفرغ حنقه من المسلمين الذين لم يستطع الوصول إليهم بالمسيحيين المنتمين لغير مذهبه. يصفُّ ألقاباً

متشبهاً بسلطاننا مثل: ملك هولندا وبلجيكا ونابولي وسيجيليا وأمريكا الإسبانية ومقاطعاتها دون منازع، وحاكم البرتغال ومالطا، ودوق إيطاليا الجنوبية. ولأنه نجح بالزواج من ملكة إنكلترا الكاثوليكية ماري تودور فهو يتباهى بإضافة لقب ملك إنكلترا إلى ألقابه أيضاً.

لم يستطع البابا باول الرابع جيوفاني المنتمي إلى عائلة مديشي أن يتخلص من تأثير هزيمة جربة التي حدثت بعد تسلمه البابوية بعدة أشهر. وتصرّف وكأن الأتراك سيفتحون إيطاليا كلها بفترة قصيرة. يقال إنه كان يشرب شيئاً من إكسير ما لكي يتمكن من النوم، وإنه كان يقف في دهاليز كاتدرائية سانت بطرس متمنطقاً بالسيف. لا يُعرف ممن يهرب، ومن يلاحق، ولكن هذا المثال يفسر بوضوح حالة الخوف التي بثثناها في أوروبا.

عندما يكون البابا مستيقظاً فهو ينصح أتباعه بتجنب الحركات المستفزة. كان أكثر ما يهدئ روعه أن سليمان خان بلغ سن الشيخوخة. وكان يشيع في ما حوله أن سليمان لن يستطيع الحركة من مكانه إذا لم يحدث استفزاز كبير. لم يستطع البابا تجاوز مخاوفه الكبرى خلال عامي 970 – 971، وهما أصعب عامين على فيليب الثاني. لو لم أكن على عتبة عامي الثمانين لعرفت كيف أخيف البابا أكثر مما هو خائف.

على الرغم من هذا أسرعت. حسب الفكرة التي توصلت إليها مع سلطاننا، أرسلت فريقين من عناصر الهلال المَهَرَة إلى فرنسا وهولندا ليقترحا على تينك الدولتين أن يكون أسطولاهما متأهبين لأي حركة إسبانية. ولكننا لم نتوقع أن يكون فيليب الثاني حازماً إلى تلك الدرجة. واعتقدنا أن تلك الحركات يمكن أن تكون مجرد مناورات أعدت من

أجل إقلاقنا وإقلاق سلطان سلاطيننا الهرم.

ولكـن، فـي أواخـر رجـب مـن عـام 971 أسـر الأسـطول الـذي يقـوده ماثوريان روميغـاس، أحد أقدم بحارة فرسـان مالطة سـفينة حج عثمانية عليها محمد سـنان أفندي؛ أحد أغوات الحـرم العثماني، وواليا الإسكندرية والقاهرة الباشاوان مصطفى وسنان.

ولكـن الفرسـان لم يعرفـوا فـي البدايـة بوجـود من هـي أهم من أولئـك الأسـرى القديريـن بكثيـر. بلـى يا سـيدي، تعرفون جميعـاً من تكون. إنها مربية ابنة سـليمان خان السـلطانة ميهريماه البالغة من العمر مئة وسـبع سـنين. جُرّت السفينة، وأرسـيت على شـاطئ جزيرة مالطة، وقُيّد الأسرى، وألقي بهم بالزنازين. لم يحتمل سليمان خان دموع ابنته التي تشـبه الدم. وقد كان مدركاً جيداً أن إسقاط قلعة محصنة بعيدة عن شواطئ الأناضول يمكن أن يكون عملاً صعباً إلى درجة لا يمكن لنا أن نتصورها، والعملية غير المخطط لها يمكن أن تؤدي إلى كارثة.

لـو كان تأثير ريح جزيرة مالطـة الجنوبية على الأسـطول العثماني كتأثيرها على قوات إمداد والي سـيجيليا الدون غارسيا، صدقوني لكان من الممكن أن يكون كل شـيء مختلفاً. بتاريخ 18 شوال 972، أي قبل وفاة الصـدر الأعظم الجديد علي باشـا سـميز في 29 ذي القعدة بشـهر وتسعة أيام رسـت أمام الجزيرة ثلاثمائة قطعة بحرية من أسطولنا بقيادة قبطان البحـر بيالة باشـا، وإدارة قائـد الجيش الوزيـر الخامس مصطفى باشا من أجل محاصرتها.

في 25 شوال نزل مصطفى باشا مع 35000 جندي في موقع قريب من سان إلمو التي تعتبر قلعة خارجية بين مرسـى موسيت وميناء مالطة الكبير. حضّـروا المرابض، وحـددوا خطوط الحصار. واتخـذ الطرفان

الإجراءات اللازمة من أجل حرب طويلة الأمد ستندلع بعد أيام.

نحن كنا في إسطنبول منفعلين. كان إيماننا قوياً بأن مصطفى باشا سيحقق النصر مع تلميذ طورغوت باشا. ولكن الأمور لم تسر كما كنا نأمل مثلما تذكرون جميعكم. فقد استشهد رجل خير الدين باشا كابوس الصليبيين الفظيع الريس طورغوت، وفي ما بعد طورغوت باشا الملقب دراكوت (يجمع بين اسم التنين دراكون، وطورغوت) في اليوم العشرين لنزوله إلى الجزيرة بشظية أصابت رأسه.

حسب تدويننا للتاريخ في ما بعد، فقد كان المدهش جداً بالأمر أنه يوم إصابة الريس طورغوت فوق حاجبه الأيسر، واستشهاده، شعر سليمان خان بألم فظيع في المكان نفسه من رأسه. بصراحة، لقد اختفى ذلك الألم الذي أسقط السلطان في الفراش وأخافنا بشدة بعد مدة قصيرة فجأة كما أتى دون أن يترك أي أثر. ولكن هذا الوضع ترك أثراً سلبياً على رجال الدولة كلهم.

بعد عدة أيام من استشهاد طورغوت باشا استسلمت أبراج سان تارما وسان إلمو. على الرغم من هذا، إن الهجوم الواسع على أسوار مالطة التي تعتبر قلعة داخلية، وبقية الهجمات الصغيرة والكبيرة باءت بالفشل نتيجة دفاع الفرسان القوي. لم تكن أرض الجزيرة الصخرية مساعدة لحفر الأنفاق، وكان اشتداد الرياح يصعّب تماسك الأسطول في عرض البحر. وأخيراً، مع وصول قوات الدعم السجيلية كما ذكرتُ قبل قليل، اتخذ مصطفى باشا قراراً بفك الحصار في الثاني عشر من صفر.

تحدثت مجموعة من عناصر الهلال كانت وسط تلك المعمعة عن اشتباك عنيف نشب في جوار برج سان باول، ولكن الواضح أن

الجهود الأخيرة لم تفد. مع أنني طلبت منهم أن يجدوا طريقة يتسللون بها إلى القلعة مهما كلف الأمر، وتوقعت منهم أن يقتلوا قائد موقع مالطة لافاليتا. ولكن هذا لم يحدث...

نعم يا سيدي... ليس هذا تباهياً، بل إنه الواقع بذاته. لو كنت أصغر بعشر سنوات لرميت رأس لافاليتا الذي أجلبه على رأس سيفي بعد بدء الحصار مباشرة تحت قدمي مصطفى باشا المعزول.

مع الأسف، كانت النتيجة كارثية بشكل لم يتوقعه أحد. فقد استشهد عشرون ألفاً من جنودنا، وغرق خمسمائة وأربعون من أصحاب الأعطيات في المعركة التي نشبت أمام الميناء الكبير. لو أن النتائج محدودة بهذا لكان الأمر يمكن أن يُقبل، ولكن الخسارة الحقيقية هي في مكانتنا. فقد تمرّغ في الأرض لقب الجيش الذي لا يهزم الذي يُطلق على جيشنا العثماني. غمر أوروبا فرح عظيم، وحلّ على مركز الإسلام حزن وصمت عميقان.

أعلم أن هذه الكلمات والتذكير بتلك الأيام المحزنة تعكّر صفوكم يا أصحاب المعالي. ولكن الصبر من أهم القيم التي يتحلى بها رجال الدولة العثمانية. نعم يا صوقولو باشا! تأجج التوتر ثانية في إردال وكأن يداً سحرية مسته لتؤججه. فقد تشجع إمبراطور روما الجرمانية ماكسيميليان الثاني نتيجة مكاسب ابن أخيه فيليب الثاني، وحاصر قلعتي توكاج وبانكوتا الواقعتين على الحدود ليفرض أمراً واقعاً. كان لا بد من إنهاء تلك المشاكل الخارجية التي تجر إحداها الأخرى. في تلك الأثناء، تدخلتم أنتم يا صوقولو باشا بالأمر باعتباركم الصدر الأعظم للدولة العلية بدهائكم الذي أنحني دائماً أمامه باحترام.

VI

ساءت حال جرح فخذ سليمان خان، واشتدت آلام مفاصله من جديد، وصارت حرارته ترتفع خلال النهار، ولكنه تعلم عدم المبالاة. وأنا أتذكر أيامي الجميلة الماضية مع الغرناطي في ضوء الأيام الجامدة والمتشابهة، و... كيف سأقولها يا سيدي، كنت أشعر بحرقة شوق تكوي قلبي...

نعم يا سيدي... أنا رجل غريب... ولكنني أعيش جموداً مدهشاً يجعلني أشعر أنني أكثر هرماً من يومي هذا. بلغت الثمانين من عمري، وأخيراً... نعم، أخيراً انقطعت أنفاسي، ولم أعد أستطيع متابعة شؤون الهلال كلها. الحمد لله أن التنظيم اكتسب نظاماً داخلياً أفضل من السابق. إذا كان هناك انتباه، ولم يُسمح بالتراخي، فلن يخرب هذا النظام لسنين طويلة. هذا يعني أن الشيخوخة هكذا تكون... وفي الحقيقة، كنت أستصعب هذا الأمر.

نعم يا باشا، في شتاء سنة 972 القاسي، سنة اتخاذ القرار للقيام بحملة جديدة على النمسا، جلستُ مع السلطان ذات ليلة، وتبادلنا الذكريات حول الأيام الماضية كشيخين محنيَي الظهر. ذات برهة، قدم لي إحدى المرثيات القديمة بعد أن أخرجها من أحد أدراج الطاولة. «قرأت هذه مرات كثيرة متتابعة مساء البارحة يا وهيمي... قرأتها كثيراً إلى درجة أن الشيخوخة أمسكت بياقتي، وكأنها مرغت الأرض بي».

تناولت الأوراق. بدأت أقرأ أشطر يحيى طاشليجالي المعروفة، والتي تقطّع قلبي بقوة، ولعلها تعكس التشابه بين حياة كل منا والآخر.

«مددٌ مدد، لقد انهار طرف من العالم

مجرمو الأجـل أخـذوا مصطفى خاننا!

خُسف وجهه القمري، وغضبت الأركـان

ألـبـسوا الـذنـب بالحيلة لآل عثمان

أكانوا يجرؤون على مواجهته في ميدان الوغى

حجبت الدنيا هـذا عـن سلطان الزمان

افـتـراء كـاذب أسـفـر عـن حـقـد دفين

أسـال دمـوعـنـا، وأشـعـل نـار الـفـراق

يـا لـيـت عيني مـا رأت ذاك الـحـدث

ولـكـن مـع الأسـف لـقـد رأتـه

ظـهـر وجـه الـزوال فـي مـرآة الـتـاريخ

تـرك عالم الـرخـاء قـاصـداً عالم الخلود

ذهـب وحـيـداً فـي ذاك الطريق كاليتامى

انـزوى فـي عـالـم الـقـداسـة كطائر

فـي الحقيقة، إن الـعـدو سـاهـم بسموه

أيُستغرب مما إذا لم تكن جيفة الدنيا من نصيبه

سـمـت روحـه إلـى الـمـطـلـق يا يحيى

تـغـمـدك الـمـولـى بـواسـع رحـمـتـه

الـلـهـم اجـعـل مـثـواه الـجـنـة

واحفظ لنا منظّم العالم سلطان سلاطيننا!».

الدفتر التاسع

بيان بالأجزاء التي رواأشرقها كبير الجواسيس وهيمي أورهون جلبي في الجلسة الأخيرة بتاريخ السابع من شعبان عام 975. مرفق بمطالعة محمد باشا صوقولو حول النتيجة.

I

لم نحتمل هـذا التعب والعـذاب كله، ونتقبـل حياتنا غيـر العادية إلا من أجـل مصالـح الرعيـة والدولـة يا سيدي... غيـر هـذا، إنّ هيبة بعض المجموعـات وأبهتها التـي تُرى من الخـارج بمثابـة جليد يغطي عدوانيتها... لا تبالوا لأسـفي على نفسي يا سـيدي... ألم نكن مشتتين مـن داخلنا؟ عندمـا تقوى السـلطة، ألا تتفتـت القوى التحتية المشـكلة لهذه القوة؛ مشكّلةً سلطاتٍ ظل جديدة أقوى من سابقاتها؟

أعددنا خططـاً لفترات طويلـة على مدى شـتاء عـام 973 وربيعه. سـتكون سـيكتوار هي الهـدف بعـد فتح إسـترغون عـام 950 مباشـرة. اكتسـبت قلعـة سـيكتوار أهميـة اسـتراتيجية بحكـم موقعها، وغـدا من الصعب منع هجمـات الجنود النمسـاويين والمجرييـن المتحصنين في القلعة على الأراضي التي يسـيطر عليها العثمانيـون. خاصة وأن الجرأة التي اسـتمدها جنود النمسـا من فشـل حصـار مالطة أصبحـت مضايقة جداً.

كما تذكرون، إنّ القلعة لم تسـقط بالمحاولـة الأولى نتيجة جهود طويغون باشـا سـيد سـادة بودين الحشيشة عام 962. أمّا المحاولـة الثانية التي تحركت الجيوش فيها في السـنة التالية وشاركتُ فيها مع مجموعة من عناصر الهلال بقيادة سـيد سـادة بودين الجديد علي باشا المخصي فقد كانت أكثـر تأثيراً، ولكنها لـم تكن موفقة. إذ إنّ نقـص عدد جنودنا وقلـة دعمنـا بالمعـدات، والأهم مـن هـذا مواجهتنـا دفاعاً أقـوى مما توقعناه تكمن وراء فشل حملتنا تلك.

كان موقع قلعة سيكتوار حصيناً. فهي تقع في جنوب غرب المجر على الحدود تماماً مع المنطقة الكرواتية على ضفة نهر وادي ألماس الذي تتدفق مياهه بغزارة كل ربيع. وقد سمّيت بهذا الاسم الذي يعني القلعة الجزيرة لأنها محاطة بالمستنقعات والغابات، وترتبط هذه الطبيعة والوضع الآمن جداً بالإشاعات المحلية التي يتم تداولها في المنطقة.

تتشكّل المدينة من ثلاثة أجزاء هي القلعة المركزية، وجزأين أحدهما قديم والآخر جديد يرتبطان بجسور، أما قصر سيكتوار الواقع في الجزء الشمالي من القلعة فيستند إلى الشمال الغربي من الأسوار على شكل قلعة داخلية. قائد القلعة هو الجنرال كرواتي الأصل ميكلوس زريني المشهور بين الجنود منذ الحصار الأول باسم زرنوق. على الرغم من تجاوز زريني السبعين من عمره فقد كان قوي الجسم، ومفعماً برغبة الحرب، ومقاتلاً ماهراً وشجاعاً.

يقع القصر القديم الذي يعيش فيه خلف أشجار الدغل المغطاة جذوعها بالعُقد ويلتف عليها اللبلاب أمام الخنادق. نسبُ زريني النبيل أقدم من أسوار القلعة المغطاة بالطحالب. وحسب الروايات، إنه يصعد إلى أبراج قصره، ويشاهد من النوافذ الرماية فيها المستنقعات الوحشية والحقول، ويحلم أن ينازل سليمان خان ذات يوم.

حين أبلغنا سليمان خان بهذا الأمر أول مرة، تأجج اللهب في خضرة عينيه، وقال غاضباً: «إن شاء الله ستكون نهاية هذا الظالم على يدي الضعيفتين هاتين. على الكافر زريني ألا يقلق من هذه الناحية، فهذا اليوم ليس بعيداً».

هل تصدقون يا أصحاب المعالي إذا قلت لكم إنني ما زلت

أرى فـي أحلامي تلك الأبـراج الصغيـرة القديمة الملطخـة بالدم نتيجة هجوم طلائـع المحاربيـن القادمين من الشـرق بقـوة تضعـف تدريجياً بتأثير الفوضى؟ كانت سـيكتوار إحدى أهم قلاع المجر المهيبة التي لا تهزم في عصـر الإقطاعية الفظيعة التي لـم تمتد إليها بعد يـد العثمانيين المُنقـذة. تتحـدى أي فـارس وبـارون وكونـت وملـك غازٍ مـن خلف متاريسـها المدعمـة ذات الفتحـات الضيقـة التي تُسـكب منهـا الزيوت المغليـة كما تُقـذف الحجـارة نحو أسـفل القصر، ولـم تـردد دهاليزها الضيقة المظلمة المُنارة بالمشاعل أصداء وقع أقدام أي عدو.

أذكـر اللحظـة التـي قدّمـتُ فيها إسـماعيل حقـي جلبي لسـلطان السـلاطين في غرفة الطلبـات وكنت قـد كلفته بمهمة تحديـث تفاصيل خريطة سـيكتوار. كان الوقت عصـراً، وكانت يـدا إسـماعيل مُحملتين بالأوراق والخرائط على عادته، ونفسـيته مقلوبة رأساً على عقب نتيجة العاصفة التي اجتاحته بسبب استدعائه المفاجئ.

فور رؤية سـلطان السـلاطين حاكم العالم لنا، وبقصد رؤية رسام الخرائط الـذي طالمـا مدحتـه أمامه عن قـرب، قـال: «تعـال يا جلبي، تعال!». كانت اللآلئ الزهرية المسـتخرجة من أعمـاق أميال في البحار الجنوبية تبـرق على قفطانـه الفيـروزي مع كل حركـة من حركاتـه. أمّا أصابعـه ذات الخواتـم المرصعـة بجواهـر كالنجـوم الغريبـة الملونـة والبعيـدة التـي ترجّف قلـب الإنسـان فـي الليل فكانـت تعبـث بلحيته البيضاء، فيما تلمعُ الألماسة على ريشـةِ لفته الضخمة بدرجات الزهري والبنفسجي لآلاف شموس الغروب.

أدركتُ أن عقلَ إسـماعيل غير المعتاد على هذا كله قد اضطرب. ولكن ليس بالإمـكان عمل شـيء. من ناحيـة أخرى، إن هذه المشـاعر

تجتاح الذين يقابلون سليمان خان لأول مرة عموماً. فهم ينظرون فترة إلى حاكم العالم الذي يبدو كالشمس المعنوية المتربعة على العرش جامعاً معاني الحب كلها في بنيته الضعيفة مصابين بالذهول.

بدا إسماعيل مبهوراً بكل معنى الكلمة. فالعرش الأبنوسي المرصع بالذهب الخالص، ومخدات العسجد المطرزة بالكنافا المتأججة كاللهب، والمفروشات القاطعة للأنفاس بمهارة عملها، والثريا الزجاجية المتدلية من القبة... كلها معاً سببٌ كافٍ لتذهل الإنسان.

كان إسماعيل تركمانياً مثلي في مطلع العقد الثالث من عمره. اتخذ وجهه لوناً ما بين الأصفر القذر والبنفسجي متجاوزاً حمرة الخجل والاستغراب. لم يجد بأي شكل الجرأة التي تمكنه من النظر إلى وجه سلطان السلاطين، وتسمّر مكانه دون أن يستطيع الحركة. قطب سليمان خان حاجبيه، وسأله: «ماذا جرى لك يا جلبي؟ خير إن شاء الله، كأنك رأيت شبحاً...».

أنا أعرف أن سلطان السلاطين كان يمازحه بقوله هذا، ولكن رجفة شديدة اجتاحت إسماعيل حقي، ولم تمكنه من ضبط نفسه، فتناثرت الأوراق والكتب التي تحت إبطه فجأة كغمامة غبار. حتى إنني لو لم أمسك بذلك الجسم الشبيه بالغصن لسقط فاقداً وعيه في حضرة حاكم العالم، وازدادت حالته تلك إضحاكاً.

انحنينا بعدئذ لجمع الكتب عن الأرض. رأيت كتابَ المسالك والممالك لأبي إسحاق إبراهيم بن محمد الفارسي الاصطخري الملقب بالكرخي المشهور المجلد بجلد الغزال. يضم هذا الكتاب عشرين خريطة مفصلة لأماكن مختلفة من العالم. أُعد هذا الكتاب

في عهد الأمير بير بوضاق، ابن حاكم دولة الخرفان السود حوالى سنة 864، ومن المحتمل أن هذا الكتاب نسخة عن ذاك الأصلي. ورأيت رسوماً لأطالس الريس علي مجر السبعة، وفتحية لعلي قوشتشو، وخرائط البحر المتوسط والأطلسي للريس بيري.

أخيراً، تمكن إسماعيل من إبراز إمكانيته بتحريك لسانه بقوله: «سلطاني! صعدت إلى مقامكم الأعلى دون استعداد. عفوكم...».

كان سليمان خان يراقبنا بتفهم وابتسام. «ليس الأمر مهماً يا بني. أنهِ عملك، واقتربْ قليلاً».

لملم إسماعيل الكتب والأوراق المتبقية بسرعة، وألقاها في حضني، وقبّل طرف ثوب السلطان. انحنى بشدة إلى درجة جعلتني أشعر بأن رأسه الضخم سيسقط من بين كتفيه.

قال سليمان خان: «هيا اشرح يا بني. بلغني أن لديك خرائط لسيكتوار ليست لدى أحد. وقد رسمتها كلها بنفسك. قال لي وهيمي إنها أكثر تفصيلاً من خرائط أحمد فريدون. إذا كان الأمر على هذا النحو، فاطلب مني ما تتمناه».

أشرق وجه إسماعيل بابتسامة خجولة. «أتمنى لكم الصحة يا سلطان سلاطيني. أحمد فريدون شيخ رسامي الخرائط، ولكنني رسمت هذه الخريطة التي بين يدي على هديه...». التفتَ نحوي لحظة. «وهي أكثر خرائط سيكتوار تفصيلاً إلى اليوم...».

بدأ حاكم العالم يدقق النظر بالخرائط، ثم قال وهو يرمق إسماعيل من فرقه إلى قدميه: «يجب أن تكون خريطة لا تخيّب آمالنا كما حدث في المرة الماضية يا بني. يجب ألا نعرف مداخل المدينة المعروفة ومخارجها فقط، بل حتى عمق الخندق الذي يحيط بتلك

الجزر الثلاث بالضبط».

«مفهوم يا سلطاني. كتب الله لي أن أرسم خريطة كهذه بفضل وهيمي جلبي قبل عشر سنوات. ولكنني قمت بسبع سفرات مختلفة مع عناصر الهلال من أجل الحصول على المقاسات التي طلبتموها، وهذا ما نتج لدينا».

فتح إسماعيل أمامنا خريطة ضخمة مفصلة إلى درجة تجعلنا نبتلع ألسنتنا دهشة. رسم كل شيء، بدءاً من الحجارة الواقعة إلى جانب أسوار القلعة الداخلية والقصر، إلى النباتات التي تغطي الحدائق، ومروراً بالخنادق العميقة المملوءة بالمياه السوداء، والباحات المرصوفة بالحجر المائل بشكل خفيف عبر القرون، وأسقف الأبراج المدببة التي تتماوج عليها الرايات، ومئات التفاصيل التي تعرض أمامنا قصة هيبة قاسية آيلة من الماضي...

نظر سليمان خان إلى وجهي فرحاً، وقال: «ها هي، ها هي الخريطة التي سنعمل عليها يا وهيمي». وقد ظهرت على وجهه ملامح المحارب التي أعرفها منذ أيام الشباب، وتجعلني أنفعل دائماً. «ليمدني الله بقوة تمكنني من الوقوف على رجلي يا صديقي وهيمي... ليمدني الله بالقوة لكي أستطيع الوقوف وحدي مقابل ذلك السافل المدعو زريني، وأحاسبه على أفعاله...».

قلت: «إن شاء الله يا سلطاني». ثم أضفت وأنا أرصّ قبضتي على جانبيّ: «لا تقلقوا. لا يمكن أن يفلت من العقاب ظالم يظلم شعباً تحمونه. عندما يسحق الإقطاعيون فلاحي المنطقة فهم لا يميزون بين مسلم ومسيحي. لا تشغلوا بالكم، الشعب يدعمنا».

II

كان سليمان خان منفعلاً جداً بسبب خروجه في حملة بعد انقطاع دام أحد عشر عاماً. هنا تكمن النقطة المحورية لهذا التحقيق كله يا أصحاب المعالي. كان سليمان خان يريد تحقيق نصر جديد يداوي به نفسه المنهكة بتلك الأحداث الحزينة التي عاشها في السنوات الماضية، ويدوس على كرامة ماكسيمليان من خلال الدوس على كرامة فيليب. رجائي أن تنتبهوا لهذا؛ كان سليمان خان يرى أنه عاش عمراً طويلاً، ويريد أن ينهيه بالشهادة.

أعرف أن هناك من ربط رغبة الموت لديه بالتخلص من أعباء ضميره فقط، ويعتبر تصرفه براحة قبل ثلاث سنوات عندما حاصرنا السيل في قصر إسكندر باشا وكاد القصر ينهار علينا دليلاً على هذا.

نعم، لقد كان يريد أن يذهب إلى الموت براحة لا أستطيع تسميتها توكلاً فقط، فهذا صحيح... ولكنني أتفهمه. كانت رغبته أن ينتهي كل شيء بأفضل ما يمكن أن ينتهي. شاخ، وانهار أكثر من اللازم، وسيطر عليه انهيارٌ يتجاوز حالة التعب. ولكنني أؤكد لكم أن أحداً لم يحرّضه على تلك الحملة.

أتسألون لماذا لم نمنعه؟ يا سيدي العزيز، لأننا لا نستطيع أن نمنعه. وأنا أشهد أن سليم خان حاول بكل صدق أن يثني والده عن هذه الحملة على عكس ما يُدّعى. أعرف أنهما تبادلا الرسائل حول هذا الأمر، ولكن ليست لدي معلومات حول ما حل بتلك الرسائل. أما الجواب الوحيد للتساؤلات حول سبب عدم مشاركة الأمير بتلك الحملة، وعدم مرافقته الجيش إلى أدرنة بصفته حارس السلطنة كما تقتضي العادة القديمة لدى آل عثمان فهو القلق الذي سيطر على حاكم

العالم، ولعله لم يكن ضرورياً. نعم، لهذا السبب لم يرد سليمان خان أن يصطحبه.

نعم سيدي، قيل أيضاً إنه أبعد سليم خان لأنه لم يرد أن يشاركه أحد في آخر نصرٍ كبيرٍ. لا أعتقد أن هناك أكبر من هذا الافتراء الموجه لرجل هرم. حتى لو شارك سليم خان في الحملة، فإن الذي سيصدر الأوامر إلى آخر لحظة، ويدير الحملة حتى من فراشه هو سليمان خان بالذات. كانت تلك الافتراءات التي انتشرت في تلك الأيام تحطمه. كان هو أيضاً مدركاً للحساسية الطفولية التي تلبست قلبه الذي اعتقد أنه تحجر منذ زمن طويل. لهذا السبب، كان يبدو ثائراً على شيخوخته. بلى يا حضرة الأفندي المفتي. لم يصطحبكم حتى أنتم أيضاً. مع أننا نشهد جميعاً أنه لم يكن يرغب بخطو خطوة من دونكم. لا، أردت أن أبرز أنه لا ضرورة لطرح سؤال كهذا. رأيي النهائي في هذا الموضوع هو أن سليمان خان تلقى إشارات معنوية حول اقتراب نهايته، ووثق حتى النهاية بأن خروجه على رأس تلك الحملة هو فرصته الأخيرة.

لأنه عند زيارته قبر أبي أيوب الأنصاري الشريف قبيل الحملة – كما يفعل قبيل كل حملة – وقف في حضرة صاحب القبر المبارك لفترة أطول من الزيارات السابقة كلها. لأنه شعر أنه لن يعود من حملته الأخيرة تلك. وهذا كان سبب بذله الجهد لكي يكون بينهما تشابه.

لم يزره وحده، بل زار قبور الصحابة والصالحين جميعها، وتجولنا وقتاً طويلاً جداً في إسطنبول في ذلك اليوم الربيعي المعتدل. نعم، كان الأمر صعباً عليه، ولكنه بذل ما بوسعه كي لا يظهر هذا. غطسنا في أعماق أزقة إسطنبول المضطربة بما يشبه سياحة سحرية ما ورائية. كنت أخشى

من معرفة أحد لنـا أثناء تبادلنا التحيـة مع الأهالي الجالسـين في المقاهي ونحن متنكران؛ لأن سـليمان خان فـي تلك الأيام كان مسـيطراً على هذه المدينة والعالم بشـكل غير مسبوق. كان يسـتطيع أن يدير العالم من عربة بسيطة حلت محل عربة سلطانية حتى عندما يكون بزي تاجر صغير.

حين انطلق الجيش السـلطاني العظيم من إسطنبول بمهابة ترجّف العصـور التاريخيـة كان سـليمان خـان يمتطي صهـوة جواده الأشـهب بكل عظمته. وكان يضع يده أحياناً على كتف صوقولو باشـا الذي يسير بجانبه، ويسـند مرفقه إلى رقبة الحصان. ولكن بؤبؤي عينيه الباسـمتين على رعيتـه. كان ينظر إلـى العالم عبر بؤبـؤي عينيه الصامتيـن البراقين من خـلال صفـوف كتائـب رمـاة السـهام والفرسـان وحملـة البلطات والإنكشاريين.

ولـم تكـن فـي عيـون شـعب إسـطنبول تلـك النشـوة والانفعال المهيبين كما في الحملات السـابقة. ولعل هذا الأمر من أهم التفاصيل التي لفتت نظرنـا كلنا. حل علـى المدينة صمـتٌ عميق. تعرفـون جيداً ذلـك الانفعـال الذي لا نشـهده سـوى في أيـام الأعيـاد. ولكـن، حتى الأطفـال تأثـروا بذلك الجمـود يـوم 11 شـوال 973، ووقفوا فـي زوايا جانبية صامتين دون أن يتجولوا بين الأقدام.

التفصيل المهم الأخير يتعلق بابن قيصون أفنـدي الذي كان طبيبه الخـاص. رجائـي الخـاص ألا تدونـوا كلماتي هـذه. لأننـي لا أريد أن أضع أحداً تحت الشـبهة، أو أرتكب جريمة نتيجـة خطأ من الممكن أن أرتكبه. يجب أن يُعرف جيـداً أنني نبهت الطبيـب اليهودي مرات حول هـذه النقطة: أفضـل حل لسـليمان خـان في صراعـه الشـديد ضد بلاء النقرس هو إبعاده عن المشاكل حيث تبقى معنوياته مرتفعة؛ لأن العامل

الأهم المؤدي إلى اشتداد مرضه وتراجع حالته ليس جسدياً بل نفسيًّا.

لا يا سيدي، لست طبيباً، ولكنني واجهت مواقفَ صعبة في حياتي الطويلة الشاقة جعلتني أفهم قليلاً بالطب. حاشا، أنا لا أحاول إصدار أحكام، ولكن الستارة التي تُسدل على أعينكم أمام هيبته التي لا يتسع لها العالم قد أزيحت من أمام عيني منذ زمن طويل. أعرف أنكم لا تسمحون بأي شيء ضده، ولكن لا بد أن هذا ما يؤلم حقاً. مهما حاول التملص، فإنه سيلفُّ ويدور ويعود لإغلاق تلك الزنزانة الحديدية على نفسه. ظلّ الماضي الثقيل هو ما هدّ حيله، وليس النقرس أو ذات الرئة أو الشلل.

فاتحت ابن قيصون الذي حل محل المرحوم بدر الدين محمد بهذا الأمر مرات عديدة. ولكن، على الرغم من تحذيراتي المتكررة، لم يكن لدى ذلك المشعوذ سوى أخذ حاكم العالم مرات عديدة إلى نبع المياه الكبريتية وإخضاعه لحمية لا معنى لها. أتذكرون كم هزل قبيل وفاته؟ بقي جلداً على عظمٍ، وشحبت بشرته لتصبح كالورق، وتجعدت رقبته من الخلف.

بلى يا صوقولو باشا، أذكر جيداً أنكم كنتم توافقونني الرأي. ولكن، قبل مرور زمن طويل، كان من الواضح أنه ليس ثمة جدوى لجهودنا، لأن حضرة المفتي أفندي على الرغم من تأثيره الكبير على حاكم العالم أدرك أنه لن يستطيع إقناعه باعتزال النشاط الاجتماعي وصخبه، أو باختصار تنازله عن العرش... كان سليمان خان على مفترق طرق. في كل لحظة، كان يقطع شوطاً على طريق حياة التقى، ولكن سلطان الدنيا كان يلتفُ حول ساقيه بقوة، ويكون سبباً لتعثره.

نعم يا سيدي... أصبتم يا حضرة المفتي أفندي. كان مدركاً لكل

شيء، ولكنه ينتظر أعجوبة... إذا حقق نجاحاً كبيراً، إذا تمكّن من تسلم حكم الدول الأغنى مثلاً، فسيسعد رعيته أكثر، وبهذا سيعيد كل ما تهدم، وستتحسن صحته بشكل عجيب.

كانت حملته الثالثة عشرة والأخيرة تعبر عن هذه الأمور كلها. أي إنه كان على طريق خدمة رعيته، وعلى عتبة الشهادة في هذا السبيل بحسب ما يفرضه التقى.

III

غادرنا إسطنبول صباح ذلك اليوم الربيعي ببطء كبحر هادئ يتململ. كنا نبذل أقصى ما نستطيع من أجل عدم إرهاق سلطاننا. وقد انتقل إلى عربته بعد نبع حلقة وتمدد فيها. لم يستطع أن يغط بنوم عميق على الرغم من تمهيد المهندسين العسكريين الطرق التي سيمر منها، وعدم تركهم حتى حصاة واحدة فيها، وكثيراً ما اشتكى من رؤيته الكوابيس.

فكرتُ بأن أعرض عليه العودة، ولكنني لم أجرؤ. لو نهضت السلطانة حرم من قبرها لما استطاعت أن تطلب منه هذا، فكيف أنا؟ أما ابن قيصون فقد كان يعطيه جرعات علاج متتالية لتخليصه من حكّة لدغة بعوضة لم يستطع التخلص منها بأي شكل. أرجو منكم أن تبحثوا بماضي المدعو ابن قيصون، وتدققوا فيه بشكل أكبر.

وصلنا إلى أدرنة بعد خمسة عشر يوماً، وإلى بلغراد بعد خمسين يوماً من انطلاقنا. كنت أشعر في الأيام الأخيرة بماضينا العظيم الذي يعيش خلف قبة زجاجية في الأعلى. ثمة قبة خفية محمّلة بالكثير من خصوصياتنا الغريبة بين شبابنا وشيخوختنا... خلف تلك القبة هناك

نور ربيع مائل إلى الزرقة، وسماء باهتة، وألوان شروق وغروب، ووديان ضبابية قفرة، وذكريات انتصارات كثيرة تلمّع قلب الوديان... كانت جيوشنا تسير على خطى ماضينا بإخلاص. ضربنا على ماضينا بخاتمنا بقوة، حيث لم نعد نخاف من شيء، وصارت هزيمة مالطة تبدو تافهة بنظرنا.

لم يصعّب علينا الجو الممطر حيناً والصحو المنعش أحياناً وصولنا إلى ذاك الموقع. زار جانوس سيغسموند ملك إردال الخيمة السلطانية المنصوبة في زملين أمام قلعة بلغراد مُثبتاً أنه تابعٌ مخلصٌ، وقدم جيشه عرضاً أمام السلطان. كان سيغسموند شاباً ضخم البنية بعمر سليمان خان عند جلوسه على العرش. وقد امتنّ سليمان خان كثيراً من تشريف الملك الشاب الذي يناديه \ابني. وتلطّف عليه بالسماح له بتقبيل يده قبل تقبيل طرف قفطانه، ودعا له بالخير.

تعكّرُ الجو بعد بلغراد تسبب بفيضان نهر درافا. واضطررنا للبقاء هناك خمسة عشر يوماً. كانت تلك الفترة جيدة بالنسبة لسلطان سلاطيننا. خلال تلك الفترة، أُنشِئ فوق النهر جسر بطول أربعة آلاف ذراع، وعرض خمس أذرع.

أخيراً، وصلنا إلى مقابل سيكتوار في 18 محرم 974. أثناء نصب الخيمة السلطانية على قمة سيميلخوف التي تقع القلعة والقصر مقابلها تماماً، غطّ سلطان سلاطين العالم بنوم عميق ومقلق في آن معاً لأنه يشبه فقدان الوعي.

صحا حاكم العالم قرابة المساء. نهض، وخرج من خيمته تحت نظراتنا المندهشة. طلب حصانه، ووُفق بامتطائه. اقترب من القلعة، ووجد في نفسه القوة لعرض نفسه أمام الجنود وثلاثة آلاف نفر من

الأعداء. لم يره الجيش خارج عربته طوال الطريق، لذلك عندما خرج ارتفعت المعنويات، وأُطلقت الصيحات قبل أن ينسحب إلى خيمته تحت نظرات العدو القلقة.

رمى بنفسه على الفراش فور دخوله. السفر وتغيير الطقس أنهكا جسمه المحتاج للراحة. أذكر أنه رمقني بنظرة كأنه يقول فيها: احذر أن تفتح فمك! ثم أشار إليّ بيده أن أقترب. جثوت فوراً، ثم جلست قرب سريره.

بعد تنهد مرفق بشخير طويل، سألني: «هل تذكر الأيام التي قرأنا فيها أناشيد الرعاة لفيرجيل؟».

ابتسمتُ وأنا أنظر إلى الألوان المتدفقة من بين أوراق الماضي الموارب بابه: «أيعقل ألا أذكر يا حاكم العالم؟».

«وهل تذكر أيام قراءتنا قصائد عبد الله بن رواحة حول شهداء معركة مؤتة، ومقارنتنا بين ذينك الشاعرين العظيمين؟».

تنهدت. «أذكرها جيداً يا صاحب العظمة. لأن الأهمية التي تعطيها للاثنين تنجم عن قلقنا من خشية الوقوع بحب الدنيا الذي نقاومه مع تقدمنا بالسن».

ضحك بصوت متألم. «أين نحن في هذه الحال يا وهيمي؟ هل نحن خارج الدنيا تماماً أم في قلبها بكل شغفنا بها؟».

ركّزت عيني على عينيه اللتين ما زالتا محافظتين على بريقهما. «لعلنا بقينا إلى اليوم في مكان على مسافة بينهما...».

«والآن؟».

«اخترنا طرفاً؛ اخترنا الطرف الصحيح».

«هل أنت متأكد يا وهيمي؟ هل نقف في الطرف الصحيح فعلاً؟».

«أنت في حملة تشبه حملة حضرة أبي أيوب الأنصاري الذي نتوق لعيش حياة كحياته يا سلطاني طوال حياتنا حتى وصلنا إلى هذا العمر. مثل بطل حقيقي...».

«وأنت أيضاً هنا يا صديقي القديم...».

«وأنا أيضاً هنا يا سلطاني...».

«في هذه الحال... تناولْ دفتر الشعر من درج مكتبي، واقرأ لي من فيرجيل يا صديقي، وأنا أقرأ لعبد الله بن رواحة. كأننا في هذه الأيام نتردد على ذلك الخيط الرفيع بين الدنيا والآخرة...».

كانت الأدراج مليئة بدفاتر الأشعار. بعضها قصائده، وبعضها لشعراء مشاهير. لم أستغرق وقتاً طويلاً لإيجاد فيرجيل. وكانت أشطراً أذكرها منذ زمن بعيد جداً:

«ستحظى هنا أيها الشيخ السعيد، بين الأنهار المعروفة والنافورات المباركة، بالبرودة بين الظلال. فعلى هذا الجانب، كما جرت العادة دائماً، سيحثك إلى النوم ذلك السياج القائم عند التخم، الذي يجاور أزهار الصفصاف التي يتغذى بها النحل الهبيلي بطنينه الخافت، وعلى ذلك الجانب سيغني مهذّب الكروم للنسيم تحت الصخرة العالية.

ولكن في نفس الوقت لن يكف الحمام الخشبي الأجش، موضع عنايتك، ولا اليمام، عن القرقرة من فوق شجرة الدردار الشامخة»(*).

فتح عينيه المغمضتين قليلاً بعدئذ. إنه باسم وهادئ الآن. قال: «اسمع!». وبدأ يلقي أشطر عبد الله بن رواحة من ذاكرته القوية:

«لكنني أسأل الرحمن مغفرة وضربة ذات فرع تقذف الزبدا

(*) الأنشودة الأولى – تيتيروس. اعتمدت ترجمة أمين سلامة أناشيد الرعاة الصادرة عن دار الفكر العربي – مطبعة الاعتماد القاهرة.

أو طعنة بيدي حران مجهزة بحربة تنقذ الأحشاء والكبدا

حتى يقال إذا مروا على جدثي يا أرشد الله من غاز وقد رشدا»

ثم تابع بهذه القصيدة التي قالها عندما كان أمام أكثر من مئة ألف جندي بيزنطي يتخذ وضعية القتال في مؤتة أيضاً كما تذكرون بالتأكيد:

«أقسمت يا نفس لتنزلن لتنزلنه أو لتكرهنه

إن أجلب الناس وشدوا الرنة ما لي أراك تكرهين الجنة

قد طال ما قد كنت مطمئنة هل أنت إلا نطفة في شنة»

بعد هذه الأشطر قال إنه يريد أن يرتاح. خرجتُ من خيمته بوجه سعيد وباسم، وتجوّلت فترة بين الجنود. لعل هناك نهاية تقترب بسرعة، ويراها الجميع ويقيّمونها في أذهانهم، ولكنهم ما زالوا يترددون بالإفصاح عنها لبعضهم بعضاً، ولكن يا صوقولو باشا، لم يكن هناك أي شيء من دون سبب كما أخبرتكم في ذلك اليوم أيضاً. كانت تلك حملةً مباركة.

IV

من أجل تسهيل الحصار ضُبطت مجاري المياه شرقي القلعة، وحُوِّل مجرى وادي ألماس بفضل الخرائط التي حضّرها إسماعيل حقي. وهكذا، بدأت مياه الخنادق بالانسحاب بسرعة، وأُفرغ ما تبقى من مياه بفتح قنوات صغيرة. وأثناء هذا العمل، قُصفت القلعة من أطرافها كلها قصفاً مدفعياً مكثفاً. وأصيبت الأسوار في بعض الأمكنة إصابات لا يمكن إصلاحها.

جلسنا مع السلطان مساء، وبحثنا مراحل الحصار وخطط اليوم التالي. كان سليمان خان مهتماً بمجريات الأحداث بكل معنى الكلمة على الرغم من مرضه. وكان يجعلنا جميعاً يقظين بأسئلته وتنبيهاته الصائبة، وبتعبير حاد يتجلى في عينيه الملتهبتين يحدد أساليب جديدة تتعلق بالهجوم بناء على المعلومات التي يحصل عليها حول وضع الجنود، ونقط الهجوم، وحالة العدو.

قلت في إحدى ليالي الحصار: «لو كنت أكثر شباباً بقليل لفعلت شيئاً من أجل قطع رأس زريني، ولكنت مستعداً للتضحية بروحي في هذا السبيل يا سلطاني!».

وضع السلطان يده التي تبدو قوية كما كانت في الماضي على خنجره الظاهر من زناره، وتمتم: «أعرف أيها الشيخ، لا تضايق نفسك».

خطرت ببالي الأحجار الكريمة التي كان يعمل عليها ليلاً بأصابعه الظريفة هذه قبل زمن طويل. كان أحد أهم الصاغة الذين عرفتهم في حياتي.

تمتم: «هذا يعني أن مجيء ماكسيمليان مع حاشيته إلى قلعة غيور صحيح».

«بلى يا صاحب الحشمة! اندس مثل النمس، وهو يراقبنا من بعيد. وهو مثل والده لا يجرؤ على التدخل بشكل مباشر».

قطب حاجبيه. «لا يستطيع... حتى المشاهدة هكذا من بعيد تخيفه حقيقة».

«إنه يعتمد على سلامة القلعة وتاريخها الذي لم يتمكن أحد من فتحها فيه...».

«دعه يثق!».

«يُقال إنّه صبّ مدافعَ جديدة قصّر فيها زمن تبريد السبطانة بسبب نسبة الزئبق في الخليط المعدني، وحتى إنها لا تسخن في الطلقات الست الأولى».

«دعها تبرد!».

«حتى إنّ المشاة صاروا يحملون أسلحة ذات سبطانات قصيرة تسمى مسدسات، إضافة إلى البنادق الخفيفة التي يحملها الفرسان...».

«ليحملوا!».

«سلطاني!».

«كفى يا وهيمي!». كأن السلطان «سليم» خان الجبار ظهر أمامي من خلف العصور التاريخية. «ليثقوا بما يريدون أن يثقوا به، ونحن نثق بمعبودنا الواحد الجبار القهار!».

أحنيت رأسي لرهبته التي اقشعر لها بدني. «لا شك بهذا يا سلطاني».

توقف فجأة. «ستسقط القلعة بإذن الله يا وهيمي. سيستغرق سقوطها وقتاً، ولكنها ستسقط، رُكبهم أثقل من ركبنا!».

توقفت فجأة. وسألته بصعوبة وأنا أبتلع ريقي: «ما معنى هذه الكلمات؟». وشعرت كما لو أن يداً باردة كالجليد قبضت على قلبي.

«قريباً ستفهم يا صديقي وهيمي!».

قبل صلاة الظهر بساعة من يوم 26 محرم أسقطنا قسم المدينة الجديد الواقع جنوب القلعة، وقررنا شن هجومٍ شاملٍ على قسم المدينة القديم. لم يستطع حفارو الأنفاق تحقيق التقدم المطلوب لأن الجو الماطر والأرض الصلبة يصعّبان عملية الحفر.

جلسنا لابسين دروعنا أمام الخيمة السلطانية ونحن نتابع الهجوم العام المشتد بعد الظهر. ألبستُ السلطان درعه بنفسي على الرغم من صعوبة الأمر. كانت درعاً خفيفة مصنوعة من السلاسل ومرصعة بالألماس. أدركُ أن هذه الحال تشعره بالقوة والصحة، ولكنه كان قد تمنطق بأسلحته، وأمر بإسراج حصانه.

أطلقت نيران المدافع، ولم يستطع جنود المهمات المدعومون من الإنكشاريين التمسك بالأسوار نتيجة الدفاع المستبسل والذي يكاد يكون هجوماً مضاداً. هبت ريح منعشة ورطبة على الرغم من أننا يجب أن نكون في أحرّ أيام الصيف.

في تلك اللحظة، كنت منتبهاً إلى أنني أشارك سلطان سلاطين العالم الصمت الشديد نفسه يا سيدي؛ لأنه كان ينظر بعينيه الجميلتين نظرة تشبه نظرتي. وكانت خطوط وجهه الذي يذوي من يوم إلى يوم صادمة بقوة. أنفه الشبيه بمنقار الصقر، وعظمتا خديه الناهضين، وجبهته العريضة جعلته يبدو رجلَ عالمٍ آخر. كانت بشرته مشدودة ولامعة كدرعه تحت ضوء الشمس الضعيف. أعرف أن هذا بسبب ارتفاع حرارته.

أصبت بالدوار للحظة، وشعرت بشرارة قدحت في ظلمات عقلي وكأن ذهني يغلي. كنتُ كخلفية لوحة سماء رمادية تريد أن تلمس ملامح وجهه الحادة. في تلك اللحظة، غدوت جيشاً مؤلفاً من شخص واحد... كنت سريعاً ومؤثراً مثل قوة طليعية خفيفة الدروع مؤلفة من ألف شخص... كنت أشعر بأن مئات الذكريات بل الآلاف تضغط على حدود ذاكرتي متدفقة نحو السطح. لم يكن سليمان خان مختلفاً عني. لقد كان محاصراً في زمن مختلف، يمزج بين الماضي والحاضر

أثناء استمرار المعركة أمامنا. إنه حد الشيخوخة الساحر. إنه الحد الأسطوري الذي يُنكر حقيقة الزمان...

قال سليمان خان بعد فترة طويلة بصوت سئم: «كان يمكنك أن تُعدّ رجلاً مثلك ليحلّ محلك». شعرت بأنه برد، ولكنه لا يريد أن يبدي هذا، وأنا لم أجرؤ على قول شيء. «رجل واحد مثلك يا وهيمي يقوم بعمل يفوق عمل ألف رجل. وصلت إلى اليوم، وستذهب دون أن يحلّ محلك من يستطيع التسلل إلى القلاع، وينفذ الاغتيالات».

«الدولة العلية ليست عاجزة كما تقولون دائماً يا سلطاني».

«هذا صحيح، ولكن سفك دم أقل أفضل بالنسبة إلى الطرفين».

قلت: «أغلقتُ هذا الدفتر بعد قضية الغرناطي يا سلطاني. تبيّن لي أنني لست معلماً جيداً، وقد تحطم اندفاعي...».

نظر إليّ نظرة حادة: «ما تحطم في الحقيقة ليس اندفاعك بل قلبك. لم تكن يوماً رجلاً يتراجع من انكسارٍ واحدٍ يا وهيمي».

«هذا ما كنتُ أعتقده أيضاً يا سلطاني. ولكن الحقيقة أن هناك نقطة يتشظى فيها الإنسان إلى حطام. وأشعر أنني وصلت إلى شيخوخة لم أعد معها أستطيع جمع شظاياي من جديد مع الأسف. ولكن هناك شاباً يدعى محمد فتحي. إنه شهمٌ ورحيم. من الواضح أنني لم أوليه الاهتمام الكافي، ولم أحاول أن أعطيه نصف ما أعطيته للغرناطي. ولكنه شاب سريع التعلّم، ويستطيع استشعار ما لم يُقل، وفهمه. أنا أثق بأن تسليم التنظيم هذه المرة لتركي أفضل من تسليمه لشخص محوّل دينه يا سيدي».

رفع حاكم العالم رأسه نحو المطر الذي بدأ بالهطول خفيفاً، ونظر إلى ستارة الدخان الرمادية الناجمة عن اشتعال النار وإطلاق المدافع

والبنادق. «طالما فكرت بأن الإنسان ميالٌ إلى الخير وليس إلى الشر يا وهيمي. انظر إلى أبنائي الجنود هؤلاء. أَعْيُنُهم عليّ هنا، ويستمدون من إخلاصهم لي قوة اندفاع جديدة ليهاجموا العدو في كل لحظة».

«بلى يا سلطاني».

«ولكن الإنسان بعد فترة يغدو ماكراً عندما لا يتمكن من التملص من روح العبودية، ولا يدرك معنى الحرية. وهذا الجانب لدى الغرناطي هو ما جعلك تنهار. نظرت إليه بعين المساواة، ولم تستطع رؤية أنه طالما اعتبرك سيداً يجب أن يتغلب عليه».

«لم أستطع...».

«إنّ محب الدنيا يحاول بداية إنقاذ كرامته يا وهيمي، أما محب الآخرة فيدوس كرامته ثم يقف أمام العدو بروح نقية... حينئذ يغدو عملاقاً يشعر بأنه لا يُهزم، وأنه عبارة عن كيس لحم وعظم يمكن أن يُراق دمه بكل سهولة. أي كرامة يمكن أن تضمها عظام قابلة للكسر؟». سحب سيفه بسرعة لا تلحظها العين بسهولة، وقدر وزنه بيده. «الكرامة من الفولاذ يا صديقي القديم، ولا يمكن تحقيق النصر من دونها، ولكن السيف الفولاذي يُكسر مع الأسف عندما يضرب بصخرة ضربة قوية. لهذا السبب، يفيد الحديد اللين أحياناً أكثر من الفولاذ القاسي. الفولاذ والدنيا والتكبّر مقابل الحديد والنفس والروحانية». ظهر بريق يوحي بتفهّم عالم عظيم يريح قلبه بمتناقضات الدنيا.

قلت: «ولكن الحديد يصدأ».

«الملح وطين الوبر يُزيلان الصدأ...».

«وماذا عن صدأ النفس؟».

«وهذا له مبرد، وهو الدمع...».

V

سقطت المدينة الجديدة إثر هجمات متتالية شُنّت حتى الثاني من صفر. ارتفعت معنويات جنودنا، وتجددت آمالهم بإسقاط المدينة كلها وليس القلعة الداخلية فقط. في اليوم التالي، كانت أعيننا على أبراج القلعة تحت سياط مطر غزير. كانت وجوه المدافعين شاحبة ومخضرّة ومقطبة كالأسوار التي يقفون عليها. ولكنهم نجحوا بصد هجومين شاملين متتاليين. بدأ صراع عنيف فوق الأسوار استمر عشرة أيام. اقترب حفارو الأنفاق هذه المرّة من أسفل الأرضية الطينية والكلسية المقطعة بطبقات بيضاء، وتقدّموا بسرعة إلى أسفل القلعة الداخلية.

كما نجح عناصر الهلال بالوصول إلى قرب مستودع الذخيرة الذي تحدده خريطة إسماعيل حقي بوضوح. كان ثمة أنفاق لا تؤدي إلى هدف تحفر لمجرد المخاتلة، وبهذا يُشتت انتباه حفارو الطرف المقابل. على الرغم من هذه التطورات الإيجابية، بدأت مقاومة القلعة الداخلية الشديدة تُوتّر الجنود. مضى شهرٌ تقريباً على وجودنا هناك، وصار من الضروري أن ينتهي الأمر.

كانت صحة حاكم العالم تُعتبر جيدة على الرغم من حماقات الأطباء بإدارة ابن قيصون. ولكن جرحَ ساقه اليسرى الذي لم يلتئم بأي شكل بدأ ينزف بغزارة في منتصف ليل 17 صفر. تسبب هذا الوضع بارتفاع حرارته. ولكن ابن قيصون استمر بإعطائه بعض الأشربة المسكّنة المقطرة من مغلي الأعشاب لكي ينومه بدلاً من معالجة نزيف جرحه وتخفيض حرارته؛ مع أن سليمان خان لم يكن راغباً نهائياً بأن ينام، فقد كان أمله الوحيد من هذه الدنيا هو رؤيته سقوط قلعة سيكتوار.

حينئذ، لم أستطع الصبر على ترهات ابن قيصون ومساعديه أكثر، فقلت له: «لا أريد أن أزعجكم، ولكنني أشك بالأدوية التي يجربها ابن قيصون عليكم. من الأفضل أن نحتفظ بها لعرضها على الطبابة العسكرية».

نظر إلى وجهي باستهجان: «ابن قيصون هو أفضل الأطباء اليهود على الإطلاق، وأنا أثق به».

أطرقت برأسي، وقلت: «أمركم يا حاكم العالم». ثم نظرت إلى وجهه شديد الحمرة فوق عظمتي خديه بتأثير الحرارة بحب، وأضفت باسماً: «وصل حفارو الأنفاق إلى تحت مستودع الذخيرة في القلعة الداخلية».

أغمض عينيه بقوة، وحمد الله. «في هذه الحال، يجب أن أنتصب على صهوة جوادي أمام الجنود غداً يا وهيمي. ينبغي أن أجول أمام الجميع لكي يفهم المدافعون أنه لم يبق هناك معنى لمقاومتهم، ولترتفع معنويات جنودي!».

«بلى يا حاكم العالم، ولكن...».

«اسمع يا صديقي القديم! إذا لم أتمكن من النهوض غداً، أخرجوا مكاني حسن آغا من مدرسة القصر الذي يشبه جسمه جسمي كثيراً. ألبسوه ثيابي، واجعلوه يمتطي حصاني، واطلبوا منه أن يقترب كثيراً من القلعة دون تردد. ليست هناك طريقة أخرى. لا يمكن أن تشتد عزيمة جنودنا إلا إذا رأوني على رأسهم».

«الفرمان فرمان سيدنا!».

بلى يا باشا، نُفذ اقتراحه. ساءت حاله ليلاً، ولم تبق لديه قوة لكي يلقي اللحاف عنه صباحاً، فما بالكم بأن ينهض على قدميه. أمر أركانه،

وكان بؤبؤا عينيه يقدحان ذلك الشرر الذي لم يخبُ قط: «أخرجوا حسن آغا ليجول أمام الجنود! عليه ألا يتوقف، وليمر من أمام الجنود بسرعة فقط، ويتجه نحو القلعة. ليبدُ شامخاً وقوياً على صهوة الجواد، وليَعُد بعدئذ برفقة الحرس الخاص...».

نهض بمساعدة الآغا محمد الذي يساعده على ارتداء ثيابه والركّابين مصطفى وموسى. «احملوا عرشي إلى الخارج، وضعوه حيث أستطيع رؤية المعركة، واستدعوا الباشاوات جميعاً!».

قبيل شروق شمس يوم 19 صفر، كان حاكم العالم جالساً على عرشه، ومستنداً إلى الوسائد أمام الخيمة السلطانية تحت سقيفة قماشية. كان يُقرأ من وجهه مقدار الجهد الذي يبذله لكي يبقى شامخاً.

رأيتُ سيد سادة بودين أرصلان باشا ينحني على سيد سادة روملي شمسي باشا وعيناه طافحتان بالدموع، ويهمس له بأمر ما. كان وجه شمسي باشا شديد الشحوب وسط لحيته السوداء الداكنة. أما سيد سادة الأناضول محمود باشا زال فقد كان على مبعدة مني على عادته مهموماً إلى درجة أنه يبدو على وشك الانهيار. لم أضطر لمقابلة ذلك الرجل لأننا لم نخرج في حملة معاً منذ زمن، وهو يقيم في أنقرة مركز المنطقة المسؤول عنها، وحافظ أحدنا على بعده من الآخر أثناء الطريق.

في الحقيقة، لم أرد أن ألوث يدي بدم ذاك القذر الذي تحوّل فجأة إلى بيدقٍ قاتلٍ لمصطفى خان بعد أن كان نديمه الخاص؛ وخاصة أنه فعل ذلك في سبيل الحصول على المنصب والمكانة. وكنتم يا صوقولو باشا تنتظرون بمهابتكم المتوكلة كما أنتم دائماً، صامتين كشجرة دلب عظيمة لا تحنيها العواصف.

انتبهت إلى أننا كنا واقفين حابسين أنفاسنا دون أن نصدرَ أي صوت وقد امتلأت رئاتنا بهواء رطب مفعم برائحة نترات الصوديوم والدخان. عندما تكلّم سليمان خان بعد فترة طويلة، خرج صوتُه ضعيفاً جداً إلى درجة أنني قرّبت أذني منه لكي أسمع، ونقلتُ الأمر فوراً إلى أركانه.

يسأل سليمان خان: «هل جُهّزت التحضيرات الأولية؟». ابتسم عندما تلقى الجواب الذي كان يأمل سماعه.

كانت لدى سلطان السلاطين مفاجأة للمدافعين سيُحكى عنها على مر العصور. في الساعة الأشد ظلمة عند انتقال الليل إلى الفجر، صُب على ستة خطوط بين الخط والآخر مئة شبر على مستوى الباب الرئيس للقلعة الداخلية مزيجٌ شديدُ الاشتعال مؤلف من القطران والصمغ والكبريت، وأعيدت العملية عدة مرات حتى الصباح لكي تتشبع التربة جيداً.

كان حاكم العالم قد عزم على استخدام هذا المزيج الذي يحافظ على قابلية الاشتعال حتى في الجو الماطر. وعلى العكس، فإن الجو الماطر يزيد اشتعاله لكي يفاجئ العدو. ولم يكن استخدامه من أجل التسبب بعملية قتل فظيعة وواسعة صعباً.

قال سليمان خان: «سيعمل الجنرال زريني الذي أعرفه ما بوسعه من أجل أن يخرج اليوم. فلا بد أنه أَدركَ أنه حوصر في القلعة، ولن يتلقى مساعدة. إنه رجلٌ نبيل ولديه كرامة، ولا يمكن أن يستسلم هكذا. إذا باغتناهم بهذا النظام فستنتصر. أستودعكم الله جميعاً. بالتوفيق».

كان هذا آخر خطاب لسليمان خان على الملأ. بعدئذ، عاد إلى الخيمة السلطانية بمساعدة الركّابين.

VI

بلى يا سيدي، استمر القتال طوال اليوم، لأن الألغام التي حضرت لتنقل عبر النفق تبللت بالمطر الذي هطل بغزارة قبل يومين نتيجة الرعونة. عند الضرورة، كان سيتم توضيب ألغام جديدة باستخدام البارود المخصص للمدافع والبنادق.

لهذا السبب، لم يستهلك جنود الألغام الوقت بتجفيف الحافظات. دُعمت الألغام القابلة للاستخدام ببراميل البارود الاحتياطية، بالإضافة إلى المزيد من نترات الصوديوم - غير ما كان مقرراً - ونُقل ثمانية وعشرون برميلاً خشبياً مليئاً بالبارود، وخمسمائة لغم إلى آخر النفق.

بماذا تفضلتم يا خليل باشا الدفتردار؟ نعم، أصبح الأطباء عاجزين تماماً أمام صحة سليمان خان التي فقدت استقرارها، ولم يعد أحد يسأل أي سؤال يمكن أن يبدو زائداً.

عندما دخلتُ الخيمة السلطانية في الليلة شديدة البرد التي تربط بين ليلتي 20 و21 صفر كان سليمان خان نائماً فاقدَ الوعي. حتى إنه لم يخرج لأداء صلاة الجمعة، ولفقنا للجنود ذريعة أنه لوى قدمه. كنا قد وصلنا إلى المرحلة الأخيرة من الفتح، وأذكر أنني كنت أدعو الله بكل صدق أن يشهد سقوط القلعة، وأن يأخذ من عمري ويمنحه إياه من أجل تحقيق هذا، ولكنني كنت أشعر بانقباض في قلبي.

توقفت المعارك بعد ساعة من غروب الشمس، وبدأنا ننتظر الصباح؛ إذ سيُشنّ الهجوم الأخير مع إشعال متفجرات الألغام. كانت معنويات الجنود مرتفعة لأنهم ما كانوا يعلمون بما يجري بجوارهم.

اجتمع أطباء الجيش جميعاً بأمر من صوقولو باشا، وبدأوا

يُنهكون أنفسهم من أجل إيجاد حل، ولكنهم أعلنوا بعد منتصف الليل وهم مطرقون أن جسم سليمان خان المتعب لا يتجاوب مع العلاج.

إنكم تذكرون ذلك يا صوقولو باشا، أليس كذلك؟ في ساعة متأخرة من الليل اجتمعنا في خيمتكم، وأمرتم بأن نحافظ على صمتنا في حال وقع أمر الله، وانتقل حاكم العالم إلى عالم الخلود. وأن نحافظ على هذا السر حتى لو كلفنا حياتنا؛ إلى أن يأتي سليم خان ويقودنا. فنحن لم نكن نريد أن تهتز معنويات الجنود. غير هذا، سيكون من الصعب ضبط الإنكشاريين القادمين من أجل الحصول على الإكرامية. إذا فقدنا الانضباط للحظة، فستتعرض لخطر كبير بوجود ماكسيمليان الثاني قريباً منا إلى هذه الدرجة لا قدر الله. يجب ألا يشعر أحدٌ بشيء!

قال محمود زال: «يجب أن نرسل ساعياً إلى سليم خان بأسرع ما يمكن. هناك طريق يزيد على 1200 ميل من موقعنا إلى غيرميان (كوتاهية). غير هذا، نحن على أبواب فصل سيئ. سيستغرق مجيء سليم خان شهراً، وحتى أكثر».

«ماذا سنفعل إذاً يا محمود باشا؟».

«أرى أن نعلن الوفاة منذ الآن. أنا أجد أن الجاويش حسن المهيب كالنمر والأول في مسابقات الإنكشاريين بالجري كلها هو الأنسب من أجل هذا الأمر».

لم أحتمل أكثر في تلك النقطة، فانفجرت. ضربت بقبضتي بقوة آلمت عظامي الهرمة. وكلكم تذكرون أنني صرخت قائلاً: «يا ابن الكلب!». لو تجرأ محمود زال على المجيء ولو مرة واحدة طوال هذا التحقيق، لتذكر ذلك أيضاً بالتأكيد. «دعوة أحد للجلوس على العرش

يُعد تمرداً! ولا يَقْطَعُ الأملَ من الله سوى الكفار...».

قال صوقولو باشا حينئذ: «اهدأ يا وهيمي آغا!». وتذكرون يا سيدي أنني أطعتكم عندما تدخلتم، وأنزلت أشرعتي.

«محمود باشا محقٌ أيها الشيخ. إذا عرف الإنكشاريون أننا نخفي وفاة سلطاننا فلا يمكن مجابهة غضبهم. سيسلخون جلودنا ونحن أحياء بتهمة أننا فعلنا هذا مع السلطان الهرم المريض. سيمحون أثرنا عن الأرض...».

قفزتُ: «دعوهم لي في هذه الحال!».

وبنبرة حادة أمرتم يا باشا: «لا! صحيح أن الجنود يحترمونك يا وهيمي. ولكن الوضع هذه المرة مختلف. فمن الممكن أن يؤذوك. أنا أيضاً أجد عرض محمود باشا زال مقبولاً. وماذا عنكم؟».

بعدئذ نظرتم إلى الآخرين. وهم نظروا إلي ثم إليكم. ولم تبق لي أي كلمة بعد أن أيّدكم الجميع. لا أستطيع وصف ذلك الألم الذي غُرز في قلبي حينها، ولهيب الغضب الذي قطع أنفاسي. لقد شختُ، وفقدت قوتي التي تمكنني من السيطرة على الأمور، والتدخل فيها مباشرة.

قال محمد باشا صوقولو بعدئذ: «بلى، حسن مشهور بتمكنه من قطع المسافة ركضاً بين إسطنبول وأدرنة بيومين دون توقف. سنعطيه حصانين أصيلين. وإذا مات الحيوان فبإمكانه الجري إلى أقرب مكان مأهول. وسنعطيه رخصة الحصول على الحصان المناسب من الإسطبل الذي يريده. سنقول له إنه ذاهب لتبليغ باشا بتعيينه سيد سادة حلب. وسنطلب منه أن يعرّج بطريقه على الأمير سليم، ويقدم له رسالة بشارة النصر».

قال شمسي باشا سيد سادة روملي: «هذه فكرة جيدة. حسن يحبني كثيراً. ولي عليه أتعاب كثيرة، أنا سأكلّمه، وأنبهه إلى خطورة الأمر. ولن يستطيع أحد الإمساك به في ما إذا عرف أنه سيقبض إكرامية كبيرة!».

قال صوقولو باشا: «بلى! لا يُقطع الأمل من الله، ولكن من الأفضل أن نحتاط. لينطلق الساعي!».

هذا يعني أننا لن نعلن الحداد إذا رحل السلطان لا قدر الله بسبب خوفنا من جنودنا. أذكر أن الهدير الذي انطلق من صدغيّ قد ذهب بحيلي. لأنكم قلتم الحقيقة يا باشا... ولكن تلك الحقيقة مؤلمة جداً، وشعرت بها تقتلني.

أتسألون عما إذا كنّا قد تكلمنا ثانية؟ نعم، إن حديثي المستمر منذ أسابيع هو من أجل هذه اللحظة يا أصحاب المعالي. لم أجد الفرصة للدخول إلى سليمان خان إلا قبل نصف ساعة من وفاته يا سيدي. بأمر من صوقولو باشا أُبعد عنه الوزراء والباشاوات والأطباء ومساعدوهم؛ عدا ابن قيصون. كان صوقولو باشا قلقاً من تسرّب الخبر إلى الجيش في حال حدوث الوفاة بشكل مفاجئ.

كان ثمة اثنا عشر حارساً خاصاً في الداخل. وكان الركّابان مصطفى وموسى يقفان باستعداد على جانبي السرير، وكذلك إمام الجيش درويش أفندي، وابن قيصون. كانوا مطرقين بوجوههم تحت ضوء القناديل، وعاقدين أذرعهم باحترام وكأن حاكم العالم يراهم. أحنوا رؤوسهم بصمت عندما رأوني.

كان سليمان خان يتنفس بصعوبة شديدة مصدراً حشرجة. وكان العرق يتصبب من صدغيه، وغار خداه. ألقى يديه إلى الجانبين، والتف

جسـمه الذي لا يتحرك بملاءات الأطلس. بقي وجهه وسيماً حتى تلك اللحظة. كان مصطفى واقفاً بجانب رأسـه. وكان يختم المصحف حتى قبيل سقوطه فاقداً وعيه.

همستُ متعلقاً بأعجوبة: «سلطاني... لقد جئت يا سلطاني...».

صمت...

في هـذه اللحظـة بالضبط، وقعـت الحادثـة التي أثارت الشـكوك حولي، وجعلت البعض يتهمونني على الرغـم من وجود كل ذاك العدد من شهود العيان.

ثمة منطقـة بين جانبين أحدهمـا منار باتجاه الأمـل، والثاني مظلم باتجـاه الواقـع... إنهـا منطقـة خفيفة الظلمـة، لا بـد أنكـم زرتموها أو سـتزورونها مرة في حياتكم باعتباركـم محاربين... دفعتنـي إليها حركة أجفان سـليمان خان التي رأيتهـا للحظة أو تهيـأ لي أننـي رأيتها. كانت لحظة مقاومة تحت أضواء الشمعدانات البرونزية...

انحنيت نحوه: «هل تسمعني يا سـلطاني؟». خفّضت صوتي أكثر: «سليمان، هل تسـمعني يا أخي؟ صادق الديوان قبل قليل على إجلاس سـليم خان على العـرش. أنزلـوك عـن العـرش بالإجماع، اسـتيقظ... استيقظ يا سليمان، واستعدْ عرشك...».

أتسألون عما حدث؟ حدث أمر سـأخبركم به لأول مرة يا سيدي. فتح سليمان خان عينيه، ونظر إلي.

لا، لا أصـرُّ على هـذا الادعاء. أقبـل أنه يمكـن أن يكون قـد تهيأ لي، ولكننـي حفرتُ في ذاكرتـي كل ذرة من تلك اللحظـة العجيبة التي التقطتهـا فـي الضـوء العنبـري الخافـت. والآن، لا أريـد أن أفكر حتى مجرد التفكير بإمكانية أن يكون عقلي قد لعب عليّ هذه اللعبة. لا أريد

أن أفقد تميـزي بأنني آخر من نظر إليه في الدنيـا... أريد أن أحتفظ بهذا الامتياز الوحيد في حياتي...

قلت له بصـوتٍ خافـتٍ: «ليتني أسـتطيع أن أضمّك بقـوة، وآخذ عنك ألمك يا سـلطاني». هل كانـت عيناه مفتوحتين قليـلاً؟ هل غارت حفرة وسـط حاجبيـه ثانيـة؟ برأيـي نعـم، ولكننـي أردت أن أتأكد بكل معنى الكلمة. انحنيت أكثـر، وقربت وجهي من وجهه، وأسـندت يدي إلى طرفي الوسادة، واقتربت منه كثيراً حيث شعرت بأنفاسه الفاترة.

«أين أنت الآن يا سلطاني؟ إذا كنتَ في مكان تستطيع سماعي منه فأعطني إشارة!».

رأيت حركة خفيفة على شـفتيه، وانزلاقاً طفيفاً لشـفتيه، وشككت هذه المرة في مـا رأتـه عيناي. في تلـك اللحظة، سـمعتُ ابـن قيصون يقول: «ارجع إلـى الخلـف يا أفنـدي!». لم أبـالِ، وانحنيـت أكثر على السلطان. حينئذ شعرت بيد على كتفي.

كان ابن قيصون يتكلـم بجانبي وعلـى وجهه المسـود تعبير حاد. «قلت لك ارجع إلى الخلف أيها الشيخ...».

اقترابي من سـليمان خان إلى تلـك الدرجة ولـو كان لفترة قصيرة فقـد ضايـق الطبيب. فهـو يعرفنـي، ويعـرف مـا يمكننـي فعلـه، ولكنه يستخف بي منذ اليوم الأول بسبب شيخوختي. كان يمكنني أن أقول له إن سلطان السـلاطين حرك عينيه، ويمكنني أن أقول له إنني كنت مركز آخر نظرة نظرها. كان بإمكاني أن أقول له إنه عرفني، وأراد أن يقول لي شـيئاً ما... ولكنني لـم أقل... لو قلت لـه ذلك، فهل يسـتطيع أن يدعي الادعاء الفظيع بأنني خنقت حاكم العالم؟ كنت مسـتعداً لتقديم روحي فداء للأميـر المرحوم مصطفـى خان أيها السـادة، ولكننـي أقدم روحي

ونَفْسي معاً من أجل سلطاني. بالنسبة إلي، غطيت تلك القضية بالتراب منذ زمن طويل.

التفتُ، ونظرت إلى ابن قيصون. كان ثمة ما أخافه في عيني وجعله يتقهقر. كذبت عليه قائلاً: «كنت أحاول معرفة ما إذا كان يتنفس فقط».

لم يصدق. «تُسمع أنفاس حاكم العالم من خارج الخيمة، فكيف لا تسمعها يا جلبي؟».

تابعت الكذب: «لم تعد أذناي كما كانتا يا كبير الأطباء».

«ألستَ من سمع أمر حاكم العالم بالهجوم حين كنت قريباً منه البارحة صباحاً، ونقلته إلى الآخرين؟».

قلت بغضب: «كنت مقرباً أذني».

صمتَ، وابتعدَ، ولكنه شك. نهضتُ، وخرجت من الخيمة. كنت أبكي... أعرف أن الدموع لا تليق برجل هرم مثلي... لهذا السبب سرتُ حتى اختفيت وسط الظلام. جثوت عند طرف مستنقع ضبابي على أمل إيجاد السلوان. كانت السماء مليئة تماماً بالنجوم. ذرات ضوء لا تحصى تخنق الإنسان وتضيّق الدنيا عليه... الليل لا يساعد السماء نهائياً... تابعت البكاء حتى دون أن أجد حاجة لمسح دموعي. أمسكت التراب بيدي الهرمتين المجعدتين... ثمة رائحة قصب وقش وطحالب... حين نهضت، شعرت كما لو أنّ أشواكاً بريّة نمت في مفاصلي... قلت لنفسي: كان علي أن أموت قبل زمن طويل جداً... وفي مكان بعيد جداً.

حين عدت، كان سليمان خان قد توفي. فجأة، تذكرت كل تفاصيل اللحظة التي أبلغته فيها بمجيء ماكسيمليان إلى قلعة غيور،

وما قاله. كُسـر الزمان، والتقـى الماضي والحاضر على الخط نفسـه...
«ستسـقط القلعة بإذن الله يا وهيمي. سيسـتغرق سـقوطها وقتاً، ولكنها ستسقط، رُكبهم أثقل من ركبنا!».

ملحق النتيجة

بتاريخ 7 شباط 975 أُخذتْ إفادة كبير الجواسيس المدعو وهيمي أورهون جلبي للمرة الأخيرة. مرفقة بملحق مختصر حول أحداث الفترة التالية حتى موعد إعدامه بقلم الصدر الأعظم محمد باشا صوقولو.

تحدث وهيمي أورهون جلبـي في نهاية إفادته حول سـقوط قلعة سـيكتور بعد عدة سـاعات فقط من رحيل حاكـم العالم. أشـعرنا بحبه لسـليمان خان وإعجابه به بوضوح على الرغـم من تعبه الشـديد. كثيراً ما رفّ بجفني عينه الدامية، ولكنه على الرغم من هذا لم يسـتطع حبس دموعه. تدخل الأطباء ثلاث مـرات بالأمونياك من أجـل الحيلولة دون فقدانه وعيه.

أهم العوامل لإسقاط التهمة عنه باغتيال حاكم العالم هو صدقُه الذي هزنا من الأعمـاق، إضافة إلى عدم كفايـة الأدلة. اعتُبـرتْ جريمته باغتيال السلطانة حُرّم ثابتة، ولكن لم يكن ليُسأل أي سؤال عن تلك الواقعة الأليمة التي أُغلقت منذ زمن طويل لولا اعترافه بها.

تمت تبرئـة أورهـون جلبي من جـرم اغتيال سـليمان خـان نتيجة محاكمتـه غيابيـاً بعد ثلاثـة أيام مـن حديثـه الأخيـر. قُدم فرمـان حكم الإعـدام بالجريمـة الثابتة عليـه للسـيد محمد شـاه قاضي دار السـعادة بواسطة آغا المُحضرين. وسُـلّم لكبير العسس حسن جلبي مظروف فيه تاريخ تنفيذ الإعدام، ومختوم بشـمع النحل بعد الحصـول على موافقة القاضي الخطية.

رغبة أورهون جلبي الأخيرة كانت أن أحضر تنفيذ إعدامه. وافقتُ دون تفكير. بدا لـي رفض حضور إعدام وهيمي جلبـي رجل الخدمات المهمة على الرغم من ذنوبه كلها عدم وفاء له.

ولكنني وجدت أنه من المناسب أن أضيف إلى ملحق النتيجة بعض كلمات أورهون جلبي التي لم تدخل القيود حول فتح قلعة سيكتوار التي من الممكن أن تجذب اهتمام سلطان سلاطيننا حاكم العالم حضرة سليم خان الثاني.

* * *

قال وهيمي وقد انحنى أثناء جلوسه على الفراش من شدة تعبه: «مع شروق الشمس، انفجرت الألغام وبراميل البارود التي في النفق. زلزلَ العالم حينئذ يا أصحاب المعالي... لقد كان زلزالاً جعل الأفلاك تنهار على بعضها بعضاً، ونجوم الفضاء تتساقط كلها... نعم يا سيدي، بعد ذلك مباشرة، انفجر مستودع الذخيرة في القلعة. التفت ظلمةُ الصباح الخريفي الباكر بالنور. لم يكن أحد منا يتوقع انفجاراً رهيباً كهذا. تهيأ لي أن سليمان خان الذي كفنّاه في تلك الليلة، وصلينا عليه، ومدّدناه على الفراش في الفسحة أسفل العرش قد انزعج من الانفجار، ونهض.

وفي الوقت نفسه، بدأت مرابض مدفعيتنا بالقصف الهدّام. أُمطِرت النقط المحددة مسبقاً والتي ضعفت على مدى شهر بكُراتِ المدافع الحديدية على مدى ساعتين دون توقف. ومع انطلاق أبواق الهجوم الشامل، شُنّ هجومٌ كاسح.

لم يبقَ جانب من القلعة الأخيرة يمكنه أن يقاوم. وبينما كانت قذائف المدافع الثقيلة توسّع الصدوع التي أحدثتها من قبل، بدأ المدافعون يلقون بأسلحتهم، ويطلبون الأمان. لم يُرفع السيف على من رمى سلاحه، ولكن ميكلوس زريني تمكن من التراجع إلى خلف حدود قصره ذي الأبراج المدببة التي تخرق السماء مع مجموعة

صغيرة من رجاله المخلصين. حينئذ، أصدر صوقولو باشا أمره: ١احملوا كل ما بقي من المتفجرات لديكم إلى أسفل الأسوار!

شعرت بأن زريني أدرك ما يدور. فجأة، لف الصمت العميق ما خلف نوافذ الرماية. اعتقدنا بداية أنه سيرسل هيئة من أجل مناقشة شروط الاستسلام. ولكن سليمان خان كان قد نبهنا قبل وفاته بقليل إلى احتمال محاولة الجنرال الهرب.

صمتٌ... صمتٌ يتوسعُ تدريجياً، ويتعمقُ باستمرار... حلّ على السماء جمود مائل إلى الزرقة يشبه ظلمة الثلج الخفيفة. كان لتلك الساعة تأثير عجيب. كانت قلوبنا ترتجف بمتعة مفعمة بالأسرار، ونشوة الصراع وجهاً لوجه...

اقتربت الدقائق الزاحفة ببطء من الظهيرة، وخرج صوقولو باشا من خيمة الصدارة العظمى وعلى وجهه الشاحب تعبير المفكر. تجوّل بين الجنود، ونبّه كل الوحدات بواسطة قادتها إلى ضرورة الاستعداد. قال إن ماكسيمليان الثاني انطلق في الطريق من أجل توجيه ضربة خاطفة والهرب كأمل أخير، وأمر بانتقال ثلاثة الآلاف فارس من الجيش النظامي المنتظرين كقوات ظهير إلى حالة الهجوم احتمالاً لأي طارئ.

في تلك الدقائق بالضبط، سُمع صوت انهيار ضخم لمزيج من الأخشاب والمعادن. انهار باب مدخل القصر إلى الأمام نحو الخندق بسبب انقطاع السلاسل التي تربط عضادتيه. قَطع الجنود الألمان الذين يقودهم زريني السلاسل، وليس جنودنا. يهدف المدافعون من حركتهم هذه إلى الدخول في معركة لا رجعة فيها.

ارتفع صخب صراخ وصياح إنساني من بين برجي الدفاع

المنتصبين على بعد ثلاثين شبراً من طرفي الباب. ها هو زريني يخرج. كنا ننظر نحو الباب بنفس واحد وقلب واحد. انتبهتُ ذات لحظة إلى أن الدخان لا يتصاعد من بين عضادتي الباب المتبقيتين فقط، بل من أبراج القلعة كلها. لقد أحرق زريني قصر أجداده القديم.

هجم زريني مع ثلاثمائة فارس على الجنود المسلمين بكل قوته كما توقع سليمان خان قبل وفاته بفترة قصيرة. كان مميزاً بين مقاتليه بقبعته البنفسجية عريضة الحواف ذات الريشة، والسلسلة الذهبية الغليظة التي تحيط برقبته، وسيفه المذهب الذي يحمله بيمينه ويستخدمه بمهارة. بما أن المحارب الخبير لا يُقدم على حركة حمقاء كتلك، كان تصرفه ذاك يعني أنه يريد أن يموت، ويدفن تحت الأسوار.

في تلك اللحظة، أطلق رماتنا من الطرفين سهامهم النارية. نزلت السهام بإصابة دقيقة على الخطوط الستة التي حددها سليمان خان شخصياً راسمة في الهواء أقواساً نارية. نظر جنود النمسا بدهشة بالغة إلى الدهاليز النارية المتشكلة أمامهم بارتفاع خمسة أمتار. امتدت نحو السماء ألسنة لهب سوداء وحمراء وقلبها أزرق، ورائحتها كبريتية.

كان المنظر مخيفاً إلى درجة أن الفرسان الألمان اضطروا للانقسام إلى ستة أقسام، وانتقل ترددهم إلى خيولهم؛ مما جعلها ترفض الدخول في الفخ الفظيع، وتقف في مكانها. بعضها اشرأبّت على قوائمها الخلفية، وألقت فرسانها عن ظهورها. اشتدت الريح فجأة، وبدأت تقذف النار إلى الجانبين بشكل عشوائي، وتزيد من درجة إحراقها. وبدأ الشرر يتطاير من الساحة وكأن أبواب جهنم قد فتحت.

على الرغم من هذا، لم ييأس زريني. أطلق طابور الإنكشاريين الذي

كان يحاصرهم النار من الجانبين على المسكين المتجه نحوهم نتيجة تلقيه كمية كبيرة من الدخان. خسر الفدائيون ربع عددهم تقريباً بأول موجة إطلاق نار من طرفنا على الرغم من تسلحهم بالبنادق. ولكن زريني اكتشف على ما يبدو عدم مهارة الإنكشاريين بإطلاق النار مما جعله يلكز حصانه، وينطلق نحوهم. رمى مسدسه وبندقيته، واستل سيفه.

تقدم مع مائتي جندي وكأنهم عاصفة تمزج بين ألوانهم ومشاهدهم. هاجموا صفوف الإنكشاريين وهم يطلقون الصيحات، ويتلوون بخيولهم التي تتصبب عرقاً بين الدخان الذي يطلق الشرر. ولكنهم لم يتمكنوا من تجنب إطلاق النار من الجهتين بعد تراجع الصفوف إلى الخلف تدريجياً، وفتحها من الوسط. تمدد الجنرال زريني على الأرض خلف دخان البنادق التي كانت تُطلق النار بشكل متتابع. كان لا يزال حياً.

أنهضه الإنكشاريون فوراً. شاهدنا باستغراب إسقاطه شهيدين بخنجر معقوف صفوي كان يخبئه في درعه الفولاذية في حالته تلك. فور جلبه إلى أمام آغا الإنكشارية، استخدم الآغا صلاحياته، ودفع زريني على سبطانة مدفع، ثم اقترب منه، وصرخ: ليتك تعلم ما كنت سأفعله بك أيها الكافر، ولكنك رجل جريء. والعثماني يحترم الجرأة. اضربوا عنق هذا الرجل!

تمتم زريني والدم الأسود الفاحم يسيل من بين شفتيه: «أنا صقر، ولا أخاف من انتقام سنونو مثلك!».

سيطر على الآغا غضب شديد، ونزل بسيفه القصير بحركة واحدة على رأس زريني فأسقطه. وهكذا انتهت مقاومة سيكتوار.

لقد نجح الساعي الجاويش حسن المرسل إلى الأمير سليم بأن

يبلغ إسطنبول بشكل مدهش بثمانية أيام، وصتشانلي (بين كوتاهية وأفيون) حيث يصطاد بأربعة أيام. وصل سليم خان إلى كوتاهية في السابع من ربيع الأول، وإلى أوسكدار في الرابع عشر منه. دخل القصر فوراً، وحصل على البيعة من حضرة «أبو السعود»، وقاضي إسطنبول، والدفتردار، وبعض العلماء. وخلال ثلاثة أيام أكمل زيارة القبور، وانطلق في الطريق، ونجح بالوصول إلى بلغراد التي يتطلب اجتياز طريقها ثلاثين يوماً في خمسة عشر يوماً. ولم يعد الجيش دون قائد».

* * *

هذه عبارات أورهون جلبي الأخيرة التي لم ترد في القيود. أعيدَ بعدئذ إلى زنزانته في سجن بابا جعفر. رأيته آخر مرة يوم تنفيذ إعدامه. أُخرج من زنزانته بعد أن صلى الفجر، وقد جثا أسفل جدار منتظراً موعد إعدامه صامتاً. بدا هادئاً، ولكنه منهك جداً. أنهكته حياته الطويلة كثيرة الحركة. ابتسم بامتنان حين رآني.

لم يكن لهذا الرجل المخيف أحد قريبٌ منه خلال حياته. ويدب الرعب بمن يسمع باسمه، وحتى ممن يُعرف أنه مر قربه، وإذا ذكر اسمه قرب نائم فسيرى المسكين كوابيس. وقد شهدتُ بعيني شعور الناس بالبرد مهما كانت النار متأججة في الأمكنة التي يذكر فيها اسمه في ليالي الشتاء، وتغييرهم الموضوع فوراً.

ولكنه حينها كان شيخاً وحيداً ضعيفاً تم أخذه إلى ساحة تنفيذ الإعدام. تأبط ذراعيه اثنان من مساعدي الجلاد الصم والبكم بأمر من قائد الحرس. أوقفه الحرس بعد عشرين خطوة، وقرأ كاتب دار القضاء في إسطنبول حكم الإعدام ثانية حضورياً. سُئِل عما إذا كان يريد أن يقول شيئاً ما أخيراً.

التفت الرجل الهرم نحوي. حملقت بي عينه التي غدت تشبه كرة نار متأججة، وتشنجت شفتاه اللتان تغطيهما طبقة صدفية اللون. قال بتعبير باسم وصوت مخنوق: «كل الذرائع التي يمكن أن أقدمها الآن، وكل العبارات التي يمكن أن أقولها تفقد معناها على هذا الجذع الأسود يا باشا. ثمة شيء جيد وحيد، وهو أن الناس أصبحوا متأكدين من أنني بمنتهى السوء...». بدا للحظة أن نَفَسَه سينقطع. «شعرتُ طوال عمري بالخجل، وبأنني مجرمٌ، أما الآن وأنا على عتبة الراحة...».

قبل أن ينهي كلامه، جرّه مساعدو الجلاد إلى أمام جذع الشجرة المسود بدم الضحايا. وهناك جعلوه يجثو، ووضع رأسه على الجذع في المكان المخصص له.

سمعتُ وهيمي يقول: «يا باشا!». كنتُ على مبعدة بضع خطوات منه. «هناك من ينتظر مني أن أتوسل من أجل حياتي... قل لهم إنني لم أتوسل بتاتاً، ولا أتوسل... هكذا أفضل... هذا أفضل...». نبهه حضرة الإمام لكي يتشهّد، فاستجاب وهيمي مباشرة، ثم أنزل السيف. كان الدم النافر من رقبته غزيراً إلى درجة وصوله إلى رأس حذائه. غزل الرأس عدة مرات على الأرض. وحين رأيت وجه وهيمي القبيح ما زال مبتسماً، وعينه تنظر إليّ وكأنه ما زال واعياً، هربت بعيني. هكذا انتهت حياة الجاسوس الأسطوري في أكثر أيام تاريخ العثمانيين بريقاً، ولكنني أعتقد أن ظلال ذكراه ستبقى على مدى عصور.

أخيراً، وصلني قسم من مرثية سليمان خان الرائعة التي كتبها الشاعر باقي، وخشي من إلقائها في حضرة سليم الثاني لأنه سيتأثر كثيراً. أضيفها لتكون نهاية هذه الدفاتر والملاحق المقدمة لحاكم العالم، والسلام...

«أشرقت الشمس، ألا يستيقظ حاكم العالم؟

ألا يخرج من خيمته الواسعة كالسماء ويظهر؟

تعلقت أعيننا على الطريق ولم يـأتِ خبر

لم يأتِ خبرٌ من عتبة السلطان ملجأ الدولة

شـحـب لـون خـديـه وجـفـت شفتاه

يـنـام كـأنـه وردة فـصـلـت عـن مائها

تختبئ الشمس سلطانة السماء وراء الغيم حيناً

ولكنها تتصبب عرقاً من الخجل عندما تذكرك

دعـائـي على كـل طفل وشيخ لـم يبكك

ولتجرِ دموع شيخ الشباب هماً إن لم يبكك

لتحترق الشمس بـنـارهـا على فراقك

ولتتشح بسواد الغيم متلوية بهمّ حزنك

سيبكي دمـاً كـل مـن يتذكر مواهبك

سيبقى سيفك مسلولاً فـي وجـه الشر

لتتحطم الأقـلام ولتتمزّق الأوراق هماً

وليمزق العالم أثـوابـه حـزنـاً عليك».